L'ESPOIR RENAÎT
À COPSI

L'ESPOIR RENAÎT À COPSI

(De gré ou de force)

roman

Traduit de l'anglais :
par Monique THIERS

ÉDITIONS SÉLECT
MONTRÉAL

ÉDITIONS TRÉVISE
PARIS

Cet ouvrage a été originellement édité en langue anglaise par *MICHAEL JOSEPH LTD à Londres (Grande-Bretagne) sous le titre :*

COPSI CASTLE

Dépôt légal :
Bibliothèque nationale du Québec
Bibliothèque nationale du Canada
Premier trimestre 1982

ISBN : 2-89132-617-2
G 1314

LE SOIR DE SON MARIAGE, MAGNUS COPSEY SE TOURNA VERS SA femme :

— Espèce de garce ! Ah, tu m'en as fait voir ! A ton tour, maintenant !

Et il se précipita sur elle, une cravache à la main.

Elle avait su que ce serait terrible. Depuis près de huit mois, elle vivait dans la terreur, à cause de lui. Mais elle avait cru que l'attaque prendrait une autre forme. Elle s'était préparée à une possession brutale, une sorte de viol légalisé puisqu'ils étaient mariés, à présent. Elle se dit : « Tu as passé un marché, tu dois t'y tenir. » Elle se répétait : « Ne crie pas, c'est ce qu'il veut. » Elle se recroquevilla sur elle-même, tenta d'esquiver les coups, chercha en vain, à attraper la cravache. Alors, elle ne songea plus qu'à se protéger le visage. Ton visage c'est ta fortune, ma jolie ! « Mon malheur, oui ! »

Le cuir cinglant s'abattit sur son sein, provoquant une douleur semblable à la morsure d'un fer rouge et le sang souilla la jolie chemise de nuit ornée de la dentelle de tante Hannah. A cette vue, son courage s'évanouit. « Un jour, il a réduit un cheval en bouillie. » Si désolé que son avenir apparaisse, elle n'avait pas envie de mourir. Alors, elle se mit à crier.

Dans le même couloir, le père du jeune forcené, assis, à l'affût derrière une porte entrouverte, se leva aussitôt.

— Bolsover ! appela-t-il.

Il n'eut même pas à élever la voix. Bolsover, lui aussi, avait entendu les cris de détresse. Contrairement à Sir Harald qui avait espéré que tout se passerait bien, tout en craignant le pire, Bolsover avait prévu que cela tournerait mal et était prêt à agir. Il atteignit la chambre où la jeune fille continuait de crier un peu avant son maître qui, blessé à Waterloo, ne pouvait courir. Un coup d'œil lui suffit pour se rendre compte que l'heure n'était pas aux demi-mesures. D'un seul geste précis il déploya et lança un filet, semblable à ceux dont on se sert pour couvrir les voitures d'animaux qu'on emmène au marché, mais plus petit et plus fin. Pris au piège, Magnus se débattit ne faisant que resserrer les mailles autour de lui. Alors, il s'arrêta et se mit à jurer. Bolsover avait eu juste le temps de lui administrer un direct à titre de punition préventive avant que paraisse Sir Harald, boitant bas. En temps ordinaire, lorsqu'il était contraint d'avoir recours à la force physique, il le faisait sans passion, exécutant son travail comme une machine. Mais, ce soir-là, il pensa : « Un petit bout de femme comme ça et la battre avec une telle cruauté ! » Le direct eut pour effet de faire taire les hurlements de Magnus en lui coupant le souffle. Le silence régna dans la chambre durant quelques secondes, à l'exception d'un gémissement ténu. La jeune fille qui, le matin encore, s'appelait Hannah Reeve et était à présent, pour le meilleur et pour le pire, Hannah Copsey prit soudain conscience de la finesse de sa chemise de nuit. Jusque-là, son linge de nuit avait été de solide calicot en été et de flanelle, en hiver. Elle fit deux pas pour s'abriter derrière les rideaux du grand lit à colonnes.

Ils étaient neufs, très jolis, de chintz orné de bouquets de roses sur fond crème. Un peu de sang éclaboussé, ou resté sur ses doigts, les marqua des années durant, tache brun clair entre deux tiges de roses, rebelle à tout lavage.

Sir Harald n'eut même pas à dire : « Emportez-le ! » Déjà, Bolsover poussait son jeune maître en direction de sa propre chambre, où il se proposait de lui administrer une forte raclée, pour faire bonne mesure.

Sir Harald, amèrement déçu, envahi par une impression d'intense défaite parla sur un ton qui aurait surpris tous ceux qui voyaient en lui un homme doux, aimable.

— Vous l'avez cherché, aussi. Si vous aviez tant soit peu cédé au début, rien de tout cela ne serait arrivé.

Il avait, en son temps, beaucoup aimé les femmes, avant de faire un mariage d'amour, avant que la blessure qui le handicapait l'ait atteint de façon plus vitale. Mais il savait encore apprécier une jolie jeune femme et il ne voyait rien de particulièrement séduisant chez cette fille que son fils avait voulue à tout prix. Presque toutes les filles de ferme, bien nourries, épargnées par la petite vérole avaient une brève période de charme. Elles avaient, souvent, la peau lisse, de belles dents, des yeux vifs, une masse de cheveux brillants et une silhouette qui, très vite, s'épaississait ou se ratatinait.

Pour le regard expérimenté de Sir Harald, Hannah Reeve n'avait rien d'exceptionnel, à l'exception du contraste qu'offraient ses cheveux clairs et ses yeux noirs.

Cependant, il n'y avait pas à nier ce qui venait d'arriver et il s'en sentait responsable, aussi se contraignit-il à demander :

— Êtes-vous blessée ?

— L'une des coupures saigne.

— Je vais appeler ma sœur, elle saura ce qu'il faut faire. — Il songeait à la cadette de ses deux sœurs habitant sous son toit. Baptisée Bertha, on l'appelait le plus souvent Bertie. Sa chambre était à l'autre bout de l'énorme bâtisse.

Laissant derrière lui la chambre nuptiale si joliment redécorée et sur laquelle il avait centré désespérément ses espoirs, Sir Harald, une chandelle à la main et déplorant de ne pas avoir le support de sa canne, entreprit de franchir ce qui lui semblait des kilomètres de montées et de descentes.

Copsi Castle avait gardé son nom d'origine bien que la famille qui l'habitait depuis 1071 ait, depuis longtemps, anglicisé le sien devenu Copsey. Ses murs sud et est, épais par endroits de plus d'un mètre, restaient intacts, nus et sévères en hiver, adoucis, l'été, par une multitude de rosiers grimpants, de jasmin, de clématites, de glycine. Derrière ces murs, des gens vivaient assez semblables aux oiseaux qui nichent dans les failles d'une falaise.

Pour atteindre les appartements de Bertie, Sir Harald eut à gravir six marches, longer la grande galerie, descendre douze autres marches, passer devant les chambres où dormaient — du moins l'espérait-il — sa belle-mère, sa sœur aînée, un cousin de sa mère et un jeune parent de celui-ci et puis, légèrement essoufflé par la hâte et l'énervement, s'attaquer à nouveau à dix marches. Il fut soulagé de voir qu'un rai de lumière encadrait la porte de Bertie. En fait, à peine l'eut-il atteinte qu'elle s'ouvrait. Bertie se tenait derrière, drapée dans sa vieille robe de chambre masculine en poil de chameau.

A l'extrémité de la grande pièce qui lui servait de salon, de chambre à coucher et de bureau, les portes-fenêtres étaient largement ouvertes sur une sorte de terrasse. La chambre de Bertie donnait sur le cèdre que l'on disait vieux de six cents ans. C'était l'endroit favori des rossignols et, de la porte, il pouvait entendre leur chant cascader, frais, prenant.

— Grave?

Bertie allait toujours droit au but.

— Grave! Pire que ce que je craignais...

Les mots qu'il allait prononcer lui restèrent dans la gorge! « Il... l'a frappée. Pas trop, mais elle saigne. Pas énormément, mais j'ai pensé... »

Ce qui était merveilleux avec Bertie c'est qu'il n'y avait pas à craindre qu'elle réplique : « *Je t'avais prévenu* » ou « *Qu'espérais-tu ?* » Elle avait dit ce qu'elle avait à dire, onze ans auparavant. A présent, elle se tourna vers une vitrine dans laquelle d'autres femmes auraient rangé des objets précieux et fragiles de porcelaine, d'ivoire ou de jade, mais qui lui servait d'armoire à pharmacie. Elle y prit, pour

Hannah, ce dont elle se serait servie pour un animal malade et, du pouce, désigna la vaste table encombrée.

— Il y a de l'eau de vie, là, Harald. Sers-toi. Tu as l'air d'en avoir besoin...

Avant qu'il ait eu le temps de verser un peu de liquide, heurtant le flacon contre le verre, et d'avaler une gorgée, heurtant le verre contre ses dents qui claquaient, elle était prête. Ses poches déformées, gonflées de ce qu'elle emportait, elle saisit la lampe à huile d'une main, prenant, de l'autre, son verre dans lequel restait un fond d'alcool et le vidait, d'un geste aussi machinal que peu féminin.

— Je suis prête, annonça-t-elle.

En se tournant, il remarqua, jetée sur un canapé, la jolie robe de soie jaune, la capeline de paille ornée de roses jaunes que Bertie avait portées le matin, pour le mariage. Elle détestait ce qu'elle appelait s'habiller, mais elle avait consenti à faire une concession pour marquer l'occasion quoi qu'elle en pensât. « Nous avons fait tout ce que nous avons pu ! », songea-t-il, le cœur serré.

Au pied de l'escalier qui menait à sa chambre, Bertie tourna à gauche, choisissant un trajet qu'il avait évité, d'instinct, bien qu'il ait été, de beaucoup, le plus court. On passait devant ce que l'on appelait la chambre du Roi, Henri VIII y avait dormi à deux occasions, alors qu'il allait au reliquaire de Walsingham. Quelques années plus tard, le Copsey d'alors avait été déçu que la reine Élisabeth, qui se rendait dans le Suffolk, ait trouvé Copsi trop à l'écart de la route et avait préféré demeurer à Long Melford Hall. Mais, quand il avait appris que le fait de recevoir la souveraine et son imposante suite avaient pratiquement ruiné son hôte, il s'était senti soulagé.

Derrière cet appartement se trouvaient les pièces où Sir Harald entrait seulement lorsque les domestiques chargés de les entretenir lui rendaient compte d'un dommage et qu'il était obligé de juger du genre de réparation à ordonner. Par tradition, ces pièces étaient occupées par le maître de Copsi et son épouse. Il s'agissait de deux chambres à coucher séparées par un cabinet de toilette et d'un boudoir. Juliet était morte dans l'une des chambres, moins d'une semaine après avoir donné naissance à Magnus. Vingt ans et trois mois plus tôt.

Il avait, en fait, oublié ses traits et il ne possédait aucun portrait pour les lui rappeler. Il ne le voulait pas. C'est pourquoi il entrait le plus rarement possible dans la chambre qu'elle avait occupée si peu de temps. Il gardait d'elle le souvenir de la femme la plus douce qu'il ait jamais rencontrée et que leur merveilleuse union avait duré moins d'un an. Entre treize et quatorze ans, Magnus, dans ses bonnes périodes, avait, parfois, ressemblé à cet ange fait femme et, chaque fois, Sir Harald avait senti son cœur se serrer. Il avait été heureux que, l'adolescent devenant un homme, cette ressemblance, ironie du sort, diminue et disparaisse. Si Magnus devait rappeler quelqu'un c'était bien son ancêtre de l'époque des Stuart, l'air farouche et le chef orné d'une perruque, sur le mur de la grande galerie.

Bertie passa rapidement devant la pièce où Juliet avait joué du piano et arrangé des fleurs pour, ensuite, tenter de capturer leur beauté dans des aquarelles un peu fades ; devant la pièce où elle était morte. Au cours de la brève période pendant laquelle Juliet avait vécu à Copsi — du 20 décembre 1815 au 23 mars 1816 — Bertie s'était montrée si aimable envers Juliet, avec laquelle elle n'avait absolument rien en commun, que Sir Harald lui en vouait une reconnaissance infinie. Il lui était assez reconnaissant pour, après une courte période de rancœur, lui pardonner son conseil partant d'un bon naturel peut-être, mais si dépourvu de tact quand, onze ans plus tôt, Magnus l'avait rendue furieuse en maltraitant un poney.

— Regarde donc les choses en face, Harald. Il est déséquilibré et le sera toujours. Pourquoi ne te remaries-tu pas pour engendrer un garçon normal ?

Malgré les manières masculines de Bertie et son refus de presque tout ce qui était féminin, dans sa façon de vivre, dans le choix de son nom, c'était une femme et pour son frère, rigoureusement collet monté, il avait été impossible de lui expliquer qu'il aurait pu s'offrir autant d'épouses qu'on en prêtait au roi Salomon et rester incapable d'engendrer un autre enfant. Il était impuissant comme un mulet ! Mais cette image, pour rien au monde, il ne l'aurait formulée. En réponse à la réaction si peu déguisée de Bertie, il s'était réfugié derrière l'argument selon lequel aucun autre enfant, si bien soit-il, ne pourrait hériter le titre et la part du domaine qui y était attachée. Elle avait répliqué, et c'était exact, que les Copsey n'avaient jamais attaché d'importance aux titres. Elle avait ajouté que s'il se remariait, qu'il avait un autre fils, qu'il fasse surveiller Magnus soit dans une clinique privée ou par un gardien, sur place, elle laisserait tout ce qu'elle possédait au second enfant.

Sir Harald avait trouvé une échappatoire en lui répondant :

— C'est ridicule, Bertie. Tu es encore jeune. Tu te marieras et auras tes propres enfants.

— Je ne le crois pas. Père, Dieu le bénisse, m'a donné les moyens d'être indépendante et j'espère le rester...

ILS étaient arrivés devant la chambre où Hannah attendait, pressant une serviette imbibée de sang contre sa poitrine.

— Tu peux partir, dit Bertie. Je me débrouillerai.

Dans une certaine mesure, il lui faisait pitié. Pauvre vieux qui se nourrissait d'illusions et pensait réussir à tromper tout le monde. Elle était navrée pour la fille aussi. Cette petite sotte, flattée, éblouie par la perspective de devenir Lady Copsey. Bertie ignorait tout du marché conclu cinq semaines plus tôt dans le salon d'une ferme connue sous le nom de Reffolds. Elle s'occupa de la blessure sans douceur, mais avec l'efficacité dont elle aurait fait preuve avec le même genre de blessure, chez un animal. Lister et ses théories sur l'asepsie était encore inconnus, mais depuis l'époque du Bon Samaritain qui appliquait de l'huile et du vin sur les plaies, les gens avaient entendu parler, ou appris par l'expérience, la valeur de l'adage : quelque chose de mordant, suivi de quelque chose de doux. Elle lava la coupure au vinaigre, puis l'enduisit d'un onguent de sa fabrication et qui sentait le goudron. Elle avait pensé devoir mettre une ou deux agrafes, mais elle le jugea inutile. La blessure n'était pas profonde et, sur une chair aussi jeune et fraîche, elle se cicatriserait bien. Elle travailla et Hannah accepta ses soins en silence. Toutes deux avaient appris comment se tenir : Bertie par sa mère, puis par une vieille gouvernante bien-aimée, Hannah, dans l'atmosphère plus stricte de l'Académie pour jeunes filles. Elles savaient, l'une comme l'autre, de quelle façon pénétrer dans une pièce ou en sortir, faire des présentations, servir le thé avec grâce et une douzaine d'autres détails qui, additionnés, marquaient la différence entre les gens bien élevés et les autres. Mais aucune des deux n'avait été préparée à ce qui s'était passé dans cette chambre, si peu de temps auparavant. Que pouvait-on dire, se demandait Bertie, à une pauvre gamine stupide qui avait épousé un fou et commençait à le payer ? Et Hannah qui ne pleurait plus et avait supporté la morsure du vinaigre sans sourciller restait muette de honte et dans l'incapacité de s'expliquer. Et, malgré la gentillesse et la dextérité de Mlle Copsey, elle appartenait à la famille et sa sympathie allait naturellement à M. Magnus.

Bertie appliqua la longue bande de toile qui ferait office de pansement et empêcherait la pommade odorante et brune de souiller ce que la jeune fille porterait cette nuit et le lendemain.

— Voilà ! dit-elle. Je ne crois pas qu'il y aura de marques.

— Merci.

— Il vous faut une autre chemise de nuit. J'emporte celle-ci. Les domestiques sont tellement bavards.

Hannah savait ce qu'était la pudeur. Pendant que Mlle Copsey la soignait elle avait gardé sa chemise serrée contre elle. A présent — grâce à tante Hannah qui avait décrété qu'il lui fallait absolument chaque pièce de lingerie en trois exemplaires — elle fut en mesure d'enfiler une autre chemise de nuit tout en laissant glisser l'autre par en dessous.

Bertie, avec un embarras qui lui était peu coutumier, lui fit remarquer :

— Vous savez... Ce genre de chose peut ne pas se reproduire.

— La prochaine fois, je serai prête. Ce soir, je ne m'attendais pas à cela. J'avais cru qu'une fois que j'aurais cédé... Mais je me suis trompée. Je ne me laisserai plus surprendre.

Bertie regarda sa jeune nièce par alliance. Combien pesait-elle ? Quarante trois kilos au maximum. Quelle chance pouvait-elle avoir ? Bertie elle-même, grande et vigoureuse, durcie par une vie active — la propriété que son père lui avait laissée se trouvait à huit kilomètres du château et, chaque jour, elle faisait le trajet, aller et retour, à cheval, par tous les temps. Elle chassait, dès l'ouverture et elle était un très bon fusil. Mais elle doutait de pouvoir, maintenant, lutter avec son neveu. Lorsqu'il avait dix ans, elle lui avait administré la seule bonne correction qu'il ait jamais reçue, sauf celles d'Eton, mais elle ne le pourrait plus !

— Je crois qu'il serait maladroit de le provoquer, dit-elle et c'était là un aimable euphémisme. Le mieux serait que vous appeliez à l'aide — Ou de vous enfermer en attendant qu'il se calme. La crise dure rarement longtemps.

En attendant, quoi dire ?... Magnus, en fait, pouvait être charmant quand il le voulait. Sans doute l'avait-il été avec cette petite dinde. Qu'avait-elle donc pu faire pour provoquer une attaque aussi sauvage, le soir même de son mariage ? Sans doute avait-elle fait preuve de trop de pudeur et de manque d'enthousiasme. Mais il y aurait le lendemain, puis le surlendemain, une longue suite de lendemains, une vie. « Cela ne me regarde pas », se dit Bertie, se désintéressant de la question comme elle avait appris à le faire quand sa belle-mère et sa sœur se chamaillaient, ne prenant jamais parti même quand il s'agissait des hommes formant le cercle familial. Enfant, elle avait été très sensible, facilement bouleversée par un désaccord quelconque. Mais elle avait appris à se répéter que cela ne la regardait pas. Cette insensibilité voulue était devenue réelle. Parfois, elle se demandait si son père lui avait laissé un si bel héritage afin qu'elle puisse partir si elle le désirait. Elle expliquait son peu d'attirance pour les femmes par le fait d'avoir vécu avec deux d'entre elles présentant presque tous les défauts de leur sexe sans faire preuve d'aucune des vertus dites féminines.

Elle remit dans ses poches ce dont elle s'était servi et fit un petit paquet de la chemise de nuit.

— Vous feriez bien de dormir un peu, dit-elle.

Hannah ne répondit pas, sauf avec ses yeux, grands, noirs et désespérés. « Dormir, après ça ? » disaient-ils.

Elle avait encore beaucoup à apprendre, beaucoup à endurer, une longue route à parcourir. Et personne ne pourrait l'aider, sauf de façon très superficielle. Autant le faire, cependant. Bertie plongea de nouveau la main dans sa poche, en ressortit un tout petit flacon noir. Puis elle alla à la table de toilette, prit le verre qui coiffait la carafe, compta avec précaution six gouttes d'un liquide noir et visqueux. Elle y ajouta de l'eau et fit tourner le verre pour mélanger le tout.

— Ça vous aidera.

Laissée seule, Hannah alla s'allonger avec précaution. Les blessures pansées la faisaient moins souffrir. Les coups qui n'avaient pas tiré de sang la mordaient encore douloureusement. Mais tout cela n'était rien à côté de la douleur née du désespoir qui l'envahissait, la submergeait. Il ne lui restait pas une miette d'espoir, de foi en Dieu ou en les hommes.

Elle avait été élevée pieusement et avait cru en la puissance de la prière, bien que l'un de ses professeurs ait tenté de lui faire comprendre qu'elle avait ses limites, selon les circonstances. Il fallait tenir compte des Lois de la Nature que, seul, un miracle pouvait modifier. Les gens ne pouvaient attendre de Dieu qu'il modifie les Lois de la Nature — les siennes — du seul fait qu'on l'importune. Hannah n'avait pas tenu compte de cet argument. Elle avait prié, tout d'abord de toute sa foi, à laquelle s'était mêlé, peu à peu, un certain doute, pour que son père guérisse. Il aurait fallu un miracle pour en arriver là, mais un tout petit miracle. On voyait des gens quitter leur lit où les médecins les avaient condamnés pour la vie. Les Lois de la Nature elles-mêmes décrétaient que certaines blessures pouvaient guérir. Mais son père était resté dans le même état, paralysé depuis la taille, et la foi d'Hannah avait faibli, s'était amenuisée, éteinte comme un feu sans combustible. Ses prières, si ferventes autrefois, n'étaient plus que des mots. Et, plus tard, les Lois de la Nature elles-mêmes avaient eu l'air ridicules. Peut-être la Nature et par là même, Dieu, avaient-ils décrété qu'un homme, tombé du haut d'une meule de foin, devait rester handicapé pour le restant de ses jours, mais quelle Loi de la Nature ou de Dieu, pouvait avoir prévu ce qui était arrivé à une jeune fille innocente et dévouée comme Hannah Reeve ? Une jeune fille dont la dernière prière avait été : « Mon Dieu, donnez-moi la force de supporter tout cela. »

Elle était couchée depuis quelque temps, lorsque quelque chose d'extraordinaire se produisit. C'était comme un rêve, mais elle ne dormait pas. Elle s'en assura en s'asseyant dans son lit et en allumant une bougie à celle qui s'éteignait. Elle ne rêvait pas. Elle était bien éveillée dans cette horrible chambre, mais une partie d'elle-même était ailleurs. Dans la petite maison de Bressford qui avait fait partie du marché. Elle ne s'y était rendue qu'une seule fois, alors qu'elle était vide et nue. Sa mère avait exprimé sa désapprobation de toute l'affaire en trouvant des défauts à la maison, la disant sombre et exiguë et demandant où l'on mettrait le buffet. A présent, elle éclatait de fraîcheur et de lumière et elle était pleine de fleurs odoriférantes. Tout lui était étranger. Elle semblait être seule, flottant plutôt que marchant d'une pièce à l'autre. Puis, elle entendit une voix familière, celle de tante Hannah, invisible pourtant : « Tu vois, dit-elle, nous avions raison ! Ils sont heureux ici. » Elle aurait voulu les voir, être témoin de leur bonheur. Mais cela ne diminua pas sa propre impression de bonheur, de bien-être. Du moment qu'ils étaient heureux, rien d'autre ne comptait.

C'est sur cette pensée qu'elle s'endormit.

D ANS sa chambre, juste au bout du couloir, Sir Harald, assis dans le fauteuil où il avait attendu plein d'espoir et d'appréhension, se demandait : « Mon Dieu, qu'ai-je fait pour mériter une telle punition ? Qu'aurais-je pu faire de plus ? »

La réponse était toute dans la voix rauque et brutale de Mme Reeve : « Vous auriez dû le faire enfermer ! Depuis des années ! »

Son dernier espoir éteint, et tous les jours à venir pendant lesquels il lui faudrait faire face, il se vit sur le point d'admettre son erreur. Mais son excuse vint d'elle-même aussitôt : il lui fallait songer à Copsi. Penses-y, maintenant et tires-en ce que tu peux comme consolation.

C OPSI était son premier amour et, à part Juliet, bien que cela ne puisse se comparer, son unique amour. Il y était né, deuxième fils ainsi que l'indiquait son prénom. Les premiers-nés s'appelaient toujours Magnus, les seconds, Harald. Qu'un troisième arrive et on le baptisait Robert, s'il s'agissait d'un quatrième c'était Ralf.

Un certain Copsi régnait en maître sur les Orcades à l'époque où Guillaume le Conquérant prit l'Angleterre. La nouvelle mit quelque temps à lui parvenir, mais à peine l'eut-il apprise, qu'il se précipita en Angleterre pour lui prêter allégeance et, assuré de sa position, retourna chez lui, sans perdre une seconde. Mais dans sa suite, qu'il avait voulue aussi impressionnante que possible, se trouvait un autre Copsi, fils, frère, cousin, personne ne le savait plus. Prénommé Magnus, il avait préféré rester en Angleterre et prendre sa part du butin. Guillaume savait juger les hommes en les voyant. Il avait donné pour mission à Magnus Copsi de construire un château sur une sorte de péninsule, langue de terre entre les embouchures de la Rad et de la Wren, avec latitude d'exercer des droits féodaux sur la région à titre de compensation pour la protection qu'il lui accordait.

Tout avait commencé là et, les Copsey le proclamaient, aucune autre propriété n'était passée de père en fils sans interruption depuis aussi longtemps. Tout simplement peut-être parce qu'au début personne n'en avait eu suffisamment envie pour se risquer à l'attaquer. En théorie et sur le parchemin, dans le *Domesday Book,* le nombre d'hectares que dominait le château semblait impressionnant. Mais la plus grande part des terres, surtout aux alentours de l'embouchure des rivières, étaient marécageuses, impropres à la culture une partie de l'année. Il y avait aussi de longues bandes de sol sablonneux, si léger que lorsque soufflait un bon vent d'est, ce qui était fréquent, toute une récolte, à première vue bien enracinée, s'envolait. Il y avait aussi le bois de Monkswood, d'une extrême densité, vestige de la forêt qui s'étendait autrefois entre l'Humber et la Tamise.

Dans l'ensemble, les Copsey s'étaient montrés gens d'habitude, restant chez eux, mettant leur ambition à améliorer leurs terres et embellir leur château. Au cours des ans étaient nés un ou deux fils, frivoles, dépensiers.

Le premier Magnus auquel James 1er avait octroyé l'une des premières baronies était mort, couvert de dettes, son titre lui avait coûté fort cher en « prêts » au souverain. Ce n'était pas un exemple à suivre. Pas plus que celui d'un joueur qui avait commis le crime de vendre quelques dizaines d'hectares aux alentours de Wyck. Ses successeurs avaient bien essayé de les racheter, mais en vain, une brasserie et d'autres bâtiments commerciaux ayant été construits sur les lieux.

Sir Harald, enfant, avait grandi sans se rendre compte de son affection pour Copsi et la façon de vivre que cela représentait. Il savait seulement que, petit garçon, après chaque absence, courte ou prolongée, il retournait à Copsi avec joie, convaincu que sa maison était le plus merveilleux endroit du monde. Elle ne pourrait jamais lui appartenir bien sûr, à moins que n'arrivât quelque chose d'inimaginable à son frère Magnus, auquel il était très attaché.

La plupart des collégiens souffrent un temps d'être partis de chez eux, quant à lui il eut le mal du pays durant toutes ses études à Eton. Il comptait les jours le séparant des vacances et économisait son argent de poche de façon à être en mesure de prendre la chaise de poste qui roulait de nuit, lui permettant ainsi d'arriver quelques heures plus tôt à l'endroit de ses rêves.

Il comparait souvent le château de Windsor à Copsi, à l'avantage de ce dernier. Il trouvait le premier trop grand, trop impersonnel pour être aimé. Plus tard, il éprouva le même manque d'enthousiasme à l'égard d'œuvres architecturales grandioses comme le château des chevaliers de Malte, les Pyramides d'Égypte et le Taj Mahal, aux Indes.

Les fils puînés suivaient invariablement la carrière des armes et il ne vint pas à Harald Copsey l'idée de rompre avec la tradition. On pouvait toujours compter sur lui et son courage ne faisait de doute pour personne, mais il était beaucoup plus populaire avec ses hommes qu'avec ses officiers, ses pairs. Sans raison bien définie ; c'était un individu sensationnel, mais un peu à part, un peu trop enclin à traiter les hommes de troupe, même ceux de couleur, comme s'ils étaient des fermiers à protéger, non pas à exploiter. Il s'était même livré, un jour, à une manifestation considérée comme choquante en protestant vigoureusement auprès de son colonel au sujet d'une déduction prévue sur la solde déjà maigre du soldat pour faire face à une dépense ridicule concernant une modification inutile et futile de l'uniforme. Il avait été remis vertement à sa place évidemment, mais s'était offert une sorte de victoire morale en répliquant :

— Dans ce cas, avec votre permission, mon colonel, je règlerai cette dépense moi-même.

Il pouvait se le permettre, une tante, du côté de sa mère, venait de lui laisser tout ce qu'elle avait : un charmant manoir, deux cents acres de pacages à moutons dans les Cotswolds et un revenu de huit cents livres par an.

Il avait été voir son héritage et bien que reconnaissant pour l'indépendance que cela lui conférait, décida qu'il ne pourrait vivre dans un décor si étranger, si différent du Suffolk avec son ciel à perte de vue, ses paysages sans fin, à peine interrompus par un bouquet d'arbres ou un clocher d'église. A Gayton-on-Wold il se sentait enfermé. Il étouffait. Jamais, il ne pourrait s'y installer, y vivre.

Il était majeur et pouvait songer sérieusement à donner sa démission, à se marier. Napoléon avait été mis hors d'état de nuire sur l'île d'Elbe. La vie de soldat en temps de paix n'offrait guère comme perspective que l'ennui. C'est alors que son frère Magnus, qui avait pris la succession en 1812, lui fit une offre généreuse.

— Il y a la maison du douaire, Harry. Sauf comme menace à brandir sur la tête de deux vieilles femmes acariâtres elle ne sert à rien. Elle est à toi si tu la veux. Et, si tu tiens à t'occuper, tu peux toujours me donner un coup de main.

C'était de la part d'un aîné privilégié, partager son héritage et Harald fut sensible à ce geste.

— J'y penserai, merci, Magnus.

Si séduisante qu'elle fût à première vue, la proposition demandait effectivement réflexion. Cela voudrait dire, et il ne se faisait pas d'illusion, qu'il se transformerait en une espèce de régisseur bénévole, qu'il travaillerait, endosserait les responsabilités, mais ne prendrait jamais de décision. Les derniers temps, ses visites à Copsi avaient été rares et brèves, mais il avait cependant remarqué beaucoup de choses qui étaient passées inaperçues à Magnus ; ces choses qu'il aurait voulues autrement et aurait changées, si seulement... Il s'interrompit brutalement dans ses pensées. C'était de la déloyauté vis-à-vis de son frère dont le principal défaut était la nonchalance et le manque d'organisation. Magnus n'avait jamais appris la nécessité de s'organiser, de gérer quoi que ce soit. Depuis sa sortie d'Eton, il n'avait subi aucune discipline. Tout lui était apporté sur un plateau. Déloyal ! Ingrat !

Mais l'idée subsistait. Peut-être le mieux serait-il, après tout, de se retirer sur une propriété lui appartenant sans discussion, grâce à tante Sophie, de remeubler la maison, surveillée pour le moment par des gardiens et de consacrer son attention à l'élevage du mouton.

La nuit aidant, il avait pratiquement pris sa décision. Mais en partant, tôt le matin, il se retourna sur sa selle et regarda derrière lui, comme il l'avait fait si souvent. Février tirait à sa fin et les aunes de l'avenue rougissaient, bourgeonnant. Quelques jonquilles sauvages fleurissaient déjà. Copsi, sombre et sévère contre le ciel lumineux, tranchait, dépouillé de sa parure d'été, son histoire écrite sur sa façade, ses nombreuses fenêtres, certaines d'entre elles fort vieilles d'architecture normande profondément cintrées ; meneaux Tudor ; baies à deux battants ; fenêtres à guillotine ; fenêtres en encorbellement et par-dessus tout, les cheminées, torsadées, à redents, droites : tout cet ensemble c'était Copsi, c'était lui-même. C'est ma maison, aucune autre ne pourra la remplacer, se dit-il. Mieux valait être le régisseur à Copsi que maître du manoir de Gayton-on-Wold. Et une curieuse pensée le frappa sous la forme d'une bribe de psaume : « je préfère être gardien de la maison de Mon Dieu que d'habiter la tente du péché ! » Quel ridicule ! Rien ne l'obligeait à choisir entre le bien et le mal mais simplement entre deux endroits.

Cette décision prise, les événements le forcèrent à en prendre deux autres.

En mars 1815, Napoléon qui s'était enfui de l'île d'Elbe se retrouvait en France et ses fidèles le rejoignaient par milliers. Ce n'était pas le moment pour un soldat expérimenté de donner sa démission. L'époque était également mal choisie pour un homme intelligent pour se marier. Pourtant, il était tombé amoureux d'une jeune fille obscure, même pas jolie, Juliet Evett, tout aussi profondément et beaucoup plus conscien-cieusement que de Copsi.

Il ne manquait pas d'expérience. Jeune et relativement pauvre il s'était amusé, quelque temps, avec des créatures à l'amour tarifé. Ensuite, beau garçon, magnifique en uniforme, on l'avait sollicité comme cavalier, quelquefois davantage. Son héritage en avait fait un parti intéressant. Après tout, une petite propriété, une maison et un revenu stable n'étaient pas à dédaigner par les temps qui couraient.

Les filles à acheter n'étaient pas désagréables mais l'affaire durait l'espace d'une soirée. Quant à celles aux intentions plus sérieuses, elles ne lui laissaient aucun souvenir. Il avait vingt-huit ans et il n'avait pas encore rencontré la femme avec laquelle il souhaitait vivre chaque jour jusqu'à ce que la mort les sépare. Le visage qui lui ferait face, à l'autre bout de la table. Et puis, brusquement, ce qui promettait d'être profondément ennuyeux, prit l'aspect de la sécurité et du bonheur total.

Juliet était la fille du recteur de Gayton-on-Wold, un hypocondria-que querelleur, neveu d'un comte et en voulant secrètement à sa famille de n'avoir pas fait davantage pour lui. Harald ayant décidé de vendre sa propriété, il était venu dans l'ouest pour les formalités nécessaires. Il pouvait y avoir contestation sur la limite exacte d'une terre, et cela concernait le Recteur parce que la terre touchait à la paroisse. Harald fut invité à dîner, fit la connaissance du maître de maison, avala le plus mauvais repas de sa vie, eut pitié de la jeune fille puis l'admira et en tomba amoureux.

Ils se marièrent en mai. Son père se chargea de la cérémonie et fit preuve d'une humeur qui aurait mieux convenu à une messe noire qu'à tout autre cérémonie religieuse. En juin, les jeunes gens étaient à Bruxelles. Juliet porta sa robe de mariée pour la seconde fois au bal qui allait devenir célèbre parce que tant d'hommes en furent appelés et qu'on n'en revit si peu.

Le capitaine Harald Copsey fut l'un des survivants, bien qu'il dût à jamais renoncer à danser. Il passa sa convalescence dans un charmant petit château près de Leaken où des jeunes dames, belges et anglaises — dont Juliet — jouaient aux infirmières, sans rien faire qui les contraigne réellement à retrousser leurs manches et à se salir les mains. Juliet était différente et les autres sentaient cette différence. On la snoba. Elle n'y prêta pas attention, mais son mari le fit. Il en souffrit cruellement. Sa femme avait des parents dans la noblesse et son mariage l'avait fait entrer dans une famille qui, si elle n'était pas la plus grande d'Angleterre, était du moins l'une des plus anciennes. Mais, aux yeux de ces dames, elle n'était que Mme Copsey.

— Dès que je pourrai me tenir avec une béquille, nous irons à Paris, mon amour, lui promit-il.

Il n'avait aucune fracture, seuls, des muscles et des tendons avaient été déchirés et, déterminé comme il l'était, il put très vite se déplacer à l'aide d'une béquille. De plus, pour la première fois de sa vie, il était selon sa propre expression très à son aise. Un agent avisé avait vendu la maison de tante Sophie et les terres l'entourant à l'un de ces nababs venus des Indes avec une fortune.

Les Alliés étaient à Paris et cette ville si gaie était « en fête », pleine de visiteurs désireux d'être distraits. Il y avait une multitude de plaisirs auxquels pouvaient participer même un boiteux et une femme enceinte : concerts, opéras, théâtre, galeries de peinture. Sans mentionner les boutiques. Oh, ces boutiques ! Et l'immense joie d'acheter de belles choses à quelqu'un qui avait, jusque-là, eu si peu et se montrait si reconnaissant. Octobre et novembre passèrent sans qu'ils s'en rendent compte. Le bébé était attendu pour mars et le moment était venu de songer au retour. Harald n'avait pas encore donné de réponse ferme à Magnus au sujet de la maison du douaire qu'il faudrait remettre en état, redécorer. Elle était restée inoccupée depuis la mort de sa grand-mère. Il lui faudrait bientôt prendre sa décision et songer à un autre aspect de la question : la docilité extrême de Juliet, la facilité avec laquelle on pouvait lui en imposer. Serait-elle heureuse à Copsi ? La maison du douaire se trouvait à faible distance du château et les deux vieilles femmes acariâtres dont Magnus avait parlé — leur sœur aînée et leur belle-mère — étaient toutes deux pleines d'allant. De même qu'elles étaient agressives. Elles chercheraient à l'entraîner dans la guerre qu'elles se livraient depuis des années et qui éclatait sous le moindre prétexte.

— Ma chérie, il faut que nous décidions où habiter et songer aux mesures à prendre, dit-il. Nous pouvons nous permettre d'avoir une jolie maison et une petite propriété n'importe où en Angleterre. Vous choisissez.

Il savait être déloyal à l'égard de Copsi où, même à titre de régisseur sans pouvoir réel, il aurait pu user de son influence.

— Où vous voudrez, Harry. Mais je préfère ne pas être près de papa. Cela peut paraître choquant, mais si j'étais à portée de main... J'ai choisi M\ :^{me}\ Gull parmi beaucoup d'autres candidates. C'est, j'en suis sûre, une bonne ménagère et elle sait soigner les malades... Cependant, je sens que si j'habitais dans le voisinage, chaque fois qu'il aurait une crise de goutte... vous comprenez...

Il la comprenait parfaitement et se hâta de la rassurer. Quel que soit l'endroit où ils décideraient de s'installer, ce serait loin de Gayton-on-Wold. En même temps, il forma des vœux pour qu'elle ne veuille pas aller habiter à proximité de Londres. Cette peur l'habitait car, au fond, elle était beaucoup plus citadine de caractère que lui. Elle tirait une joie réelle de choses qui l'ennuyaient profondément et qu'il ne supportait que pour lui faire plaisir. La musique, pour lui, n'était que du bruit et tous les opéras lui semblaient ridicules. Parfois il s'énervait et son attention passionnée se changeait en inquiétude, lui demandant, dans un murmure, si sa jambe le faisait souffrir, s'il désirait partir ? Et souvent, à regarder des tableaux, merveilleux, célèbres, mais dépourvus de sens à ses yeux, la chère créature sentait qu'il n'éprouvait pas le même plaisir qu'elle et déclarait que cela suffisait pour la journée.

Et, le moment venu de décider de l'endroit où ils devraient vivre, elle fit preuve de la même compréhension, demandant doucement :

— Ne préféreriez-vous pas être près de Copsi que vous aimez tant ?

— Vous l'ai-je jamais dit ?

— Pas exactement. Mais quand vous en parlez, votre voix change comme lorsque vous prononcez mon nom, mon aimé. Et, une fois ou deux, vous avez parlé en dormant. Toujours de Copsi... Vous m'avez même paru troublé, un jour, parce que le compte des fenêtres, à l'extérieur, et des pièces, à l'intérieur, ne correspondait pas.

— C'était un jeu, pour Magnus et pour moi. Nous ne tombions jamais juste. Ce n'est pas un endroit ordinaire.

— Mais vous l'aimez ? Vous voudriez y aller de temps à autre ? Pourquoi ne pas chercher une maison quelque part dans le voisinage ?

— Magnus m'a offert la maison du douaire. Elle nous conviendrait, sous bien des rapports. Mais...

— Mais quoi, mon chéri ? Je vous assure qu'aucune maison ne saurait être plus inconfortable et plus difficile à tenir que le presbytère de Gayton.

— Oh ! il ne s'agit pas de cela. On peut facilement venir à bout d'inconvénients de cette nature. Ce qui me fait réfléchir... J'ai une sœur, notre aînée à tous. Elle a fait ce que l'on peut appeler un beau mariage avec un Français... Il a été guillotiné. Elle a réussi à s'enfuir avec quelques bijoux cousus dans son corset, je crois. Évidemment, elle est revenue à Copsi, mais pour y trouver mon père remarié avec une femme du même âge et, malheureusement, du même caractère qu'elle... Elles ne peuvent jamais se mettre d'accord sur le plus petit détail. Mon autre sœur, Bertha — elle est très différente — un jour résuma leur cas : que l'une veuille une fenêtre ouverte, l'autre la veut fermée ; que l'une veuille mettre une bûche dans le feu ; l'autre veut qu'on la retire. Rien n'est trop mesquin. Elles vous fonceront dessus comme des vautours, feignant l'amitié, demandant allégeance chacune leur tour. Et, si vous ne pouvez les satisfaire — ce qui est humainement impossible — elles s'allieront contre vous. Pas pour longtemps, mais suffisamment pour vous rendre malheureuse. Non, plus j'y songe, plus je me rends compte que c'est impraticable.

— Mais si vous êtes heureux, mon amour, je ne tiendrai aucun compte de ces mesquineries.

— J'en doute. Philippa elle-même...

— C'est la femme de Magnus ?

— Oui. A la voir, on pourrait penser qu'elle est totalement dépourvue de système nerveux. Une fille robuste, solide. Magnus lui-même m'a dit qu'elles étaient parvenues à la bouleverser en lui donnant des avis contradictoires quant à la façon d'élever son bébé. Aucune d'entre elles n'en a eu, mais elles savent évidemment tout en ce qui concerne les enfants.

Il sourit et Juliet fit entendre son rire argentin.

— ... Magnus a été obligé de dire que si jamais l'une d'elles mentionnait encore le bébé, il les enverrait habiter dans la maison du Douaire. Quant à Bertha — nous l'appelons Bertie — elles lui en ont tellement fait voir qu'à présent elle vit à part et ne paraît à la table familiale qu'aux occasions très spéciales.

— Ne pourrions-nous faire la même chose ? Surtout si nous sommes chez nous. Quel âge a le bébé ?

— Il a eu un an en... Oh ! mon Dieu, j'ai totalement oublié son anniversaire. C'était en juillet.

— Nous lui rapporterons quelque chose de Paris. De ce merveilleux magasin de jouets, rue de Rivoli. Un cheval à bascule, peut-être. C'est agréable de penser à un autre petit Magnus et à un autre petit Harald grandissant et jouant ensemble... et comptant les fenêtres et les chambres de Copsi. N'est-ce pas ?

C'était en effet une perspective agréable. Mais il la contempla, songeur. Elle avait vingt-cinq ans, mais heureuse et bien habillée, elle semblait plus jeune malgré sa silhouette épaissie. Sous bien des rapports, elle en savait beaucoup plus que lui, sur la musique, la peinture, les livres, mais elle était si complaisante, si désireuse de plaire qu'il ressentait un besoin farouche de la protéger. D'autre part, elle avait pu vivre avec son horrible vieux père et conserver sa douceur dé caractère et une grande faculté de s'amuser.

Pour finir, il trouva un compromis.

— Écoutez, dit-il, dans sa dernière lettre, Magnus me dit qu'il espérait que nous passerions Noël à Copsi. En admettant qu'on le fasse, vous pouvez voir la maison, la famille et ensuite on décide. Et, ma chérie, il faudra me dire exactement ce que vous en pensez. Pour une fois, vos désirs doivent passer avant les miens. Je l'avoue, j'aime Copsi, mais avec vous, je serai heureux n'importe où.

Quelques heures après avoir répudié Copsi, le château le réclamait.

On lui apporta une lettre expresse, de l'écriture de Bertie adressée à... Sir Harald Copsey. Il ne pouvait y avoir qu'une explication à ce libellé.

J ULIET pleura pour des gens qui n'étaient que des noms pour elle. Elle essaya de réconforter Harald, encore sous le choc et profondément affligé en lui parlant du souvenir qu'elle avait gardé d'une épidémie de typhoïde à Gayton.

— Les gens souffrent au début, mais ils délirent et perdent conscience. Ils ne savent pas ce qui se passe... à la fin. J'en suis sûre, chéri. Je me souviens que l'on avait demandé à papa d'aller voir... une malade et qu'il avait refusé d'y aller. C'était inutile, à son avis, puisque la mourante ne l'aurait pas reconnu ou n'aurait compris *pourquoi* il était là. Et il avait beaucoup d'expérience...

Il y avait une autre interprétation à donner à ce refus de se déplacer, à savoir le danger de contagion. Mais Sir Harald préféra se taire. Il accepta ses paroles de consolation bien intentionnées et, à son tour, chercha à la réconforter. Elle éclata de nouveau en sanglots quand on livra le cheval à bascule, déjà emballé pour le voyage.

— Oh, mon Dieu, ce pauvre petit garçon...

— *Notre* enfant s'en servira. Juliet, il faut penser à l'avenir.

Cette perspective était, en effet, le seul réconfort. Ce qui venait de se passer était une tragédie, mais elle lui avait donné ce qu'il avait toujours voulu, Copsi. C'était horrible, mais il fallait voir les choses en face. Copsi à lui. Pour son fils et le fils de son fils. Et son cœur ne laissait pas place au doute. Il serait bien meilleur administrateur que son frère, si peu exigeant, si mou pour tant de choses. Tous ces petits détails qu'il avait remarqués et déplorés au cours de ses rares et brèves permissions, qu'il avait eu l'intention de signaler s'il était devenu régisseur bénévole, tout, à présent, ne dépendait que de lui.

Par la force des choses, leur arrivée fut discrète. Le deuil et l'état de Juliet interdisaient toute réception, cependant Sir Harald et sa femme trouvèrent mille occasions de s'occuper. Il éprouvait un énorme plaisir — teinté d'un léger sentiment de culpabilité — à tout lui montrer, dedans et dehors.

— Je vous le jure, ma chérie, je n'ai jamais réellement envié mon frère. J'ai compris la situation dès le début. Jamais je n'ai même *souhaité...* Mais, à présent. Bref, on ne peut rien changer à ce qui est. J'ai toujours aimé cet endroit et, maintenant, je l'aime plus que jamais.

— Je comprends parfaitement, répondit-elle, subtile comme toujours. C'est un peu comme un chapeau, si la comparaison ne vous choque pas. On le voit dans une vitrine, on l'admire, on sait qu'il vous ira, mais on ne peut pas l'acheter parce qu'il est trop cher. Et puis, tout à fait par hasard, on le reçoit et on l'aime encore davantage parce qu'il vous va.

Son amour du domaine se manifestait par tout ce qu'il en savait, sa connaissance de son histoire. Il était resté indifférent devant les chefs-d'œuvre historiques et il paraissait connaître par cœur chacun des tableaux accrochés dans la grande galerie, même si c'était pour avouer qu'on ignorait l'origine de certains : « Anonyme, pauvre vieux ! » A chacun, il accordait la même valeur et cependant il s'agissait d'une collection parfaitement hétérogène, passant d'un splendide Holbein à des aquarelles d'amateurs. Un peu ce qu'elle faisait elle-même, en pire.

— Voilà une vue du lac, peinte par ma grand-tante Lydia. On lui accordait beaucoup de talent, mais elle est morte jeune. Consomption... Là, représentant à peu près la même chose, c'est un Gainsborough exécuté avant qu'il soit célèbre. Celui de Lydia est aussi bien, n'est-ce pas ?

Pourquoi le contredire ? Ce n'eût pas été correct.

— Et cela ? Mais c'est un Romney.

— Oui, ma mère. C'est toute une histoire. Elle se trouvait à Londres avec son père au moment où l'on parlait beaucoup d'un portrait qu'il venait de faire de Lady Hamilton. Mon grand-père trouvait sa fille beaucoup plus jolie. Il alla trouver le peintre, avec elle, et lui dit : « Pour changer, peignez donc quelqu'un de bien ! » Romney lui répondit que ça lui coûterait mille guinées. « Peu importe, répondit mon grand-père. Mettez-vous au travail ». Mais le malheur voulut qu'une fois le tableau terminé, tous ceux qui le virent crurent qu'il s'agissait d'une autre version de Lady Hamilton. Cela enragea tellement mon grand-père qu'il ne voulut jamais le voir accroché chez lui et ma mère l'apporta avec elle quand elle s'est mariée.

Et quelqu'un l'avait placé entre une gravure de Copsi, sinistre en noir et blanc, et un dessin à la craie rouge, une esquisse en quelques traits, d'un cheval.

Il faudrait réellement revoir l'aménagement de la grande galerie. Elle le ferait, se dit-elle, quand elle aurait plus d'énergie et après avoir réorganisé d'abord l'essentiel. Franchement, la maison était tenue d'une façon lamentable. Il y avait bien une femme de charge, mais elle était hors d'âge, à moitié gâteuse et avouait ne plus voir aussi bien qu'autrefois. Parmi ce qu'elle n'avait pas vu figurait une quantité de factures restées impayées, la saleté des cuisines et le nombre de personnes qui grouillaient un peu partout, sans fonctions définies.

— Maintenant, je vais vous montrer notre tableau mystérieux. Puis, vous vous reposerez.

Le tableau mystérieux n'en était pas un, au sens exact du terme. Il s'agissait d'un panneau peint sur le mur de l'escalier principal dont les marches étroites, un peu penchées, reliaient le grand hall et le palier sur lequel s'ouvraient la Grande Galerie, la Chambre du Roi et quelques autres pièces. Ce n'était pas le seul escalier, ils étaient huit en tout, et l'on se servait rarement de celui-ci.

— Voilà, annonça Sir Harald. Que pensez-vous de cela ?

Rien. Aucun dessin. Juste un panneau sombre où des couleurs sans vie, vert olive, noir, brun paraissaient se mouvoir et miroiter. Il offrait une vague ressemblance avec certain taffetas dont elle avait une très belle robe qui changeait de nuance avec le mouvement, vert ou lilas.

— C'est vraiment un tableau ? Je l'avoue... je ne vois rien. Peut-être la lumière y est-elle pour quelque chose. A Gayton, dans l'église, il y avait des fresques. Les hommes de Cromwell les ont passées au lait de chaux. D'autres ont continué. Mais, parfois, tout à fait par hasard, selon la lumière, on pouvait voir. Vaguement, bien sûr. Un jour j'ai vu ce qui j'en suis sûre devait être le miracle des pains et des poissons.

— C'est un tableau. Il a une histoire. Regardez-le d'ici.

Elle jeta un coup d'œil à son mari et constata qu'il l'étudiait, presque anxieux. Voulait-il qu'elle le voie ? Voulait-il, au contraire, qu'elle ne vît rien ? S'agissait-il d'une sorte d'épreuve ? Peut-être ne pouvait-on être qualifié de membre de la famille Copsi qu'après avoir vu quelque chose sous cette surface brouillée, tachée. Si elle avait su ce qu'il désirait et ce qu'il fallait voir, elle aurait pu faire semblant.

— L'avez-vous vu vous-même ?

— Non. Ma mère a dit l'avoir vu. Magnus et moi, nous avons souvent essayé, mais en vain. Nous allons passer par là. C'est plus près de la salle à manger.

Il lui prit le bras pour l'aider à descendre l'escalier.

— Quelle est son histoire ?

— La famille ne s'est jamais mêlée de politique. Peut-être est-ce la raison pour laquelle nous sommes toujours ici. Nous sommes restés loyaux à nos amis, bien sûr. Quant à la guerre civile, nous sommes passés à côté. Le Copsey de l'époque était déjà un vieillard et son fils — de son troisième mariage — un enfant. Mais nous avons reçu, une fois, la visite des hommes de Cromwell et là, sur le mur, se trouvait le portrait de Charles Ier. Comme on ne pouvait pas le retirer, on l'a barbouillé de peinture. Plus tard, on a tenté, sans beaucoup de succès comme vous voyez, de retirer la peinture en trop.

— Comme c'est intéressant. Évidemment, il devait dominer le hall.

Elle se retourna pour regarder et, cette fois-ci, elle le vit, aussi clairement que s'il avait été peint la veille. Un visage grave, indéchiffrable sous le chapeau emplumé à larges bords : la dentelle des manchettes et du col blanc crème contre le velours prune.

— Maintenant, je le vois ! s'écria-t-elle. C'est très beau !

— Vous faites semblant. Ou bien vous croyez voir ce qu'il faut voir... maintenant que vous connaissez l'histoire.

Elle le regarda et comprit que c'était ce qu'il souhaitait croire lui-même. Pourquoi ? Prête, comme toujours à faire plaisir, elle répondit d'un ton léger :

— Oui, vous avez raison. J'ai fait semblant.

Peut-être la mort tragique de Charles Stuart avait-elle fait qu'une superstition s'attachât à ce tableau voulant qu'il portât malheur à ceux qui le voyaient. Il forma, avec ferveur, le vœu qu'elle n'ait rien distingué.

PARFOIS, même en janvier et février, il y eut de belles journées à la température agréable. Alors, il l'emmenait, dans un léger phaéton, attelé d'un poney sage, faire le tour du domaine, dans les fermes et les hameaux composant les deux villages Copsi Major et Copsi Minor. Le plus grand des deux villages avait l'église, l'autre avait, non seulement le moulin, mais une minuscule jetée où des péniches pouvaient se décharger. Les fermes avaient des noms qui parlaient d'eux-mêmes : « Le bois aux corneilles » ; « Le pré aux vaches » ; « Le nid de l'écureuil » ; « Le bout du marais », à côté de la rivière ; « La garinière », là où la terre était sablonneuse et où abondaient les lapins.

Partout, on les accueillit avec politesse, mais une certaine réserve. On aimait Sir Magnus, car sa négligence avait des avantages. Peut-être ne faisait-il pas réparer les toits très vite, mais il n'augmentait jamais les redevances, ni ne se préoccupait de faire adopter des outils plus modernes. On ne pouvait considérer Sir Harald comme un étranger puisqu'il était né sur place et y était revenu par la suite. Mais on ne le considérait pas comme « un des nôtres ». Rares, en effet, étaient ceux qui s'aventuraient au-delà de Bressford et Wyck. De plus, il avait été soldat et si les Anglais de l'Est faisaient les meilleurs d'entre eux — le vieux Cromwell le savait bien — le métier des armes était mal vu. Ces gens-là avaient un peu trop tendance à ne pas tenir compte des lois. Cependant, il y avait deux familles, dans le village, qui avaient envoyé leurs fils, armés d'arcs, à Crécy avec le Harald Copsey de l'époque. Il avait été tué ainsi que le jeune Reeve et le jeune Smith. La famille, au château, avait payé pour qu'on ramène les corps et qu'on les enterre.

Copsey à l'intérieur, Reeve et Smith à l'extérieur de l'église. La nouvelle Lady Copsey était, quant à elle, réellement une étrangère, venue de l'Ouest d'après ce qu'on disait, mais elle avait l'air bien aimable et paraissait disposée à plaire. Pour avoir exercé pendant des années la charge de vicaire non payé à Gayton, Juliet avait appris à dire le mot juste, au bon moment. Son père, souvent, offensait ses ouailles et c'était à elle de mettre du baume sur les blessures. Elle avait compris que la meilleure façon était d'admirer quelque chose : « Quel joli petit chat ! » « Mon Dieu, comme William a grandi ! » « Jamais, je n'ai vu un aussi beau géranium ! » Ces remarques, si bénignes qu'elles aient été jouaient un grand rôle dans la voie de la réconciliation. Ici, pour autant qu'elle le sache, il n'y avait pas de maladresse à réparer, mais elle aimait plaire et Harald était content d'elle.

— Ma chérie, vous les avez tous charmés. Même cette terrible vieille sourde du « Bois aux corneilles » semblait vous comprendre !

Presque toutes les femmes du village formaient des vœux pour sa santé et pensaient que, bientôt, elle ne pourrait plus sortir. Beaucoup d'entre elles faisaient des projets et attendaient avec impatience le moment où, libre de ses mouvements, elle descendrait du phaéton pour venir s'asseoir dans le salon, ouvert seulement pour les grandes occasions. Elle boirait une tasse de thé et verrait d'autres objets à admirer, une belle théière, quelques petites cuillères en argent, une broderie...

D ANS le château lui-même, tout se passait avec une facilité étonnante. La vieille dame — c'est ainsi que l'on appelait Lady Copsey depuis que Philippa avait pris le titre — et Madame le Beaune s'étaient considérablement assagies depuis le désastre qui avait emporté non seulement Magnus, Philippa et l'enfant, mais de nombreux serviteurs et même le docteur Fordyke, assez âgé comme le disait Mme le Beaune pour être immunisé contre n'importe quoi. Ce choc les avait particulièrement marquées car il était leur contemporain. Le décès d'un être plus jeune comptait beaucoup moins à leurs yeux : les jeunes prennent des risques ; celui d'un aîné pouvait être accepté sans trop d'émotion : chacun sait que nul n'est éternel. Mais quand la mort frappe quelqu'un de votre âge, il en va autrement. Une commune impression de vulnérabilité mit un terme, temporairement, à leurs querelles et, durant six semaines, Juliet put croire qu'Harald avait exagéré en la mettant en garde. Et puis, par manque d'occupation ou parce que leur esprit belliqueux avait repris le dessus, les hostilités reprirent prenant pour cible Juliet et son amour des fleurs.

Copsi, comme beaucoup de demeures d'une certaine importance, avait des serres. L'une d'elles consacrée aux fleurs et aux plantes en pots, l'autre à la production de légumes hors saison. La serre fleurie de

Copsi avait ceci de remarquable qu'elle abritait un rosier qui, s'il perdait ses feuilles comme ses semblables, les voyait repousser presque aussitôt, suivies par des boutons. On le désignait sous le nom de rosier immortel. Ses fleurs étaient jaune pâle et son feuillage plus bronze que vert. Il s'accordait une brève période de repos lorsque Sir Harald le montra à sa femme, mais il lui affirma que, très vite, elle aurait des roses. Elle avait manifesté son admiration et s'était préparée à attendre. Même en janvier et février il y avait des fleurs, certaines cultivées en serre comme les lys et les œillets et quelques courageuses espèces croissant au-dehors, primevère, perce-neige et même des narcisses.

Quand le vent ou la pluie interdisaient une promenade en voiture, Juliet faisait des bouquets et s'efforçait de les peindre. Elle préférait les espèces sauvages, mais cueillies dans le froid elles se fanaient avant qu'elle ait eu le temps de capter leurs nuances.

Elle avait eu une grossesse facile, s'occupant surtout de Harald, si faible et handicapé par sa blessure et tellement anxieux de profiter de la vie et de l'en faire profiter. Elle n'avait pas souffert de certains troubles ou n'en avait pas tenu compte. Mais... beaucoup de femmes mouraient en couches, à cela nul ne pouvait rien. Elle qui n'avait jamais manifesté le désir de manger quelque chose de particulier, qui ne s'était jamais livrée à une crise de larmes ou de colère, sentait le besoin impérieux de laisser quelque chose à Copsi — en dehors d'un fils — Elle voulait quelque chose qui figurerait sur les murs de la grande galerie. Quelque chose que, plus tard, on désignerait avec fierté : « Ma mère, ma grand-mère, mon arrière-grand-mère a peint ça. Elle avait du talent, mais elle est morte jeune... » C'était là, elle le savait, une fantaisie ridicule, attribuable à sa condition, mais elle persistait et peignait, heureuse des heures durant, ravie de l'énorme réserve de beau papier et de la qualité des couleurs qu'elle n'avait jamais pu s'offrir jusque-là.

Ce fut avec autant de surprise que de joie qu'elle vit arriver, un matin glacial de février, la vieille Lady Copsey. Elle portait un beau bouquet de roses jaunes.

— J'ai été les cueillir moi-même, Juliet, malgré le temps, dit-elle, l'air content de soi. Je maintiens que le secret d'une bonne santé réside dans l'exercice quotidien. Il va sans dire que l'on ne peut attendre de vous, en ce moment...

Elle avait parlé avec amabilité, mais avec une nuance de réprobation. Lady Copsey jugeait Juliet trop pâle et quoi d'étonnant à cela ? Le boudoir était surchauffé et ses deux fenêtres fermées.

Juliet la rassura : si le temps s'améliorait, elle ferait un tour dans le jardin. Puis, elle admira les roses, remercia Lady Copsey de son geste. Elle lui demanda même son avis quant au vase qui conviendrait le mieux aux fleurs. Le bleu, ou le brun ? Elle s'interdit de faire remarquer que quiconque vivant au château n'avait nul besoin de sortir pour prendre de l'exercice et respirer de l'air frais. D'énormes couloirs glacés, une quantité impressionnante d'escaliers séparaient les chambres occupées et bien que la Grande Galerie eût deux cheminées elles ne suffisaient pas à réchauffer un appartement de la taille d'une petite église.

Après avoir réfléchi, Lady Copsey se prononça :

— Le bleu, je crois. Il vous apportera davantage de contraste. Le feuillage a un reflet brun. Je vais vous le remplir.

Heureuse d'échapper à l'atmosphère confinée de la pièce elle se dirigea vers le cabinet du bout du couloir, prit le vase bleu et tourna le robinet.

— Voilà, ma chère. Je vous laisse le soin de faire le bouquet.

La porte s'ouvrit à cet instant sur Mme le Beaune qui parut habillée comme pour une expédition dans l'Antarctique. Elle portait un long manteau de phoque, des bottes et des gants doublés de fourrure, et s'était fait une sorte de turban avec une immense écharpe bleue, sa couleur favorite, qui lui avait convenue quand elle était jeune mais qui, à présent, éteignait le bleu de ses yeux. Ce qui ne les empêcha pas de lancer des éclairs d'indignation à la vue des roses.

— Ah c'est ça ! s'écria-t-elle. J'avais *interdit* à Thomas d'y toucher. J'avais l'intention de les couper *moi-même* ce matin pour les apporter à Juliet. Et, malgré ce temps abominable, je suis sortie pour le faire, comme vous voyez... Quelle manœuvre sournoise. Vous n'aviez aucun droit d'agir ainsi !

— Tout autant que vous ! répliqua Lady Copsey avec fougue.

Elles étaient revenues dans leur arène habituelle. Leurs relations avaient été vouées à l'insuccès dès le début. Lydia Monkhouse commençait à peine à se retrouver dans les dédales du château, s'habituait peu à peu à son nouveau nom et à son titre, apprenait qu'il n'était pas toujours facile d'être la seconde épouse — les comparaisons ne manquaient pas — quand Mme le Beaune arriva. Les troubles, en France, avaient amené des retards dans le service postal et elle ignorait que son père fût remarié. Elle était venue déterminée à reprendre son rôle de fille aînée. C'est là que la rivalité, la hargne avaient commencé. A présent, il suffisait d'un simple bouquet de fleurs qui avait, pourtant, atteint son destinataire. Mais par le mauvais intermédiaire.

— Je ne vois pas quel droit vous auriez sur ce rosier, répondit Marie le Beaune. Ma mère l'a apporté tout exprès de Southbury quand elle s'est mariée et ce n'est pas la seule chose.

C'était là une rosserie délibérée, car la mère de Marie, Magnus, Harald et Bertha avait été ce que l'on s'accordait à reconnaître comme une héritière, alors que la seconde Lady Copsey était arrivée les mains vides, n'apportant comme se plaisait à le répéter Mme le Beaune, qu'un joli visage et un sale caractère.

Juliet bientôt ne put suivre les méandres de cette querelle, commencée pour une question aussi futile mais elle regardait, écoutait avec horreur. Elle avait vécu, jusqu'à son mariage, habituée aux sarcasmes, aux réprimandes, aux crises de colère pour un rien ou de lamentations sur l'injustice du sort et, à partir du moment où elle avait accepté la demande en mariage d'Harald, s'était vue accusée d'ingratitude et de trahison. Mais cette grâce hargneuse entre deux adversaires de même taille c'était une découverte pénible pour elle. Elle fit une faible tentative pour intervenir.

— Je vous en prie, ne vous querellez pas à cause des fleurs. Je les ai et je vous en remercie vivement toutes les deux.

Elle ne pouvait plus mal tomber. Un instant interrompues dans leur récapitulation de griefs, de vieilles insultes, les deux femmes regardèrent les fleurs et Marie le Beaune s'écria :

— Et regardez la façon dont vous les avez coupées, ignorante que vous êtes ! Des tiges de cette longueur ! Un gaspillage de jeunes boutons. Tout cela aurait fleuri si on n'y avait pas touché. Maintenant le rosier sera nu pendant un mois !

— J'ai pensé que Juliet souhaiterait les peindre. Des fleurs coupées trop court auraient ressemblé à des primevères.

— Ah bon ! Parce que maintenant vous avez la prétention de vous y connaître en peinture ! Effectivement ! Quand il s'agit de vous peindre la figure, il n'y a rien à vous apprendre !

Juliet, qui s'était reculée d'un pas, constata à quel point les deux femmes se ressemblaient quand elles étaient furieuses. A sa connaissance, elles n'avaient aucun lien de parenté, mais elles se ressemblaient vraiment. Toutes deux blondes, toutes deux fanées mais faisant appel à tous les artifices. Elles n'étaient, en fait, vieilles au sens propre du terme, ni l'une, ni l'autre. Mais toutes deux avaient été jolies dans leur première jeunesse et souffraient, luttaient contre la diminution de leur beauté due à l'âge. C'était pitoyable. Elles n'avaient ni mari, ni enfants.

Si je survis à Harald, se dit-elle, et que je reste ici à souffrir sans rien d'autre pour me maintenir en vie que me quereller avec la femme de mon fils, ou Bertie ? Quel sort effroyable !

C'était la première fois qu'elle se rendait compte de façon tangible que chacun était condamné à vieillir, à perdre peu à peu ce qui lui semblait aller de soi, l'espoir de voir arriver ce que l'on souhaitait, espoir qui permettait aux jeunes, si misérables soient-ils, de rester vivants et actifs et qui, dans son cas, s'était pleinement justifié. Sans cela que restait-il ? Le ciel et ses joies éternelles ou l'enfer et ses tourments éternels ? A dire vrai, sa foi avait perdu beaucoup de sa ferveur à vivre aussi longtemps avec un sceptique déguisé en clergyman, un homme qui avait été contraint d'entrer dans les ordres comme, dans une autre famille, il aurait pu être forcé d'entrer dans l'armée, la marine, le commerce de la laine ou du vin. L'Église lui assurait des revenus réduits mais réguliers, une maison correcte et une certaine considération dans la région. Mais son état d'ecclésiastique ne signifiait pratiquement rien pour lui et n'affectait ni son comportement, ni ses goûts, classiques. Il aimait faire une bonne traduction et, parfois, faute d'autre auditoire, en essayait une sur sa fille qui, d'une incurable stupidité selon lui, ne comprenait pas toujours. Mais à présent quelque chose lui revint en mémoire, incomplet peut-être, mais correspondant exactement à ce qu'elle éprouvait : le jour succède au jour et bien que nous ne l'écoutions pas, soudain la mort appelle. Elle appelle et nous la suivons. Par cette route, ou celle-là jusqu'au silence universel.

C'en était trop, elle se mit à pleurer et mit fin à la querelle pour un temps, une nouvelle mauvaise note fut marquée cependant sur le tableau invisible et impitoyable que chacune d'entre elles tenait.

Juliet, après cela, n'eut plus aucune envie de peindre les roses. De fait, elle souhaita ne plus jamais voir une rose jaune. En disant que le rosier serait nu pendant un mois, Mme le Beaune ne s'était pas trompée, et l'eût-elle encore voulu qu'elle n'aurait pu faire ce qu'elle avait projeté comme tableau.

PARFOIS, quand une femme a le bassin trop étroit et que l'enfant a la tête trop grosse, le médecin écrase le crâne comme une coquille d'œuf et permet la délivrance. Mais le jeune docteur Fordyke, optimiste, espérait pouvoir éviter de prendre une mesure aussi barbare. Lady Copsey n'était pas précisément bâtie pour mettre des enfants au monde, mais elle était jeune, bien nourrie, patiente, courageuse... A la fin, cependant, il fut obligé de recourir à ses forceps et le bébé, un garçon pesant au moins huit livres, vint au monde et fut confié à une sage-femme qui se remémorait des temps meilleurs. Cette époque où les médecins n'auraient pas daigné procéder à un accouchement et laissaient agir les gens comme elle. Mécontente elle se dit ; « J'aurais fait du meilleur travail avec des mains bien savonnées ! ».

Vraisemblablement, car une main enduite de savon n'aurait pas été porteuse de germes comme les instruments non stérilisés employés. (Le jeune docteur Fordyke vécut assez longtemps pour devenir le vieux docteur Fordyke et lire des articles consacrés à l'asepsie et aux vertus du phénol).

DANS ses moments de dépression, Sir Harald songeait qu'il n'avait jamais rien obtenu sans perdre autre chose. A présent il avait un héritier, Copsi avait un héritier, mais il avait perdu sa femme, la créature la plus douce du monde. C'était toujours en ces termes qu'il y pensait, même quand il eut oublié ses traits. Pourtant, il marquait religieusement le jour de son anniversaire, celui de leur mariage et celui de sa mort. Il avait fait vernir et encadrer deux de ses aquarelles qu'il avait accrochées, de ses propres mains, sous le Holbein. L'une représentait une coupe pleine de primevères, l'autre une branche de chatons de saules, les chatons gris à peine saupoudrés de pollen. Pendant longtemps, il ne put supporter de les regarder. Ils lui rappelaient trop cruellement les quelques jours heureux qu'ils avaient vécus ensemble à Copsi. Il ne put pas davantage se résoudre à occuper les pièces qu'il considérait toujours comme appartenant à sa femme.

Mais, peu à peu, jour après jour, sa douleur s'estompa et il dut se consacrer à ce qui lui restait : Copsi qui réclamait énormément d'attention et d'argent, et l'enfant. Un enfant combien précieux en temps ordinaire en tant que fils aîné, héritier, et mille fois plus précieux vues les circonstances — l'enfant de mon corps, l'enfant de Juliet.

Non que le petit garçon fût ou doive être gâté. Sir Harald avait pensé que les deux vieilles femmes transféreraient leur rivalité dans la nursery dès que le bébé serait en mesure de distinguer les gens les uns des autres et d'entrer en compétition pour ses sourires. Cela, il fallait l'éviter à tout prix. On pouvait faire confiance à Bertie, elle ne s'intéresserait à l'enfant que lorsqu'il serait en âge de monter à cheval. Elle avait, cependant, accepté d'être sa marraine et avait participé au baptême très simple — si différent de celui qu'avait projeté Sir Harald... de plus il fallait envisager la possibilité que sa propriété reviendrait au domaine — Elle avait vingt-sept ans et bien qu'elle ait toujours préféré la compagnie des hommes à celle des femmes elle n'avait jamais, autant que l'on sache, manifesté un intérêt particulier pour l'un d'entre eux. D'autre part, comme à l'issue de toutes les guerres, les hommes valides et convenables étaient en nombre réduit.

Sir Harald interdit pratiquement l'accès de la nursery à sa belle-mère et à sa sœur aînée. Même si le bébé était encore trop jeune pour être gâté, il y avait toujours à craindre que leurs avis contradictoires troublent la nurse, une femme qu'il avait choisie avec beaucoup de soin. C'était la fille du fermier du « Bois aux Corneilles ». Entrée très jeune dans la nursery du Manoir de Fowlmere, elle avait élevé quantité de jeunes Barrington. Mme Barrington ne tarissait pas d'éloges sur Mlle Sawyer qui, entre parenthèses, tenait à ce qu'on l'appelle Mme Sawyer. Toutes les gouvernantes et la plupart des cuisinières jouissaient du même privilège.

A Copsi, le travail de Mme Sawyer n'était pas compliqué. Magnus était un bébé remarquablement vigoureux. Contrairement à la plupart de ses semblables, il digérait tout ce qu'il mangeait. Il perça ses dents sans problème. La vaccination contre la variole dont Sir Harald était un adepte fervent et aux vertus de laquelle Mme Sawyer croyait beaucoup moins, ne provoqua qu'une légère fièvre pendant deux jours à peine.

Rien ne l'incommoda réellement pendant dix-huit mois et puis, vers l'âge de deux ans, il prit la désagréable habitude de retenir sa respiration quand on le contrariait. Son visage prenait alors une teinte violacée, presque noire, effrayante pour les non-initiés. Mais Mme Sawyer savait comment réagir. Vite, une tape un peu sèche, mais sans brutalité, sur la main ou le postérieur et l'enfant, surpris, ouvrait la bouche et se remettait à respirer de façon normale.

Sir Harald était un père merveilleux. Il s'installa dans une chambre voisine de la nursery, situation que beaucoup de pères auraient évitée. Il y faisait une visite chaque matin à la même heure, avec une régularité d'horloge. Et puis, sauf empêchement, immédiatement avant ou tout de suite après le déjeuner. La coutume voulait qu'aux environs de six heures la famille se réunisse dans la bibliothèque qui, heureux hasard, se trouvait au-dessous de la nursery. Là, Sir Harald, son travail quotidien terminé, se voyait présenter celui de Mme Sawyer, un enfant bien propre, sentant bon, aimable qui s'étalait en gargouillant sur les genoux de son père, ou sur la grande peau de tigre. Lady Copsey et Madame le Beaune, auxquelles il était interdit expressément de formuler la moindre critique ou le moindre avis, buvaient du madère en croquant des petits biscuits. Mme Sawyer se voyait offrir un verre de vin qu'elle refusait, juste assez souvent pour prouver qu'elle ne s'adonnait pas à la boisson et acceptait, juste assez souvent pour démontrer qu'elle en avait le droit. C'était fort habile. Sir Harald, qui au cours des ans, avait perdu son goût pour les boissons sucrées, buvait du whisky à l'eau.

Il était le seul à connaître le moment où il avait cessé d'aimer ce qui était sucré. C'était exactement au cours du mois de juillet suivant la mort de Juliet. Il n'avait plus été lui-même depuis, mais il allait un peu mieux et une assiette de framboises fraîchement cueillies, saupoudrées de sucre cristallisé lui avait rendu son appétit. Et puis le goût des fruits lui fut soudain insupportable : « l'année dernière... et moi qui suis ici en train de m'empiffrer alors qu'elle ne pourra plus jamais goûter à rien... ». Depuis, toute chose sucrée faisait revivre en lui la même douleur, le même remords et il l'évitait soigneusement. Toutes les hôtesses des maisons recevant Sir Harald — veuf et très beau parti — savaient à quoi s'en tenir et ne laissaient, dans leurs menus, qu'une part négligeable aux entremets et aux desserts.

Et ce fut justement un biscuit qui sema la perturbation dans la petite famille réunie dans la bibliothèque. Magnus, âgé de dix-huit mois, bien solide sur ses jambes, grâce à Mme Sawyer, voulut un morceau du biscuit de Lady Copsey.

— Puis-je ? demanda-t-elle.

Sir Harald réfléchit, puis accepta qu'elle donne ce qui restait de son biscuit. Mme Sawyer marqua sa désapprobation, ce genre de grignotage coupe l'appétit d'un enfant. Le dîner de Magnus, un œuf à la coque et un peu de pain beurré, lui serait servi dès leur retour dans la nursery. Alors, et c'était à prévoir, Madame le Beaune se manifesta :

— Puis-je ?

— Enfin, par simple esprit d'équité. Mais seulement la moitié de ce que tu tiens, Marie.

Il le savait, il ne tenait pas compte des règles qu'il avait établies lui-même. Mme Sawyer lui avait dit qu'elle n'aimait pas voir un enfant manger à n'importe quelle heure et il s'était montré d'accord avec elle. Mais, avec ces deux femmes, il s'efforçait toujours à l'impartialité.

Madame le Beaune brisa le biscuit qui se divisa en deux morceaux inégaux. Elle donna le plus petit à son neveu. Il l'engloutit et tendit la main pour avoir l'autre. Sir Harald et Mme Sawyer parlèrent en même temps.

— Cela suffit, Marie, dit-il.

— Madame, s'il vous plaît, il ne pourra pas dîner, dit la nourrice.

Madame le Beaune tint donc le morceau de biscuit hors de portée de l'enfant et celui-ci piqua ce que chacun prit pour une crise, sauf Mme Sawyer. Il hurla de rage et parut sur le point d'étouffer, son visage passant du rouge au violet.

Aucune des deux femmes ne l'avaient vu dans cet état. Quant à Sir Harald il avait parfois entendu des cris de ce genre venir de la nursery et bien qu'il s'y soit précipité, chaque fois, ils avaient cessé avant qu'il arrive, bouleversé d'inquiétude. Il ne trouvait rien à redire. L'enfant roi était déjà sur les genoux de sa nourrice, légèrement plié sur son bras gauche. Elle venait de lui administrer sur le postérieur la claque qui l'avait fait reprendre son souffle.

— Ce n'était rien, monsieur, disait-elle au père aveuglé par l'amour. Une légère éructation...

Quelle qu'ait été son opinion quant à des accès de rage d'une telle violence, chez un enfant aussi jeune, elle n'en parlait jamais. Elle les traitait comme elle l'aurait fait de crises de hoquet. Elle savait comment les traiter et, à présent, sous les yeux de trois adultes impressionnés qui songeaient à tous les maux possibles, aux convulsions, elle s'avança, administra la claque salvatrice. Magnus reprit son souffle et se calma.

La claque, cependant, n'avait pas été donnée avec le calme habituel, l'attitude presque médicale usuelle. Mme Sawyer se sentait humiliée. Comme toute nurse digne de ce nom dont l'enfant confié à ses soins se tient mal, elle était vexée. Pour la première fois, la fameuse claque ressemblait davantage à un châtiment qu'à une mesure d'hygiène. Mais elle obtint le même résultat. Les trois adultes reprirent eux aussi leur respiration. Mme Sawyer prit l'enfant dans ses bras.

— Je l'emmène à présent, dit-elle.

— Tout cela est de votre faute, Marie, accusa Lady Copsey. Agiter ce biscuit sous son nez. Même un chien aurait pensé qu'on le lui donnerait.

— Et puis-je demander qui a tout commencé ? Harald avait dit de façon très précise — et tous ceux qui n'ont pas besoin de cornet acoustique ont pu l'entendre — que Mme Sawyer ne voulait pas que cet enfant mange entre les repas et qu'il était d'accord avec elle. Me suis-je trompée, Harald ?

— Je ne suis nullement dure d'oreille. J'avoue cependant ne pas vous comprendre toujours très bien, mais la raison en est qu'après tant d'années vous persistez à garder votre ridicule accent français. Par pure affectation.

Elles étaient bien parties et continueraient ainsi pendant une heure. Leur querelle, du moment qu'il n'était pas directement concerné, ne lui portait même plus sur les nerfs endurcis par le bruit des batailles ou des chahuts, au mess. Il leur avait clairement fait comprendre qu'il leur était interdit de mêler Juliet à leurs chamailleries et, dans l'ensemble, elles s'étaient bien tenues. Ce soir, il était le seul à blâmer et le reconnaissait.

Il se leva avec une certaine raideur et, les laissant aux prises jusqu'au gong du dîner, monta au premier étage. Il lui fallait en avoir le cœur net. Un détail lui avait profondément déplu. Mme Sawyer à laquelle, jusque-là, il avait fait entièrement confiance avait administré sa claque avec méchanceté.

Comme le Grand-Duc sous les ordres duquel il avait servi, Sir Harald était partisan des châtiments corporels, mais dans une certaine mesure. Avec des sujets récalcitrants, lorsque d'autres moyens de persuasion avaient échoué, ou lorsque le règlement l'exigeait.

Mais frapper un enfant aussi jeune, il ne pouvait le tolérer.

Magnus mangeait des mouillettes de pain beurré trempées dans un œuf à la coque. Il sourit à son père et, un instant, ressembla à sa mère. Puis il reporta toute son attention sur son dîner. On n'aurait pu imaginer scène plus paisible. La porte de la chambre s'était ouverte et la bonne d'enfant vidait la cuvette.

— Si cela ne vous ennuie pas d'attendre une minute, monsieur. Il a encore le blanc de l'œuf à manger.

Mme Sawyer, à l'aide d'une petite cuiller en argent, continua de faire manger l'enfant. Puis elle appela, autoritaire :

— Ruth, vous pouvez mettre monsieur Magnus au lit, ce soir. Débarbouillez-le avant. Il a du jaune d'œuf sur la figure.

Cette délégation de pouvoir était, visiblement, une faveur.

Et puis, puisqu'il y aurait bataille, autant tirer la première, elle demanda :

— Je suppose que vous voulez me parler de la claque, monsieur ?

— Oui. J'ai été très surpris. J'avais cru comprendre que vous réprouviez cela chez les très jeunes enfants.

— En effet. Mais je sais d'expérience que pour ce genre de manifestations ou pour les crises de nerfs, une claque est le seul remède.

— Quel genre de manifestation ?

— De simple mauvaise humeur, monsieur. Tout petit déjà, Monsieur Magnus se mettait en colère quand quelque chose lui déplaisait. Dernièrement cela a empiré. C'est dangereux pour un enfant de retenir sa respiration jusqu'à en devenir écarlate. Une tape lui fait reprendre son souffle. D'autre part, il doit apprendre que cela ne se fait pas.

Elle n'entendait pas se laisser intimider. La Bible le dit : « Un homme appliqué à son travail peut faire face aux rois. » Cela valait pour les femmes également. La Bible dit aussi qu'un enfant doit être élevé comme il faut. « Cela m'est arrivé à Fowlmere avec monsieur Philip, mais il n'avait pas encore deux ans que c'était terminé. »

Mme Barrington, en recommandant Mme Sawyer, avait parlé non seulement de son honnêteté, de sa propreté et toutes autres qualités appréciables, mais elle avait appuyé sur son absolu dévouement : « Je suis persuadée, Sir Harald, que si elle était chargée par un taureau en promenant un enfant, elle protégerait celui-ci au péril de sa vie. »

— J'ai simplement eu l'impression, Mme Sawyer, que vous l'avez frappé un peu fort. Il est encore très jeune.

— Lorsque cela a commencé — il y a environ neuf mois — une tape suffisait. A présent cela ne suffit plus. Je crois que l'on ne remarque pas que, pour son âge, monsieur Magnus est d'une taille et d'une force exceptionnelles. Elle ajouta « in-petto » et « volontaire ». Nous ne voulons tout de même pas qu'il succombe à une *véritable* crise, ou qu'il soit intenable à trois ans ?

— Bien sûr que non. Certainement pas. Vous avez raison. Le mieux, je pense, est d'éviter ces occasions.

(Plus de biscuits avec le Madère dans la bibliothèque.)

S IR Harald restait extrêmement occupé. Certains des détails qu'il avait remarqués et déplorés au cours de ses brefs séjours en parcourant le domaine avec son frère, vus de plus près se révélaient n'être que l'écume d'une grande vague. Si, comme il le souhaitait, il voulait devenir le seigneur modèle d'un domaine modèle, il lui fallait travailler énormément pour réparer les négligences accumulées. Même le petit dépôt de houille de Copsi Minor était désaffecté tout simplement parce que l'on n'avait pas dragué la rivière.

Toutes les réparations, toutes les innovations coûtaient très cher. Les prix avaient terriblement augmenté avec le siècle et les taxes imposées pour couvrir les frais de la guerre étaient exorbitantes. Ainsi que l'avait dit quelqu'un, tout ce qui remuait était taxé, chevaux, charrettes, voitures et serviteurs mâles, ainsi d'ailleurs que beaucoup de choses immobiles, comme les fenêtres et les cheminées. Sir Harald se refusa à faire murer une seule fenêtre ou à démonter une cheminée. Copsi devait rester intact. Il réduisit le nombre de ses domestiques mâles dont beaucoup, comme l'avait fait remarquer Juliet, n'avaient pas de fonctions déterminées. Mais ils étaient là, parce que, depuis des temps immémoriaux, on n'aurait su attendre de l'homme qui transportait l'eau d'en faire autant avec le charbon ou le bois et que celui qui lavait les vitres était exempt de tout autre travail. C'était presque pire qu'aux Indes et beaucoup plus onéreux. Il se montra prudent et plein de considération. Il accorda une pension aux vieux, attacha les jeunes à une tâche plus productive. Il réduisit sa domesticité masculine à un maître d'hôtel, deux valets de pied et un factotum. On ne payait pas de taxes pour les femmes domestiques. Il dépensait l'argent qu'il avait hérité parce qu'il ne voulait pas augmenter le prix des loyers. Cette dépense, c'était à ses yeux un investissement et il était à peu près sûr que lorsque le jeune Magnus prendrait sa succession tout serait remis en état, tous les toits étanches, tous les champs fertiles et le petit port prospère. La rivière une fois draguée non seulement les péniches à charbon y avaient accès mais également les bâteaux de pêche et comme le produit de la pêche excédait les besoins locaux, il fit construire un bâtiment pour saler le poisson et le fumer. Fort laid, comme toutes les constructions industrielles de ce genre, mais il fit planter des arbres à croissance rapide, en majorité des peupliers qui formèrent écran. Le jour venu, ils seraient, eux aussi, une source de revenus. On en consommait beaucoup pour la fabrication du papier. Si Magnus plantait un nouvel arbre, chaque fois qu'il en abattait un, il finirait par avoir des revenus stables ajoutés à tout le reste.

Copsi tenait la première place, mais Sir Harald ne négligeait pas ses devoirs civiques. Il prit la place de son frère au banc des magistrats au Comité d'administration de l'Assistance Publique et au Comité de l'Hôpital de Bressford. Chacun le reconnaissait, il était, en tout, beaucoup plus actif que ne l'avait été Sir Magnus. Mais il recevait beaucoup moins et de façon décevante pour certaines personnes des environs qui, six mois après la mort de Juliet, avaient nourri certains projets. A un homme dans sa position, avec un enfant à élever, il fallait absolument une femme. Il n'avait sûrement pas beaucoup plus de trente ans et il n'y aurait rien eu de scandaleux à ce qu'il épousât par exemple la jeune Victoria Collins de Thorn Grange, âgée de seize ans.

Ou encore : il avait dépassé de peu la trentaine et c'était un homme *très* tranquille qui aurait parfaitement convenu à la jeune sœur de Mme Barrington, privée de son fiancé par une bataille dont personne ne se souvenait plus très bien. Waterloo avait été tellement plus concluante. Malheureusement, elle s'appelait Juliet, mais ce n'était qu'un détail. Elle pourrait utiliser son second prénom, Diane, pendant son séjour dans le Suffolk. Mais Sir Harald avait une façon très particulière de rendre les invitations qui lui étaient faites. Il ne donnait que rarement des dîners intimes, préférant les divertissements de masse : un concert dans le Grand Salon où l'acoustique laissait à désirer — même si le buffet était excellent — une Garden party au début de l'été. Cinquante personnes au moins. Une jeune fille, ou une jeune femme n'avait aucune chance de se faire remarquer !

Sauf en ce qui concernait Copsi et l'enfant, Harald Copsey n'était pas aveugle. Il voyait parfaitement la proie offerte, Bertie elle-même lui disait qu'il devrait se remarier. Mais il n'en avait ni l'intention ni l'envie. Et la longue glace de sa chambre le renseignait, de temps en temps de façon inexorable. Peu à peu, l'eunuque remplaçait le soldat. Il restait quelque chose, mais presque tout était perdu. Il en allait de même avec les animaux. Les meilleurs chevaux et bœufs de traits, on s'en servait encore dans beaucoup de fermes, étaient castrés tard quand ils avaient acquis l'allure et le poids d'étalons et de taureaux. C'était une opération comportant beaucoup plus de risques qu'avec de jeunes animaux, mais elle avait ses compensations. Les survivants valaient beaucoup plus cher du fait même de leur rareté. Il survivait, mais c'était un phénomène. Il avait été émasculé en pleine virilité. Dieu merci, ce n'était pas arrivé plus tôt et sa voix n'en avait pas souffert. Mais ce n'était pas drôle pour autant. Ce torse dépourvu de poils ! Il se rasait chaque jour, davantage pour obéir à un rite que par nécessité. Pour ajouter à cela, il souffrait d'une nette tendance à l'obésité contre laquelle il luttait en faisant beaucoup d'exercice et en observant un régime sévère. Quand il le pouvait, il se passait de déjeuner et se levait de table, au dîner, avec l'impression qu'il n'avait pas avalé une bouchée et pourrait tout recommencer. Mais quand sa belle-mère et sa sœur protestaient, il leur répondait qu'avec sa jambe invalide il ne pouvait se permettre un excès de poids.

Chose curieuse, si dégoûté qu'il fût parfois de son état il lui arrivait de lui trouver des avantages. Sans désir sexuel un homme pouvait consacrer son énergie à son travail et même son pouvoir émotionnel. Celui qui avait exigé la continence des prêtres catholiques avait eu raison. Si lui-même était resté un homme entier, sensible à l'attrait de la chair, attiré par les femmes il n'aurait pas été aussi totalement dévoué à Copsi, à son fils.

IL était le maître de Copsi depuis trois ans quand il reçut une lettre de William Orde, vaguement cousin au premier ou au deuxième degré de sa mère. La lettre était fort subtile dans sa simplicité apparente. La maison du cousin William, Portman Square, avait brûlé de fond en comble et il était sans toit. Mais non pas sans le sou, la maison était assurée. Cousin William pouvait se permettre de vivre n'importe où, mais il avait gardé de très heureux souvenirs de Copsi et des environs et il aimerait beaucoup venir y faire un séjour en attendant de trouver où s'installer. « Je n'ai jamais été citadin de goût, mais les circonstances m'y ont contraint. A présent, avec la perte de ma maison, la compensation versée et ce que mon affaire dans la Cité me rapportera quand elle sera vendue, je serai libre. »

Sir Harald répondit avec enthousiasme. La place ne manquait pas à Copsi. Cousin William serait le bienvenu et pouvait rester aussi longtemps qu'il le désirerait.

Le cousin William, beaucoup plus jeune et alerte qu'on aurait pu s'y attendre, vint, s'installa et ne manifesta pas l'intention de repartir. Il amena avec lui son valet de chambre qui ne dédaignait pas de jouer les valets de pied de temps à autre. Si le cousin William avait jamais eu l'intention de chercher une maison dans les environs, il l'oublia très vite. Il prit possession de quelques pièces inoccupées, y ajouta certains meubles et offrit de payer une pension. Sir Harald repoussa immédiatement cette suggestion et ils passèrent un accord. William Orde étant associé dans une affaire d'exportation de vins, en ville, il se chargerait de l'approvisionnement en alcools, bière exceptée.

La décision de son cousin d'installer ses pénates à Copsi enchanta Sir Harald. C'était flatteur pour le château et cela lui fournissait un peu de compagnie masculine sans frais et sans l'ennui de devoir recevoir. Lady Copsi et Madame le Beaune trouvèrent en lui un nouvel élément de discussion et quand on apprit, à la suite d'enquête discrète, que M. Orde n'était pas un parent pauvre, mais un homme extrêmement à son aise, les marieuses changèrent de cible. M. Orde devait avoir une quarantaine d'années? Quarante-cinq, peut-être? Mais il les portait fort bien. Il était charmant, plein d'esprit et aimait la compagnie des femmes, ce que l'on n'aurait pu dire de Sir Harald, si brave qu'il soit.

Le cousin William s'était installé depuis près d'un an lorsqu'il commença à se tracasser pour un jeune homme auquel le liaient des liens de parenté aussi lointains que ceux qui le liaient à Sir Harald.

— Il n'a jamais été vigoureux, Harry, et je ne pense pas que deux ans en Italie lui aient fait du bien. J'étais opposé à ce projet. Mais ma cousine, sa mère, avait une tête de mule et croyait en son talent d'artiste. Je suis mauvais juge, tout cela c'est la bouteille à l'encre pour moi. Tout ce que je sais c'est qu'à son retour d'Italie, il avait encore plus mauvaise mine... et la tête bourrée d'idées bizarres. Cependant... tant que j'ai vécu à Londres, je me suis efforcé de ne pas le perdre de vue, m'assurer qu'il avait un bon repas de temps à autre. Je lui ai également donné *carte blanche* (1) chez mon tailleur. De l'argent... c'eut été le jeter par la fenêtre. Sa mère est morte, à présent, et il semble être en mauvaise passe. Cela vous dérangerait-il beaucoup que je le fasse venir ici... disons pour un mois? Prendre un peu de vacances, en quelque sorte...

— Mais il sera le bienvenu. Ce n'est pas la place qui manque. Comment s'appelle-t-il?

— Winthrop. Jonathan Winthrop.

— C'est un bon vieux nom du Suffolk, William. Et l'on dit, savez-vous, que revenir au lieu de ses origines, respirer son air natal, c'est un tonique. J'avoue que jamais je ne me suis senti aussi vigoureux qu'à présent.

— J'éprouve exactement la même impression. Mais, Harry, je ne veux absolument pas vous imposer une charge supplémentaire. Je paierai.

(1) En français dans le texte.

— William, je vous l'ai déjà dit quand je voudrai prendre des pensionnaires, je ferai passer une annonce... Si Jonathan reste un mois et se sent mon obligé, il pourra me faire un portrait de mon fils. Il est temps. Il grandit vite.

Si peu connaisseur qu'il fût — et l'admettant — pour tout ce qui touchait aux questions artistiques, le cousin William se sentit un peu gêné. Rien de ce qu'il connaissait de l'œuvre picturale de Jonathan ne permettait d'en attendre le portrait d'un enfant de trois ans tel que le souhaitait un père béat d'admiration. Le petit garçon était indiscutablement beau, des cheveux dorés et bouclés, des yeux bleus et un beau teint. Les rondeurs du bébé avaient disparu et même le petit nez retroussé se transformait. Un joli petit enfant qui le serait de moins en moins avec les années et qui pourrait, peut-être, se transformer en homme séduisant. Mais Jonathan, tout en parlant de beauté avec volubilité, semblait n'avoir absolument pas le sens de celle-ci. Aucun homme n'aurait arrêté son regard sur les femmes dont il avait fait le portrait. Elles étaient tout émaciées, l'air épuisé, les cheveux en désordre. Tous ses arbres semblaient avoir été frappés par la foudre, ou pourris. Il proclamait peindre ce qu'il voyait, auquel cas on ne pouvait que le plaindre et penser que ses yeux étaient aussi malades que son foie, ou ses poumons ou tout autre organe responsable de son manque de force.

J ONATHAN arriva comme prévu et fut installé dans les chambres libres, de l'autre côté du couloir, face à celles du cousin William. Sir Harald, dès le premier coup d'œil, éprouva une impression qui le partageait entre l'antipathie et un léger dégoût. Il pensa immédiatement : s'il avait été sous mes ordres ! Mais le plus avide des sergents recruteurs n'aurait même pas songé à l'engager. Il « n'avait pas ce qu'il faut », comme on dit dans l'armée. On pouvait tirer quelque chose d'ivrognes, de garçons élevés dans des taudis et auxquels il fallait seulement quelques repas solides ; même de bandits et de gibier de potence. Le Grand-Duc lui-même n'avait-il pas déclaré que l'armée n'était que de la racaille ? Mais Jonathan Winthrop était à part. Mince comme une jeune fille, souple et languissant, beaucoup trop de cheveux, des mains blanches d'une finesse extraordinaire qu'il remuait toujours en parlant. Avec cela aimable, reconnaissant. L'un de ses premiers mouvements fut de remercier Sir Harald de faire preuve d'autant de compréhension en mettant un aussi merveilleux atelier à sa disposition. Sir Harald n'y était pour rien. On avait choisi les chambres de l'autre côté du couloir parce que cela facilitait le travail de Peter, le valet de chambre de William qui les servait tous les deux.

Le premier mouvement de recul de Sir Harald oublié, il éprouva une curieuse sympathie pour son nouvel hôte. Quelque chose — Dieu seul savait quoi — avait émasculé ce pauvre jeune homme. Même sa voix était légère et flûtée. Et son admiration, ce qu'il appelait son adoration, son coup de foudre pour Copsi, joua puissamment en sa faveur. Il peignit le château deux fois, sous différents angles, avant d'entreprendre le portrait de Magnus. Il lui était nécessaire, dit-il, de se mettre dans le bain, parce que Copsi et l'enfant dont c'était l'héritage étaient indivisibles. Ce n'était pas là un sentiment que Sir Harald aurait exprimé, mais à l'entendre il en comprit la vérité.

En attendant, Jonathan se rendait agréable — ou désagréable — à Lady Copsey et à Mme le Beaune.

— Cette nuance de bleu, chère madame, est beaucoup trop dure. Elle vous éteint. Le bleu, d'ailleurs, est une couleur froide. Vous craignez le froid, n'est-ce pas? Oui. Je l'ai bien pensé quand je vous ai entendu insister pour que l'on ferme la fenêtre. Je crois que quelque chose de plus chaud, une nuance de rose ou de violet.

Ou alors :

— Je vous ai observée, madame, et j'en suis arrivé à la conclusion que votre coiffure devrait être plus haute. Le chignon, je le sais, est à la mode — quoique moins qu'il ne l'a été — Je crois que vos cheveux relevés et tressés...

Évidemment, ce genre d'attention qu'aucune des deux femmes mûrissantes n'avait entendue depuis des années, les charma et eut un effet émollient sur la vie de famille centrée principalement à présent autour de la table du dîner, les petites réunions dans la bibliothèque ayant pris fin. L'enfant objet, jusque-là, d'une attention admirative était, à trois ans, devenu insupportable. Il avait tiré de toutes ses forces sur le collier de Lady Copsey, le fil s'était rompu et les perles s'étaient éparpillées, roulant partout; il avait délibérément poussé le coude de Mme le Beaune au moment où elle portait son verre à ses lèvres et le Madère s'était renversé sur ses genoux. Il avait été assez long à apprendre à parler, mais depuis il ne s'arrêtait plus et toute conversation devenait impossible. Il descendait avec lui les jouets les plus invraisemblables tel que son cheval favori et, le chevauchant, courait partout, se cognant contre les gens ou les meubles. Ce qui avait été une réunion agréable était devenue une véritable corvée. L'une des deux femmes se fit excuser, imitée très vite par l'autre. Pour une fois, elles se montrèrent d'accord. Il fallait agir sans tarder pour élever correctement cet enfant et ce cher Harald se préparait de beaux jours avec lui. Songez un peu ce que serait un enfant aussi désagréable quand il aurait six ans !

Une espèce de solidarité familiale poussa Mme le Beaune à dire :

— Personnellement, je pense que c'est Mme Sawyer la coupable. Après tout, cet enfant est avec elle toute la journée. Harry n'a que cette heure pour le voir et considère évidemment cela comme une récréation.

— Votre frère, commença Lady Copsey. (Sir Harald était, selon les cas, Harald, ce cher Harald, le pauvre Harald ou Harry. Mais quand il devenait « votre frère » c'était la preuve que toute la famille Copsey était à critiquer.) Votre frère, après avoir passé dix ans dans l'armée, a pris sa retraite comme capitaine. Sans doute ne savait-il pas se faire obéir.

— Évidemment, on peut se poser la question, répondit Mme le Beaune songeuse. Mais, pour autant que je sache, Harald n'a jamais été mêlé à une mutinerie.

Or le frère de Lady Copsey, capitaine de vaisseau, donc d'un grade de beaucoup supérieur, avait été mêlé à la mutinerie des marins à Spithead.

E N fait, Sir Harald n'avait jamais voulu et ne voulait toujours pas, que son fils fût gâté. Il ne cessait de lui faire remarquer : « Magnus, c'était très vilain ! Demande pardon. » « N'interromps pas les grandes personnes ! » « Fais un peu moins de bruit, je te prie ! »

Il disait tout ce qu'il fallait dire, mais sans réelle autorité. Quelque chose en lui déplorait la méchanceté et le bruit, mais il se réjouissait surtout de voir son fils aussi vif. Son désir d'être un seigneur modèle l'avait mis en contact direct avec ses fermiers et, la rivière draguée et le petit port actif, son cercle de relations s'était élargi. Il était au courant des morts — beaucoup trop nombreuses — et accidents mis à part, qui touchaient surtout les vieillards ou les enfants en bas âge. Et, si l'on devait plaindre les Cowper, par exemple, auxquels la scarlatine avait enlevé deux enfants, un garçon et une fille, il leur restait encore deux garçons et trois filles. Il n'avait, quant à lui, qu'un fils unique et la turbulence était bon signe. Honnête avec lui-même il était cependant forcé d'admettre qu'une heure avec l'enfant semblait très longue. Tout comme Mme le Beaune, il songea que Mme Sawyer l'avait toute la journée. Aussi la dispensa-t-il du devoir d'accompagner Magnus dans la bibliothèque quand il fut assez grand pour que l'on n'ait plus à craindre qu'il se livre aux petites sottises normales chez l'enfant le mieux élevé, pendant ses deux premières années.

— Il sera en sécurité avec moi, Madame Sawyer, et vous devez avoir beaucoup à faire.

Mme Sawyer bénit ce répit. En effet, elle l'avait toute la journée et il lui donnait plus de mal à lui seul que tous les Barrington, y compris Monsieur Philip. A trois ans il ne s'empourprait plus de rage rentrée. Il la laissait éclater. Contrarié le moins du monde, et l'on ne savait jamais pour quelle raison et il fallait toujours se tenir prêt, il frappait, donnait des coups de pieds, mordait, saisissait le premier objet qui lui tombait sous la main et le jetait.

Mme Sawyer continuait de lui administrer des claques, de plus en plus fortes, mais elles n'opéraient plus. Quant à la menace, rarement employée à Fowlmere mais remarquablement efficace : « Je le dirai à papa », elle était parfaitement inutile ici. Mme Sawyer se débattait avec un enfant extrêmement difficile, mais aussi avec l'impression qu'elle avait échoué dans sa tâche. Elle qui avait toujours réussi et en était si fière. Et maintenant ça !

Elle appliquait un pansement sur la jambe de Ruth, très enflée et écorchée. La pauvre fille avait été attaquée alors qu'elle avait les mains pleines, vidant le contenu de la cuvette dans le seau de toilette.

— Entre vous et moi, dit la nurse, je me demande parfois... s'il n'est pas un peu... Il a eu une naissance très difficile. Son cerveau a peut-être été atteint.

Mme Sawyer voulait excuser son échec à ses propres yeux et à ceux de la petite bonne.

— Vous voulez dire demeuré ? Il l'est pas du tout. Il a bien calculé son moment. Vous pouvez me croire, si j'avais pas eu les mains pleines, je lui en aurais retourné une bonne !

Mme Sawyer n'aimait pas les expressions triviales, aussi dit-elle à Ruth que si jamais elle voulait réussir dans le monde elle devait veiller à avoir un langage plus châtié.

O^N était en juin et le jour qu'attendait Jonathan Winthrop était arrivé, clair, lumineux. Tout était prêt pour le portrait. De grosses grappes de glycine, du chèvrefeuille plus fragile et les premières roses formaient un fond parfait.

— Peut-être lui faudrait-il un jouet pour l'amuser, dit Jonathan.

Ainsi descendit-on le cheval à bascule acheté rue de Rivoli pour un autre petit garçon mort de la fièvre typhoïde, directement imputable, Sir Harald en était persuadé, à l'état lamentable des canalisations de Copsi. Dès son arrivée, il avait fait venir des spécialistes qui avaient démonté toutes les tuyauteries découvrant, ce faisant, pas moins de sept fosses d'aisance simplement recouvertes une fois pleines. Copsi reposait littéralement sur un égoût. A présent, s'il restait la construction la plus ancienne du Suffolk, il pouvait s'énorgueillir d'un système de plomberie dernier cri et de deux salles de bains.

Q^UAND tout fut prêt, l'on fit descendre Magnus. Il portait le petit costume marin, flambant neuf, que depuis Trafalgar tous les petits garçons portaient dans les grandes occasions. Il était si bien coupé, ressemblant tellement à un uniforme, que Sir Harald ne pensa pas une seconde à ce qu'il pouvait y avoir d'incongru de voir un fils de soldat peint en marin.

— Maintenant, écoute-moi, dit-il. Cousin Jonathan va faire ton portrait. Un magnifique tableau pour accrocher avec tous les autres. Tu dois faire exactement ce qu'il demande, rester assis ou debout sans bouger. Si l'on me dit que tu as été sage, tu auras des fruits confits. Pas plus de dix minutes d'affilée, Jonathan, ajouta-t-il en baissant le ton. Il est très jeune.

Mᵐᵉ Sawyer et Ruth restèrent à l'arrière plan, avec ordre de veiller à ce que la séance de pose fût interrompue toutes les dix minutes, pour emmener Magnus faire une petite promenade ou jouer avec lui.

Jamais artiste n'avait eu de modèle moins docile. Magnus avait déjà pris l'habitude de commencer ses phrases, huit fois sur dix par : « *Je veux* ». Je veux monter sur mon cheval. Je veux en descendre. Je veux aller au cabinet. Je veux voir ce que vous faites. Je veux peindre, moi aussi. Au bout d'une heure, ponctuée de petites promenades et de jeux, Jonathan fut à bout de patience. Deux séances de pause encore et il fut épuisé. C'est avec un immense soulagement qu'il put dire à la nurse :

— Vous pouvez l'emmener. J'ai l'essentiel.

L A première impression de Sir Harald quand il vit le résultat de deux jours de travail de Jonathan fut de stupeur incrédule. Copsi était indiscutablement Copsi révélant son squelette sous une cascade de fleurs ; la tour s'érigeait au-dessus des ailes demeurées debout, quelques-uns des créneaux ici et là émergeant avec les cheminées de la masse fleurie. Mais le tout donnait l'impression de flotter, d'être suspendu à l'arrière plan. Cela rappelait un peu ces villes que dessinent les nuages accumulant tours et tourelles, voire mosquées et minarets. Sur le devant de la scène, rendu plus grand que nature par la miniaturisation de Copsi, on voyait Magnus parfaitement ressemblant, lui aussi. Ses cheveux dorés comme un halo, ses yeux et, Bon Dieu, ce type avait même su rendre le changement subtil de la forme de son nez et de son menton qui marquait la fin de la petite enfance. Chaque détail de son costume avait été fidèlement reproduit. Pourquoi donc Sir Harald haït-il ce tableau d'emblée ? Pourquoi regretta-t-il qu'il eût jamais été peint ?

Cousin William avait eu, en même temps que lui, le privilège d'être le premier à contempler l'œuvre et il semblait ne rien avoir à dire. Il est vrai qu'il était vaguement apparenté à Jonathan, qu'il l'avait fait venir et semblait l'aimer beaucoup. Aussi, au lieu d'émettre un jugement, Sir Harald posa-t-il une question :

— Alors, William, qu'en pensez-vous ?

— Je suis mauvais juge, Harald. Cela me paraît ... ressemblant. Je ne saurais en dire davantage. Peut-être, oui, peut-être un peu original. Mais c'est le style de Jonathan.

Sir Harald se concentra sur un détail. Où donc était le cheval à bascule ? On l'avait fait descendre de la nursery et de le voir, en plein soleil, avait ravivé de pénibles souvenirs.

— Il n'a pas peint le cheval à bascule, dit-il.

Cela expliquait pourquoi l'enfant semblait... d'aussi mauvaise humeur. On l'avait privé de son jouet !

— Oh ! en effet.

Cousin William tenait à se montrer prudent. Il avait parfaitement compris que l'œuvre de son protégé ne plaisait pas à son cousin.

— ... Sans doute peut-il l'y ajouter. Je suis sûr que s'il avait su que vous teniez à un cheval à bascule...

— Je ne tiens à aucun cheval à bascule, répondit-il avec une certaine irritation. Je voulais un portrait de Magnus avec Copsi comme toile de fond.

— Eh bien, c'est ce que vous avez, ce me semble. Si j'avais vu ce tableau dans n'importe quelle vitrine, j'aurais reconnu Copsi. Pas vous ?

— Je ne sais pas. Les deux autres tableaux qu'il en a fait étaient si beaux. Ici, le château a l'air de flotter en l'air et fait en papier mâché qui plus est. Quant à l'enfant, il ne l'a pas réussi non plus. Il a l'air d'un sale gosse ! Non, cela ne me plait pas, William, inutile de prétendre le contraire.

Vraiment dommage ! Si Harry en avait été content et qu'il l'ait montré de droite et de gauche, cela aurait provoqué d'autres commandes. William Orde était tout disposé à partager son dernier sou avec son jeune parent, mais il savait à quel point celui-ci appréciait son indépendance et la haute opinion qu'il avait de son talent. Autant essayer d'arrondir les angles !

— J'en suis sûr, quand Jonathan saura que vous êtes déçu, il recommencera.

—OH, non ! Jamais, pour tout l'or du monde ! s'écria Jonathan, sa voix flutée prenant un timbre aigu. Personne ne peut savoir ce que j'ai enduré en si peu de temps ! Chaque fois que je lui demandais de se lever ou de s'asseoir ! Remuant, oui, on s'y attend avec un enfant ! Mais chez lui, c'était de la pure méchanceté. J'espère que vous n'allez pas me croire — je suis sûr ne pas l'être — d'une sensibilité excessive. Mais, je vous l'assure, bien que la journée ait été chaude, j'en avais des frissons glacés dans le dos, parfois ! Vraiment, je suis le premier étonné que le résultat ait l'air si humain.

— Peut-être est-ce cela, dit William Orde. Henry voulait un enfant angélique.

— Exactement. Vous, vous comprenez, au moins.

La compréhension existant entre deux hommes aussi différents était étonnante. William Orde, bien qu'ayant vécu à Londres plus de vingt ans, n'était bien qu'au grand air, à la campagne. Excellent fusil, bon cavalier, il faisait sa toilette à l'eau froide, même quand il en avait de la chaude à sa disposition. Il s'était fondu dans Copsi et cette région du Suffolk comme s'il en était originaire et faisait partie du paysage. Mais entre le moment de son arrivée et l'arrivée de Jonathan, il y avait eu un vide dans son existence que personne ne pouvait combler ni Sir Harald, malgré beaucoup de goûts en commun, aucune femme non plus, bien qu'il aimât la compagnie de Bertie tout en désapprouvant totalement sa façon de vivre. Jonathan lui manquait et il n'avait pas perdu une seconde pour le faire venir à Copsi : il aurait violemment protesté, et Jonathan avec lui, si on lui avait dit que leurs relations étaient de tendance homosexuelle. Ils étaient parents éloignés, amis intimes, capables de communiquer par de-là un gouffre beaucoup moins large qu'il y paraissait.

— Plutôt que de me soumettre à nouveau à une telle épreuve, je préfère retourner vivre à Soho ! déclara Jonathan.

— Cela ne sera pas nécessaire. Ce pauvre Harry s'attendait à voir un angelot et un cheval à bascule. Il s'en remettra. Et les femmes auront leur mot à dire.

En effet, Lady Copsey, en voyant le tableau déclara :

— Très joli ! N'ayant jamais peint moi-même je n'irais pas m'ériger en juge, mais je sais reconnaître un joli tableau quand j'en vois un. Oui, c'est réellement un très joli tableau.

Mise au courant par quelque mystérieux instinct, car Sir Harald fit en sorte qu'elles ne voient pas le tableau en même temps, Mme le Beaune eut, elle aussi, une réaction maladroite.

— N'ayant jamais peint, il m'est difficile de juger, mais cela me parait disproportionné. Magnus est parfaitement réussi et ressemblant, je l'avoue, mais pas Copsi. Il n'est ni assez grand, ni assez puissant.

— Tu trouves le petit ressemblant ? demanda Harald un peu anxieux.

— Tout à fait remarquable. A ta place, Harald, je demanderais que l'on efface Copsi, qu'on le remplace par un fond très simple. Un coucher de soleil, par exemple.

Bertie, son tour venu de juger l'œuvre, la regarda quelque temps sans parler. Puis elle dit :

— Cela ne te plaît pas, Harry ? Je crois savoir pourquoi. Ce n'est pas exactement un portrait, ni de l'endroit, ni de l'enfant. C'est la nouvelle mode, le symbolisme. Mais, je l'avoue, ce jeune homme a plus de talent que je ne l'aurais cru.

— Qu'entends-tu exactement par symbolisme ?

— Oh là ! C'est difficile à expliquer... Cela tend à montrer « l'âme » des choses plus que leur forme.

— Je ne comprends rien à ce que tu racontes.

En outre, il ne voulait pas la croire. Si ce petit garçon à l'air mauvais était le vrai Magnus, il voulait bien se faire pendre.

Il suggéra à Jonathan une nouvelle tentative où Copsi aurait plus de corps et Magnus semblerait plus aimable. L'artiste refusa net.

— Absolument impossible, cher cousin. Ce tableau peut ne pas avoir plu à tout le monde — c'est si souvent le cas ! mais je le considère comme mon chef-d'œuvre. Il serait absolument vain de le refaire.

On trouva une place pour le tableau dans le coin le plus obscur de la grande galerie où il resta oublié de longues années. Et puis, quelqu'un le « découvrant », au milieu du xxème siècle, provoqua une véritable sensation avec l'une des premières œuvres de Jonathan Winthrop, le pré-Raphaélite.

La déception de Sir Harald ne se traduisit pas, comme l'avait craint Jonathan, par une invitation discète à écourter son séjour. Cette idée ne l'aurait même pas effleuré. Il était enchanté, en fait, que cinq personnes qui auraient pu vivre ailleurs aient choisi de vivre dans un endroit qui lui était si cher. Quiconque avait assez de goût et de bon sens pour souhaiter habiter à Copsi était le bienvenu. Eût-il été le chef d'une famille plus prolifique qu'il se serait laissé exploiter encore davantage.

Magnus avait quatre ans lorsque Mme Sawyer lui administra une claque pour la dernière fois. La main droite enveloppée d'un épais pansement et la mine tragique, elle vint donner sa démission à Sir Harald.

— Je ne peux pas vous dire à quel point je suis navrée, monsieur, mais je ne puis plus en venir à bout. Je lui ai répété mille fois de ne pas faire de mal à ce pauvre chat, mais il ne m'écoute pas. Je lui ai donné une tape et, monsieur, il m'a mordue ! Ses dents m'ont traversé la main.

Elle était pâle. Elle avait pleuré peu de temps auparavant et sans doute recommencerait-elle d'un moment à l'autre. Sir Harald lui offrit un siège et un peu de Madère. Il se souvenait vaguement avoir entendu dire que les morsures humaines pouvaient être dangereuses. A moins que ce ne soit celles des singes ?

— Vous vous êtes fait soigner ?

— Oh, oui. J'ai dit à Ruth ce qu'il fallait faire. Cela brûle un peu... Ce n'est pas tellement la douleur que le choc ! Quand on pense que depuis quatre ans je le traite comme mon propre enfant. Et, maintenant, ça !

— C'est impardonnable. Je vous prie d'accepter mes excuses pour lui. Je lui parlerai, très sévèrement.

Il se fatiguerait pour rien. Elle le savait, s'il l'ignorait.

— Alors, monsieur accepte ma démission pour la fin du mois ?

— Voyons, voyons madame Sawyer, pourquoi cela ! Il arrive à tout le monde d'avoir un coup de colère. Je vous l'ai dit, je le gronderai. Je vous promets que cela ne se produira plus.

Les larmes qui menaçaient débordèrent.

— C'est l'échec !... Après toutes ces années... Bonne d'enfants depuis l'âge de douze ans, et nurse, monsieur. Des enfants délicats... des enfants difficiles... mais jamais encore...

Quel effet cela ferait-il ? Comment interprèterait-on cet aveu ? « J'ai dû quitter Copsi, parce que monsieur Magnus m'a mordue ».

Sir Harald déplaça sa jambe paralysée, but une gorgée de whisky et fit une autre tentative.

— Il n'est pas nécessaire que vous partiez, madame Sawyer. Peut-être ne me suis-je pas rendu compte que mon fils a passé l'âge de la nursery et qu'il lui faut une gouvernante. Mais il y aura toujours de la place pour vous ici, quelque tâche facile...

Il ne savait pas très bien ce que cela pourrait être. Il s'était défait de la femme de charge dont Juliet s'était plainte pour la remplacer par une personne très efficiente, d'une parfaite honnêteté et qui ne pouvait être accusée que de népotisme : presque tout le personnel domestique lui était apparenté, de près ou de loin. Mais il devait y avoir quelque chose à faire, en dehors des cuisines. Un petit travail de couture, la fabrication de sachets de lavande...

— Je remercie monsieur de son intention, mais je ne pourrais m'accommoder d'un petit travail. Je ne suis pas encore assez vieille. Inutile de se tracasser pour moi. Je trouverai quelque chose... — Avec un ou des enfants dont elle pourrait se faire obéir et qui, en grandissant, ajouteraient à sa réputation. D'ailleurs, cela ne tarderait pas car Mlle Victoria Collins s'était mariée et attendait un bébé.

Sir Harald, qui s'était déjà mis en chasse pour trouver une gouvernante, s'employa à ce que Mme Sawyer quitte Copsi dans une atmosphère qui lui ferait oublier le déplorable incident de la morsure.

Il avait grondé Magnus plus sévèrement qu'il ne l'avait jamais fait, exigeant des excuses. Et, ce faisant, il eut une impression étrange, ce charmant petit garçon n'était pas le même que celui qui avait infligé la morsure, fait tourner le chat par la queue ou coupable de tant d'autres méfaits dont il avait été témoin ou dont on lui avait rendu compte. Cet enfant-là était un étranger... cependant... enfin sans se laisser emporter par l'imagination on pouvait admettre que lorsqu'on le provoquait, il ne se contrôlait plus.

Il trouva le parfait cadeau d'adieu pour Mme Sawyer, une ravissante petite montre en argent.

Le dos de la montre, la partie visible, était en émail bleu gravé de la formule : « *N'oubliez pas qui vous l'a donnée.* » C'était un objet élégant et de prix. Magnus l'offrit avec grâce, disant exactement ce qu'on lui avait ordonné de dire :

— Merci pour tout ce que vous avez fait pour moi. J'espère que vous serez heureuse, où que vous soyez.

Mme Sawyer était la première à le dire, quand il le voulait, il avait un côté charmant.

Ensuite les gouvernantes se succédèrent. On transforma en salle d'études l'une des pièces au bout du couloir et en chambre à couchersalon, la pièce voisine pour l'occupante du moment. En dépit du soin mis à les choisir : jeunes femmes aimant la vie au grand air, le genre éteint, souris de bibliothèque, en dépit de la considération qu'on leur manifestait — chose rare pour une gouvernante — de la chambre confortable et malgré qu'on en trouvât treize à la douzaine, aucune ne restait longtemps. Elles partaient toutes pour des raisons aussi diverses que plausibles : une occasion inespérée de travailler à l'étranger ; une mère malade ; un dégoût soudain de la vie à la campagne.

— Mais, mademoiselle Boyd, quand je vous ai engagée, vous m'avez dit que non seulement vous aimiez la vie à la campagne mais que vous préfériez cela à tout.

— Oui, en effet. Mais je ne m'étais pas rendu compte que Copsi fût aussi isolé.

Ou aussi froid, aussi exposé au vent... Une seule, la sixième ou la septième, pas très jeune et n'aimant pas particulièrement la campagne, mais engagée parce qu'elle était fort intelligente et parlait couramment trois langues, eut le courage de déclarer :

— Sir Harald, je désire partir parce que je perds mon temps. Votre fils est d'une stupidité incurable. Et ainsi que le dit Schiller si justement : « Gegen Dummheit kämpfen Götter selbst vergebens ». Vous voulez une traduction ? Le pauvre homme il avait l'air effondré. Cela veut dire : « Contre la stupidité, les dieux eux-mêmes luttent en vain. » J'ai lutté, Sir Harald. J'avais de grands espoirs. Quelqu'un avant moi, lui avait appris à lire et à écrire. J'espérais beaucoup... Mais en quatre mois, je n'ai enregistré aucun progrès. Pas le moindre. Et, je vous le répète, je sens que je perds mon temps. Et, non seulement le mien — elle leva la tête et adressa à Sir Harald un regard direct, plein de défi — celui de jeunes gens désireux d'apprendre, capables de bénéficier d'une bonne instruction. Je pense m'être bien fait comprendre.

— Effectivement, répondit-il d'un ton brusque qui lui démontra qu'elle l'avait offensé. Mais, elle avait été dressée à cela et tentait de convaincre ses élèves de la beauté de l'adage : « La vérité avant tout ! ».

Après les gouvernantes ce fut le tour des précepteurs, tous choisis avec le plus grand soin qui, tous, à plus ou moins brève échéance, faillirent à leur tâche. Mais l'un d'eux, un jeune homme assez réservé, offrit un indice. Le mot qu'il employa était choquant, insultant même, mais il donnait à penser.

— Je me demande, monsieur, s'il ne s'agit pas d'une forme d'épilepsie.

— D'épilepsie ! Avez-vous jamais vu mon fils se tordre par terre, l'écume à la bouche ?

— Non. Et, pour être honnête, je n'ai jamais assisté, chez personne, à une crise d'épilepsie, mais...

— Eh bien, moi, oui. Et à plusieurs occasions. C'est un spectacle extrêmement désagréable. Pourquoi, diable, iriez-vous suggérer...

— Mais comme je me proposais de vous le dire, monsieur, j'ai lu beaucoup de choses concernant des faits dont je n'ai jamais été témoin et j'ai lu que l'épilepsie peut se manifester de différentes façons... Pas forcément sous la forme de crises telles que vous venez de me les décrire. Alexandre le Grand en aurait souffert, ainsi que Jules César et beaucoup d'autres personnages célèbres. Hippocrate la désignait sous le terme de « mal sacré ». D'autres auteurs y font référence comme « maladie du Commandeur », etc... Je vois parfaitement le rapport. En état de crise la victime est insensible à la douleur, complètement indifférente aux conséquences et, par la suite, ne garde pratiquement aucun souvenir de ce qui s'est passé. J'ai pris de nombreuses notes, monsieur, et j'ai interrogé mon père et mon frère, tous deux médecins, fort estimés. J'y ai pensé après cet incident... Les chaises de Mme Barrington. Vous vous souvenez ?

Sir Harald ne s'en souvenait que trop bien.

Un petit garçon devait voir des enfants de son âge, apprendre ses devoirs d'hôte, d'invité. Sir Harald commençait à organiser des réunions enfantines, l'une en hiver, l'autre en été. Elles étaient très appréciées de ses jeunes invités. Ils étaient, tous, habitués à un certain train de vie, mais rien ne pouvait être comparé à Copsi pour un jeu de cache-cache, par exemple. Même s'il pleuvait, le jour choisi, en été, le grand salon et la grande galerie permettaient des activités généralement réservées au grand air.

En retour, on invitait Magnus Copsi et s'il ne se sentait pas provoqué, il se tenait extrêmement bien. Il avait sept ans lorsqu'il participa à la dernière réunion enfantine que devait organiser Mme Barrington, sa fille cadette, Angela, avait maintenant douze ans et Philip, assagi avec le temps, était un élève de Harrow très content de soi. Mme Barrington avait fait durer ces goûters le plus longtemps possible parce que c'était une façon relativement peu dispendieuse de recevoir. Certaines mères amenaient elles-mêmes leurs enfants et restaient, partageant avec eux un goûter substantiel. Les pères venaient vers la fin et se voyaient servir du Xérès et des biscuits. Les Barrington avaient ainsi, pendant un certain temps, rempli leurs obligations.

Au cours de toutes ces réceptions, à Fowlmere, comme ailleurs, une règle implicite voulait que les enfants les plus grands donnent leur chance aux plus petits quand il y avait plusieurs joueurs sur les rangs. Ainsi un après-midi mémorable, Magnus se trouva en compétition avec un autre petit garçon d'environ sept ans pour la possession de la dernière chaise — objet de l'enjeu — Le petit garçon gagna et ce qui se passa par la suite parut incroyable. Magnus Copsey gagna l'endroit où les chaises retirées du jeu avaient été groupées au hasard. Dorées et laquées c'était des objets fragiles. Il en saisit une dans chaque main et les frappa violemment l'une contre l'autre. Trois fois de suite, il recommença la même opération détruisant ainsi six chaises.

— C'était déjà assez pénible, en soi, confia Mme Barrington à Lady Collins, mais le pire c'était son expression ! Diabolique !

Naturellement, cela remit en mémoire ce que cette excellente nurse, Mme Sawyer, avait un jour, raconté à Victoria. A l'époque, cela avait paru un peu invraisemblable.

L'histoire se répandit et suscita des commentaires peu flatteurs pour Juliet. Personne ne la connaissait, elle venait de très loin. C'était une Evett, n'est-ce pas ? Oui, apparentée à Lord Heston. Les Evett étaient peut-être sujets à des crises de rage incontrôlée. Aucun Copsey n'avait souffert de ce mal pour autant qu'on puisse s'en souvenir... le vieux Sir Magnus, le jeune Sir Magnus, Sir Harald, tous des gens parfaitement normaux.

M. Barrington lui aussi était capable de piquer une colère et il proclama que ce jeune bandit ne franchirait plus son seuil. Verdict qu'accueillit sa femme d'autant plus facilement qu'elle n'avait plus l'intention de donner de réceptions enfantines.

Sir Harald se confondit en excuses, de façon presque abjecte, et déclara connaître un ébéniste à Wyck qui se chargerait de réparer les chaises, les rendrait comme neuves (« ou mieux », confia Lady Collins à son mari. Ces chaises ont toujours été d'une telle fragilité. Je ne m'y suis jamais assise sans peur).

Magnus fit des excuses. On l'expédia, armé d'un bouquet de roses cueillies sur le rosier dont la floraison ne s'interrompait jamais, pour dire qu'il regrettait beaucoup.

Qu'il put y avoir une raison physique à ce qui arrivait à Magnus de temps en temps, autant s'en assurer.

Le docteur Fordyke, le premier à être consulté, jugeait cette idée sans fondement. Quant à Sir Harald, il avait piètre opinion du savoir du docteur Fordyke et, au fond de soi, le blâmait pour la mort de Juliet. Il ne savait trop quoi lui reprocher : d'être intervenu trop tard ou trop tôt. Le résultat était là et si le vieux docteur Fordyke avait été en vie, les choses se seraient passées autrement. Cela, bien sûr, il le gardait pour soi, n'en avait jamais parlé à personne.

A la demande de Sir Harald, le docteur Fordyke examina le beau petit garçon bien développé et ne lui trouva aucune tare physique. Il avait entendu parler, lu des articles, de cas de traumatisme crânien provoqué par l'emploi des forceps. Rien de cela ici. Quant à l'épilepsie sous une forme cachée dont parlait Sir Harald visiblement à contre-cœur, c'était grotesque. Pourquoi pas de la variole cachée aussi !

En fait, de l'avis du médecin, l'enfant était beaucoup trop gâté, régnant à Copsi sur deux vieilles femmes radotantes, une plus jeune, son père, deux autres hommes — si tant est qu'on puisse donner le nom d'homme au cadet. Pas de mère. Le diagnostic était facile, le pronostic certain — Mais le remède, une bonne raclée ne serait vraisemblablement pas bien accueillie et il n'y avait pas de raison pour que Sir Harald n'aille pas confier ses problèmes et son argent à un bon ami du médecin qui avait ouvert un cabinet à Norwick...

Envoyé de Bressford à Norwick et de Norwick à Londres même, se sentant de plus en plus ridicule à montrer un garçon en parfaite santé, Sir Harald persista jusqu'à ce qu'un médecin, plus perspicace que les autres, eut, à son avis, une idée géniale. Tout allait bien chez l'enfant. C'était le père qui avait besoin d'être aidé, rassuré.

— Nous changeons tous, Sir Harald, et la vieille croyance qui veut que nous nous modifions tous les sept ans n'est pas totalement dénuée de fondement du point de vue scientifique. Sept ans, quatorze et vingt et un ans sont des étapes de la croissance et du changement. Votre fils vient de fêter son septième anniversaire. A-t-il souffert d'une de ces soi-disant crises depuis ?

— Pas à ma... Oui, une.

— Vous constaterez, je pense, que c'était la dernière. Il ne faut pas se laisser trop influencer par de simples dates ; un mois ou deux, plus tôt, plus tard... Les changements s'opèrent cependant... voyez les dents de lait qui sont remplacées vers l'âge de sept ans ; la voix qui devient plus grave vers quatorze ans, la virilité totale qui s'acquiert à vingt et un ans... L'homme, le plus aimable et réconfortant que Sir Harald ait rencontré jusque-là songea, quant à lui : et débordant de virilité à vingt-huit, à trente-cinq ans a déjà parcouru la moitié du chemin ; à quarante-deux, le déclin commence. Il avait quarante-trois ans ! Cueillez les roses du chemin... et les guinées tant que vous le pouvez !

Ragaillardi, Sir Harald retourna à Copsi et rien ne se passa pendant quelque temps. Ensuite, Bertie et Magnus eurent leur mémorable empoignade.

Jusque-là, Bertie, ne cachant pas qu'elle s'intéressait fort peu aux très jeunes enfants, s'était montrée parfaite, à sa manière. Elle avait offert d'apprendre à monter à cheval au petit garçon, avait fourni un poney miniature, mis l'enfant en selle et l'en avait descendu et, pendant une semaine, l'avait fait courir, le tenant d'abord à la longe. Puis il avait pris les rênes tout seul et, d'après Bertie, il faisait des progrès.

Il était difficile de savoir si elle avait entendu parler des chaises de Mᵐᵉ Barrington car elle avait coupé tout contact avec les femmes et n'écoutait pas leur bavardage. Elle menait une vie séparée de celle des autres membres du château. Elle faisait pour sa propriété personnelle — de beaucoup moins grande importance — ce qu'Harald faisait pour Copsi. Mais elle avait commencé avant lui et lui avait déclaré un jour :

— Harry, je gagne déjà de l'argent que tu continues à en dépenser. Laisse-moi au moins payer une pension, pour ma chambre et mes repas.

— C'est ridicule ! avait-il répondu.

Sa chambre ? Une pièce dont personne ne voulait. Ses repas ? Beaucoup moins que ce que n'importe quel domestique considérait comme son dû. Il était assez difficile de se rendre compte du genre de vie qu'elle menait. Elle était partie avant le petit déjeuner et ne rentrait que fort tard.

— Oh, je prends un déjeuner de laboureur. Inutile de se tracasser pour moi.

Lady Copsey et Mme le Beaune enviaient toutes deux sa silhouette ou, pour être exact, son tour de taille. Les années s'ajoutant aux années et à une existence confortable, elles avaient, chacune, des problèmes d'embonpoint. Juste punition pour Mme le Beaune qui ne prenait pratiquement aucun exercice ; parfaitement injuste en ce qui concernait Lady Copsey qui sortait et marchait tous les jours et ne se prélassait jamais dans un fauteuil comme sa belle-fille. Les mesures idéales pour le tour de taille d'une jeune fille de dix-huit ans étaient de quarante-six centimètres, mais le maximum ne devait pas dépasser soixante-deux centimètres. Alors, dans la plupart des cas, il fallait se résoudre au port d'un corset serré à outrance. C'était enrageant de voir Bertie, dans sa trente-deuxième année, restée mince comme une jeune fille, sans pour autant, comme c'était si souvent le cas, être émaciée et prématurément ridée. Mais tout, ou presque était ou avait été irritant, chez Bertie, pour deux femmes strictement attachées aux conventions. L'excentricité, tolérée chez un homme, était déplorable chez une femme. Quoi qu'il en soit, sa façon de vivre scandaleuse — ne participait-elle pas, seule femme présente, à des soirées fort bruyantes où se rencontraient des gens de tous les milieux ? — avait depuis longtemps cessé de surprendre ou de choquer.

Q UAND le poney miniature fut trop petit, Bertie en fournit un autre qu'elle avait élevé elle-même, à Sheppey Lea.

— Tu pourras faire de plus longues promenades, à présent, dit-elle à son neveu. Tu pourras même, à l'occasion, accompagner ton papa. Je t'emmènerai peut-être même chez moi, un jour.

— Quand ?

— Quand je te le dirai.

Sir Harald avait, bien sûr, emmené souvent l'enfant avec lui, en cabriolet le plus souvent. Il voulait que Magnus vît la propriété et les gens, et que les gens le voient, si grand pour son âge, si beau. Ce genre de sorties n'avait jamais été un succès. Rien n'intéressait l'enfant longtemps. Il s'ennuyait vite, se montrait rétif, difficile à supporter pour un homme actif. Il interrompait les gens dans leurs conversations, si sérieuses fussent-elles, cherchant toujours à attirer l'attention sur soi, réclamant toujours quelque chose. En fait, depuis son enfance,

Magnus, son père présent, avait eu l'habitude d'accaparer toute l'attention et entendait que cela continue.

Peut-être sentit-il qu'il en allait autrement avec sa tante Bertha. C'était *elle* qui choisissait le moment qui lui convenait quand elle lui apprenait à monter à cheval et cajoleries ou crises de colère n'y changeaient rien. Elle entendait lui apprendre à monter correctement, le reste ne l'intéressait pas. Un jour qu'il tentait d'attirer son attention sur lui personnellement, en ne tenant aucun compte de ses instructions, elle se contenta de lui dire :

— Parfait. Si tu veux monter comme un sac de pommes de terre, fais-le. Mais pas sur ce poney ! Prends un cheval de trait !

Il était trop jeune et trop stupide pour connaître le sens du mot « inaccessible », mais il comprenait que tante Bertha était différente de tous ceux avec lesquels il était en contact et elle lui imposait une sorte de respect mêlé de crainte. Dans l'ensemble, tout alla donc bien entre eux et elle tint sa promesse de l'emmener à Sheppey Lea qui le déçut. Du fait qu'il n'y avait encore jamais été, cela avait paru intéressant, mystérieux même. Mais ce n'était jamais qu'une ferme comme une autre et beaucoup moins intéressant que la jetée, à Copsi Minor où tout le monde semblait toujours craindre qu'il tombe à l'eau. Là, au moins, était-il le centre de l'attention, chacun le priant de prendre garde. Partout, des bras, des mains qui se tendaient pour le protéger.

Rien de tout cela à Sheppey Lea où tante Bertha se consacra immédiatement à une chose ou une autre et quand il dit :

— Je veux déjeuner.

Elle lui répondit : « N'interromps pas ! » Elle parlait avec quelqu'un. Il fit une nouvelle tentative au bout d'une minute ou deux :

— Je veux rentrer à la maison.

— Entendu. Tu connais le chemin, répliqua tante Bertha qui continua sa conversation avec l'homme qui lui accorda une seconde d'intérêt, juste le temps de dire quelque chose de parfaitement idiot.

— Savez-vous, jeune homme, que si le vent changeait alors que vous avez l'air aussi renfrogné, vous garderiez cette vilaine expression toute votre vie ?

Puis enfin, la conversation se poursuivit et Magnus attendit son déjeuner qui, en fait, le déçut profondément : du pain et du fromage ! Fort bons, l'un comme l'autre, le pain frais et croustillant, le fromage juste à point, mais pas dur. Magnus mangea, mais d'un air languissant qui disait sa désapprobation. Chez lui, un tel manque d'appétit aurait immédiatement attiré l'attention, mais Bertie mastiquait son repas de paysan de bon cœur et ne le regardait pas.

— Je n'en veux plus.

— Tu n'es pas obligé de manger. C'est un pays libre.

S'il était d'intelligence limitée, il compensait ce défaut par une bonne dose d'astuce qui lui fit comprendre immédiatement qu'il serait vain d'ajouter, comme il le faisait d'habitude : « J'ai mal au cœur. » Qu'il le dise et elle lui répondrait vraisemblablement : « Eh bien, sors. »

Le sourcil froncé, il regarda autour de lui le salon de la maison du contremaître, mis à la disposition de Mme Copsey à midi, mais autrement réservé aux grandes occasions. Bas de plafond et sombre, de lourdes poutres apparentes, des lambris de chêne. Seule tache un peu claire, quelques pièces de porcelaine bon marché, sur le dessus de la cheminée.

— Elle est laide cette pièce, n'est-ce pas, tante Bertha ?

Cela au moins la fit réagir, mais pas dans le sens souhaité.

— Chut ! C'est le saint des saints de Mme Fowler. Tu es libre de penser ce que tu veux — je te l'ai dit nous vivons dans un pays libre — mais apprends donc à ne pas te montrer trop critique, Magnus. Ou, du moins, à ne rien dire qui puisse blesser quelqu'un. Bon, si tu as terminé...

Elle consulta sa montre — beaucoup moins jolie que celle qu'il avait donnée à Mme Sawyer — et ajouta :

— ... Je vais voir les moutons. Veux-tu m'accompagner, ou préfères-tu rentrer à la maison ?

Cette sortie, qui lui avait parue pleine de promesses et signifiait une matinée sans leçons, n'avait abouti à rien. Comme presque tout. Il était encore trop jeune pour comprendre — et ne le comprit jamais — que l'égocentrisme menait inévitablement à l'ennui.

— Je rentre à la maison, décida-t-il.

Après tout, les moutons de tante Bertha n'avaient rien de particulier.

Quand, à un tournant de la route et une échappée à travers les arbres, il aperçut Copsi, il comprit qu'il avait commis une erreur. M. Burrows, son précepteur du moment, ne plaisantait pas avec son travail et il avait des yeux — ou des espions — partout — Que Magnus mette le pied au château et il aurait M. Burrows sur le dos, disant qu'il fallait rattraper le temps perdu et le traînant jusqu'à la salle d'études. Inutile de tenter de lui désobéir ou de le défier car, on ne savait pourquoi, papa semblait avoir M. Burrows en haute estime et lui donnait toujours raison. Cela n'avait pas toujours été le cas, ni avec les gouvernantes, ni avec les autres précepteurs. Mis en colère, l'intéressé disait : « Parfait, je le dirai à votre papa ! » Une fois sur deux, il n'y avait aucune suite ou une légère remontrance. Mais avec M. Burrows il en allait autrement, quand Magnus le fâchait, papa l'était aussi. Magnus ne craignait pas son père, mais il préférait être en bons termes avec lui car c'était lui qui faisait des cadeaux ou, si on l'y contraignait, refusait ce que l'on voulait.

Eh bien, il jouerait un bon tour à M. Burrows et serait libre pour le reste de la journée. Il y avait droit puisqu'on lui avait accordé un jour de congé. Et quel congé ! Il obliqua et pénétra dans le paddock où Bertie avait installé des obstacles de diverses hauteurs. Elle lui avait strictement interdit d'y aller sans elle. Mais elle était à Sheppey Lea à regarder des moutons. Elle ne saurait jamais qu'il lui avait désobéi.

MAGNUS était à peine parti que Bertie fut prise de remords. Harry avait été tellement bizarre à la seule idée que Magnus fasse du cheval ; si nerveux, si inquiet. Même le poney miniature lui avait inspiré des craintes.

— Ne crois-tu pas que le petit est encore un peu jeune ?

— Mais Grand Dieu, Harry ! Il serait plutôt trop vieux déjà ! Il aurait dû commencer il y a au moins un an. Quant à cet animal c'est à peine plus qu'un cheval à bascule vivant.

Quand elle avait décidé du changement de monture, Sir Harald, qui malgré sa jambe raide restait un cavalier intrépide et était ancien soldat, se montra encore plus inquiet.

— C'est un très grand poney... on le prendrait pour un cheval, Bertie.

— Ton fils est un grand garçon. Sur Midget ses pieds traînaient presque par terre. On ne peut tout de même pas changer de monture tous les six mois.

— Je n'aimerais pas qu'il saute.

— Alors comment fera-t-il pour suivre une chasse ? Tu veux tout de même qu'il chasse ?

— Oui, bien sûr... mais je ne veux surtout pas qu'il prenne de risques.

— Entendu. Enveloppe-le dans du coton et mets lui une étiquette : « Fragile, à manier avec précaution ». Cela m'est égal.

Malgré cette profession de foi, elle était un peu embarrassée. Elle savait ne pas être une très bonne marraine, le fait qu'elle n'aimât pas les enfants et soit libre penseur n'y était pour rien mais elle s'était employée à ce que l'enfant monte bien à cheval.

Et puis elle s'était calmée, avait compris qu'elle s'était montrée un peu brutale à l'expression désolée de son frère.

— Écoute, Harry, j'ai dressé Perkin moi-même en pensant à Magnus. Il est parfaitement sûr. De plus, quand on est jeune et que l'on tombe — si l'on tombe — c'est comme une plume. Ce sont les vieux qui se cassent le cou. Et c'est la meilleure des fins.

— Bon... tout ce que je te demande c'est de bien le surveiller.

Elle l'avait fait jusque-là. Et, à présent, elle l'avait renvoyé, tout seul. Rien ne pouvait lui arriver sur la route de Copsi, neuf kilomètres de terrain plat en plein jour. Mais en admettant ? Jamais Harry ne le lui pardonnerait. Elle se dit, un peu impatientée, que son frère avait des réactions de vieille femme quand il s'agissait de son fils. Et c'était contagieux. Elle renonça à sa visite au pacage des moutons, cette partie de Sheppey Lea dont elle était la plus fière car elle avait été tirée d'un terrain à l'état presque sauvage couvert de fougères et de chardons. Dix années de soins intelligents et attentifs en avaient refait une terre de culture. Elle avait lu quelque part que les chèvres mangeaient n'importe quoi, y compris les plantes qui auraient fait avorter une vache. Beaucoup d'éleveurs gardaient une chèvre dans leurs troupeaux de vaches. Elle avait apporté vingt chèvres et les avait laissé se repaître, même de la plus invraisemblable des plantes. Et les moutons les avaient remplacées. Bertie était fière de son troupeau et elle aimait beaucoup l'homme qui, avec l'aide d'un chien, les gardait. Elle n'aurait pas songé à en rire, mais au contraire trouvait merveilleux qu'il fût un peu fou et déclarait avoir vu des fées danser en cercle sur la lande nettoyée par les chèvres et que les moutons gardaient rase. Il croyait qu'il y avait des loups dans la forêt dense qui bordait le pacage au nord-est, protégeant les moutons de grands froids, l'hiver. Il était parfaite-ment exact que, sur le sol qui ressemblait à une pelouse à présent, là où Joseph avait dit avoir vu danser les fées, se dessinait un cercle d'un vert plus foncé. Il ne s'agissait nullement de trèfle comme aurait pu le croire son esprit sceptique. Non. L'herbe était la même qu'ailleurs, mais plus sombre.

— Et, je vous le jure, Mademoiselle, aucun mouton ne veut s'en approcher. Ni même le chien. Alors, je fauche de temps en temps. Ils ne veulent pas manger cette herbe ! Ça sera pour le feu de joie du 1er mai.

Excentrique elle-même, Bertie aimait les excentricités de Joseph, même les pièges à loups qu'il posait obstinément en bordure du bois. Il ne prenait jamais rien, les loups avaient été exterminés sous Henri VIII. Mais sa conviction qu'il pourrait en attraper un, un jour, comme sa croyance en l'existence des fées, lui permettaient d'exercer une tâche aussi solitaire, si éloignée de tout contact humain que peu de ses semblables l'auraient supportée. Elle venait le voir régulièrement et elle était toujours la bienvenue parce qu'elle savait l'écouter. C'était le jour prévu de sa visite. Elle avait espéré que Magnus l'accompagnerait et serait peut-être — sait-on jamais — fasciné par le vieil homme.

Mais, aujourd'hui, sa conscience lui interdisait d'y aller.

Aussi chargea-t-elle un garçon, connu pour avoir les pieds plats, de porter un message au vieux berger.

— Dis à Joseph que je ne peux pas venir aujourd'hui. Mais j'irai le voir demain. Il peut en être sûr.

Elle était toujours étonnée de constater que, menant cette existence étrange, coupée de tout, le vieil homme sut quel jour on était. Mais il ne se trompait jamais.

Et puis, au moment où elle s'apprêtait à partir, Fowler, son contremaître, vint la trouver. Il voulait, dit-il, discuter de quelque chose avec elle. La voyant prête à monter à cheval il la rassura : cela ne prendrait qu'une minute. Mais Fowler parlait toujours avec une extrême lenteur, prenait le temps de la réflexion entre chaque phrase et se répétait sans cesse. Aussi ne rattrapa-t-elle pas Magnus sur la route. Elle ne remarqua rien non plus pouvant permettre de croire qu'il lui était arrivé un accident. A contrecœur, elle se sentit cependant soulagée quand, à un tournant de la route, une percée dans les arbres lui révéla Copsi. Et puis, quelques secondes plus tard, elle vit autre chose... Elle ne prit pas la peine d'emprunter la porte du manège. Elle sauta par-dessus la barrière et se rua sur Magnus comme la colère divine.

— Je lui ai fait mal? Bien sûr que oui! Et c'était ce que je voulais. Tu me connais, Harry, je ne suis pas sentimentale. Quand un cheval a besoin de la cravache, il la reçoit. Mais voir Perkin, le plus doux, le plus obéissant... Bon Dieu, j'aurais tué cette petite brute!

— Te rends-tu compte, Bertha, de ce qui aurait pu se passer? L'arracher de sa selle comme tu l'as fait et le tenir suspendu pendant que tu le fouettais! Il aurait pu s'étouffer.

Elle ne parut pas repentante, mais plutôt satisfaite.

— Je n'aurais pas cru que j'étais aussi forte.

Le fait est que quelqu'un lui aurait dit qu'elle serait capable de soulever un paquet pareil d'une seule main et de le frapper de l'autre, tout en demeurant en selle, elle aurait déclaré cela impossible. Mais elle l'avait fait. Comme elle avait fait... oh, beaucoup trop de choses pour qu'elle s'en souvienne. Toutes choses à première vue parfaitement incompatibles avec son aspect délicat. Jonathan Winthrop qui désirait énormément faire son portrait mais pour lequel elle se refusait de poser l'avait décrite, un jour, comme un papillon fait de fanons de baleine. Ce n'était, dans sa bouche, ni tout à fait un compliment, ni tout à fait une critique.

— Harry, Magnus méritait une bonne correction. Il se trouve que c'est moi qui la lui ai donnée. J'espère que ça lui servira de leçon. Autrement, il n'approchera plus jamais une seule de mes bêtes. Je te l'affirme.

Sir Harald n'avait aucun désir de se quereller avec Bertie. D'une part, elle avait été charmante avec Juliet pendant leur brève période de bonheur. D'autre part, il la sentait davantage sa sœur que Marie — à laquelle il fallait cependant reconnaître ses bons côtés puisque, malgré ses manies françaises, elle avait choisi Copsi. Mais Bertie c'était autre chose, elle comprenait ses problèmes, connaissait tout ce qui touchait à la terre. L'amour de cousin William pour la vie à la campagne concernait surtout la chasse et la pêche. Bertie pouvait parler du rouget du porc; de la douve du foie; des maladies de la bouche ou des pieds. Souvent, après le dîner, quand les deux vieilles dames, William et Jonathan s'étaient installés pour jouer au whist et que l'enfant dormait, Harald se rendait chez Bertie pour boire de l'eau de vie en bavardant. Parfois, c'était elle qui venait le voir dans la bibliothèque. Il préférait cela parce que sa grande chambre, terriblement encombrée, le mettait un peu mal à l'aise, habitué qu'il était à l'ordre militaire. Il n'arrivait pas à comprendre pourquoi, alors qu'il y avait tant de pièces libres, elle se contentait de cette seule et unique chambre. Il lui en avait parlé, à plusieurs reprises. Mais elle lui avait répondu : « Cela me plaît ainsi et m'évite des allées et venues. J'ai tout sous la main.

Pour rien au monde il ne se querellerait avec Bertie, mais il fallait qu'elle comprenne que si l'enfant avait eu tort de ne pas garder son sang-froid, elle avait fait exactement la même chose.

— Tu peux te vanter de lui avoir donné une correction sévère. Il en portera encore les marques que celles du poney auront disparu depuis longtemps.

— Là, Harry, tu fais une grossière erreur. Cet animal est sans doute fini. Mis devant un obstacle trop haut pour lui et avec un cavalier qu'il sentait inexpérimenté, il a refusé et a été cruellement battu. Peut-être ne voudra-t-il plus jamais sauter. Et ce dommage mis à part... » (elle avait conscience d'employer un artifice) : c'est une désobéissance flagrante. Je lui avais interdit d'entrer dans le paddock sans moi. Je savais ta réticence à le voir sauter.

Elle ne désirait pas se quereller avec Harry non plus. Elle appréciait autant que lui leurs relations faciles, presque laconiques.

— Oui, c'est exact... mais je l'aurais puni moi-même.

— De quelle façon ?

— Cela ne manque pas... sans employer la violence.

Une lueur de malice fit briller les yeux bleu-vert de Bertie.

— Pas de pudding pendant une semaine ? Pas de bonbons pendant quinze jours ? Tu sais aussi bien que moi la futilité de ces interdits... Il va tout simplement voir l'une des deux vieilles, celle qui a ses faveurs à ce moment-là, et il se gave.

— Mais je l'ignorais absolument ! Cela doit cesser immédiatement. Je vais faire donner des ordres stricts !

Pauvre vieux, il se croyait encore dans l'armée.

Pendant une minute son affection pour son frère lutta avec son désir de ne pas se mêler de toute l'affaire. Et son affection l'emporta.

— Je vais peut-être te blesser, Harry. Un fils unique. Je comprends. Mais à moins que quelqu'un, très vite, ne le prenne en main, tu resteras avec un garçon absolument intraitable. Ce n'est pas une perspective réjouissante, ni pour toi, *ni pour Copsi.*

Les trois derniers mots firent mouche. Sir Harald s'était, hélas, parfaitement rendu compte que Magnus s'intéressait très peu au château, à son histoire, à ses occupants. Tout ce qui avait passionné son père. Sir Harald avait tenté d'éveiller son intérêt par tous les moyens. Dans l'église reposait un Copsey, en cotte de mailles, les jambes croisées, un petit chien à ses pieds.

— C'était un Croisé, Magnus. Tu sais ce que sont les croisades ?

— C'était une guerre.

Sir Harald, au même âge, avait, à cette seule évocation, entendu sonner les bugles, ou vu flotter les étendards. Et l'homme, couché là, taillé dans la pierre n'avait-il pas été l'un, parmi cette multitude qui chaque matin et chaque soir avait crié : « A Jérusalem ! » ?

Pour lui, tout cela avait été une aventure passionnante, quelqu'un la lui avait contée bien sûr, mais il ne se souvenait pas l'avoir entendue. Elle faisait partie de lui depuis toujours. Mais son propre fils n'avait pas hérité la même impression. Sa réaction éprouvée devant le Croisé n'était pas née de la lecture du *Talisman* de Sir Walter Scott, il en était sûr. Il avait lu l'ouvrage et l'avait trouvé plutôt plat.

Toutes les tentatives, quelles qu'elles fussent, pour intéresser Magnus aux faits d'armes de sa famille avaient été tout aussi décevantes. Ce garçon n'avait aucune imagination. C'était comme des cheveux roux, ou on en a, ou on n'en a pas. Il n'y avait rien à faire.

— Je songe sérieusement à l'envoyer au collège, Bertie. Il est un peu jeune, mais ça nous débarrasserait des précepteurs. Qu'en penses-tu ?

— C'est une excellente idée. Le plus tôt sera le mieux.

A Eton, on avait l'habitude des garçons de caractères les plus divers, sportif, rêveur, studieux, stupide, gai, morose. Des générations d'expérience en avaient fait plus qu'une école, un monde à part, mais pas isolé pour autant. Comparé à celui d'autres collèges, le régime y était libre et facile. Ainsi que l'avait dit, une fois, un directeur à un parent qui justement protestait de la trop grande liberté accordée à son fils : « Monsieur, je n'ai pas choisi cette profession pour devenir gardien de prison. »

Sir Harald n'était pas de ceux qui déclaraient que l'époque passée à Eton avait été la plus heureuse de sa vie. Copsi n'avait cessé de lui manquer. Toutefois, il n'y avait pas été malheureux. Il s'était fait des amis, aimait certains cours, en détestait d'autres. Il chassait le papillon avec l'un de ses camarades qui, plus tard, était devenu naturaliste puis avait disparu dans le Pacifique Sud. Avec un autre, alors qu'il avait seize ans, il s'était rendu dans une maison de tolérance ouverte l'après-midi, dans une rue écartée de Windsor. Que cet endroit existât et qu'il fût fréquenté par les collégiens n'était pas ignoré des autorités. Mais la maison appartenant au collège était bien surveillée et les trois pensionnaires garanties sans maladies vénériennes. C'était là un système qu'Harald Copsey avait préconisé dans l'armée — surtout aux Indes où la syphilis régnait à l'état endémique. Mais le colonel avait rétorqué que cela équivaudrait à recommander la débauche.

A présent, il était à peu près sûr de faire ce qui s'imposait en envoyant l'enfant à Eton, ne serait-ce que pour le mettre en contact avec d'autres garçons de son âge et de son milieu. En ce moment, malheureusement, il y en avait peu dans les environs. Une chose était sûre, son fils ne regretterait pas Copsi comme il l'avait fait. Magnus ne serait jamais à court d'argent comme il l'avait été, économisant sou par sou pour prendre la diligence de nuit. Selon toute vraisemblance, il s'amuserait bien. Il n'accorda même pas une pensée à deux menaces dont on lui avait parlé — la brutalité et l'homosexualité — il n'en avait jamais été témoin lui-même, sauf dans l'armée parmi les hommes venus de milieux pauvres, ignorants. Les sergents recruteurs n'avaient souvent pas le choix. Aussi assistait-on à des incidents regrettables mais, malgré tout, extrêmement rares. Mais il n'y avait rien de tel à Eton !

Magnus enregistra ce nouveau changement dans sa vie avec la même absence d'intérêt. Était-il réellement d'une stupidité incurable, comme l'avait dit l'une de ses gouvernantes ? Au moment de prendre une décision, espérant que c'était la bonne, mais pensant quand même qu'il pouvait se tromper, Sir Harald aurait cédé pour peu que Magnus ait dit tout simplement : « Je ne veux pas quitter la maison. » Juste sept mots et Sir Harald aurait abandonné ses projets. Mais l'enfant se tut et son cœur se serra. Aurait-il, dans son désir de ne pas la décrire sous un aspect trop noir, rendu l'école trop attrayante ? Le pauvre enfant aurait-il un choc ? Autant le prévenir !

— Je ne peux pas te dire ce qu'est la nourriture en ce moment. De mon temps, elle n'était pas fameuse. Mais tu recevras des colis. Et il y a un petit bouchon dans High Street « Chez Annie »... Elle faisait cuire des œufs, du bacon et des saucisses. Un petit déjeuner copieux à n'importe quelle heure de la journée pour quatre pence. Je ne pense pas qu'elle soit toujours là, mais quelqu'un a certainement dû la remplacer.

— « Chez Annie », répéta Magnus, manifestant sa première marque d'intérêt. Je m'en souviendrai.

Au bord de l'irritation, Sir Harald se souvint d'un précepteur lui disant que le plus grand défaut de Magnus était de ne pas savoir faire la différence entre ce qui était important et ne l'était pas. Il se souvint aussi que, dans ses promenades, Magnus différenciait les fermes entre elles par ce que la fermière avait à offrir — « Le nid de l'écureuil », signifiait du gâteau au gingembre, « Le bout du marais », des petits pains au lait, « Le pré aux vaches », du vin de mûres...

ETON, sous son aspect doux et civilisé — on y tolérait les manifestations pour ou contre ceci, ou cela — avait un noyau dur qui ne cédait pas sans lutte. Magnus aurait-il pu être changé par ce que Bertie appelait une bonne raclée, il aurait été guéri. Il en reçut plusieurs, la plupart par les personnes déléguées à cet effet, les préfets ou grands chargés de la discipline. On se racontait comment Palmer avait été attaqué par le jeune Copsey. Il avait fallu trois autres préfets pour le maîtriser. On se l'était passé d'échelon en échelon jusqu'à l'autorité suprême. On essaya de le raisonner, de le prendre par la douceur. Rien n'y fit. Eton, malgré ses possibilités, n'était pas équipé pour s'occuper de fous auxquels il fallait une camisole de force. Qu'on le renvoie chez lui ! Seul, un vieux professeur à la voix aussi grinçante que les jointures fit remarquer : « Quelle pitié ! Je me rappelle son père. Un garçon tellement inoffensif. Il passait le plus clair de son temps à la chasse aux papillons, si mes souvenirs sont exacts. »

L'expulsion coïncida pratiquement avec le quatorzième anniversaire de Magnus et — contre toute raison — Sir Harald espéra que le changement magique, mentionné par le médecin de Londres, se produirait. Et son espoir parut se justifier : le garçon semblait heureux d'être revenu à la maison. Sans discuter, Sir Harald paya cinquante livres pour le dommage causé par la crise de rage qui avait provoqué l'expulsion. Magnus avait propulsé un banc dans une fenêtre à vitraux de couleurs. Cette expérience scolaire avait peut-être semblé un échec, mais elle avait servi au moins à faire apprécier son foyer au garçon.

Et puis s'ensuivirent deux années de bonheur. Magnus manifesta un certain intérêt pour le domaine, posa des questions pertinentes, écouta les réponses. Il n'était, après tout, qu'un enfant dont l'esprit avait été lent à se développer et qui avait continué adolescent de piquer des crises de rage enfantines.

Bertie, elle-même, admit qu'il *semblait* avoir fait beaucoup de progrès et prit sur elle de reprendre ses leçons d'équitation pour tenter d'en faire un bon cavalier. Bientôt, il participa régulièrement aux chasses prenant virtuellement la place de son père dans ce domaine. En effet, la jambe blessée de Sir Harald qui s'était guérie si vite et à laquelle il ne songeait même pas, commençait à le gêner. Elle s'était raidie et souvent une douleur mordante le tenaillait. Il restait capable de parcourir son domaine à cheval et de suivre quelques chasses sur un petit parcours. Mais il ne pouvait en faire davantage. Selon Bertie, il s'agissait de rhumatismes qui s'en prennent souvent aux points faibles. Elle lui préparait des liniments brûlants comme le feu.

Ces deux années furent témoin d'un autre changement, heureux selon Sir Harald : de nouveaux voisins. Une famille anglo-irlandaise du nom de O'Brien s'installa à Axworth Grange, à deux mille cinq cents miles en coupant par Monkswood. La maison était restée inoccupée pendant de longues années — à l'exception d'une famille de gardiens — car Brian O'Brien avait hérité un domaine beaucoup plus vaste, et bien plus rentable pensait-il, Barrymore à Roscommon. Là, pendant plus de vingt ans, il s'était efforcé d'être un propriétaire consciencieux, vivant sur place, y consacrant toutes ses ressources qui avaient été fort importantes, car il possédait, en plus d'Axworth, une maison à Piccadilly et deux magasins, Edgware Road. Avec une ingratitude inexorable le domaine de Roscommon avait tout absorbé. Il avait fini par accepter l'idée qu'il lui fallait battre en retraite et laisser un régisseur se débrouiller pour tirer ce qu'il pouvait de Roscommon et se payer sur place. Il avait huit enfants et il fallait songer à leur avenir.

Un jour il avait dit à Sir Harald.

— Vous vous êtes battu avec les Français. Moi c'était avec les pommes de terre. C'est la pire des calamités qui se soit jamais abattue sur l'Irlande. Au printemps, les gens labourent un peu, flanquent des pommes de terre dans les sillons, puis ils s'accroupissent et attendent. J'ai, de ma poche, acheté de la semence de blé, de pois, de haricots. Vous me croirez si vous le voulez, ils ont tout donné à bouffer à leurs cochons ! A propos de cochon... jusqu'à la mort de mon oncle — Dieu ait son âme — qui m'a fait son héritier, j'avais toujours vécu à Dublin. Je me destinais au barreau. J'ai été horrifié à la vue des taudis où les hommes, les femmes, les gosses couchaient avec les cochons. J'ai fait construire des maisons, de jolies petites maisons : grande salle, cuisine, deux chambres. Eh bien, ils y ont installé leurs cochons. Je vous jure, Copsey, que s'ils avaient pu faire grimper un escalier à un cochon, ils l'auraient mis dans leurs lits. Et moi qui me ruinais pour tout améliorer ! Je les ai laissé faire. Qu'ils élèvent donc des poules dans leur chambre si ça leur chante. Mais je ne peux m'empêcher de penser : Dieu les protège si jamais la pomme de terre ne rend plus.

— Et c'est à prévoir, dit Sir Harald. J'ai fait la preuve et plusieurs de mes fermiers avec moi que la terre s'affaiblit d'année en année et finit par devenir stérile si on y cultive toujours la même chose. La plupart de mes gens comprennent ça, à présent.

— Jamais les miens ne l'ont compris. Et, en décembre dernier... Ce n'est pas un souvenir agréable, mais c'est hélas vrai, j'ai trouvé dans la grande salle de l'une de mes jolies petites maisons toutes neuves une vieille femme, vraiment très vieille, un enfant d'une dizaine d'années et un porc tous ensemble dans le même lit ! Ils brûlaient de fièvre. J'ai flanqué le porc dehors. La vieille a survécu, l'enfant est mort et on me l'a reproché ! Le cochon les réchauffait ! Vous comprenez ? J'étais devenu un assassin. Et on s'en est pris à mon bétail, on a commencé à l'estropier... J'ai abandonné. Quand on ne peut pas laisser un cheval à l'écurie ou une vache au pré sans qu'on les retrouve baignant dans son sang, il est temps d'aller voir ailleurs ce qui se passe.

M. O'Brien concentrait, à présent, tous ses efforts pour refaire la fortune familiale. Son fils aîné était déjà en France où il apprenait à connaître et à acheter du vin que son second fils, de treize mois son cadet, vendrait dans le magasin d'Edgware Road. Ensuite venait une fille, très jolie, très vive. Deux autres garçons la suivaient, Ross plus vieux de quelques mois que Magnus et Barry, plus jeune, de quelques mois également. Ils étaient devenus les meilleurs amis de Magnus. L'un ou l'autre des garçons passait beaucoup de temps à Copsi et Magnus était toujours le bienvenu à Axworth. Tout semblait aller bien.

Pour tous ceux qui s'intéressaient aux récoltes, 1832 fut une année merveilleuse. Un printemps doux et légèrement humide favorisant la pousse fut suivi par un mois de juin chaud, juste ce qu'il fallait. Même les saleurs sur la jetée, accrochant sur des fils les poissons vidés comme des lavandières leur lessive, se réjouissaient.

Sir Harald, à l'issue d'un après-midi agréable, rentra chez lui, prit un bain, se changea, descendit dans la bibliothèque et se versa du whisky. Aucune des deux vieilles dames ne le rejoindrait ce soir-là. Elles avaient été prendre le thé avec Mme Barrington. Il pouvait donc fumer un cigare, plaisir qu'il repoussait d'habitude à la fin du dîner.

Sa sœur et sa belle-mère répétaient souvent qu'elles ne voyaient aucune objection à ce qu'il fume, mais l'une se mettait à tousser, une toux très délicate et sentant la désapprobation, l'autre agitait la main pour dissiper le moindre nuage de fumée s'approchant d'elle.

Le plus jeune des deux valets de pied entra dans la pièce.

— Il y a là une Mme Webling qui demande à parler à Monsieur.

Thomas, domestique stylé, savait établir une certaine discrimination entre les gens : « *Une Mme Webling* était un degré au-dessous de *Mme Webling* et un degré au-dessus *d'une personne.* » Ce nom ne disait rien à Sir Harald mais il avait l'habitude de recevoir des gens lui étant inconnus.

— Entendu, Thomas. Faites entrer.

Une femme de petite taille, correctement habillée de noir mais — oui — donnant une étrange impression d'agressivité. Il sentit aussitôt qu'elle n'était pas venue lui demander une faveur. Ce n'était pas la femme ou la mère d'un braconnier, ou une mère désirant que son fils entre dans l'armée, ou la quitte. Ou bien encore quelqu'un se disant que, propriétaire d'autant de maisons, il pouvait fournir un toit à quelqu'un. Généreux par nature, il était toujours heureux de rendre service.

— Bonsoir, madame Webling. Asseyez-vous.

Il lui indiqua un siège à côté de son vaste bureau sur lequel régnait toujours un ordre parfait et, abandonnant le fauteuil de cuir, à côté de la fenêtre, où il goûtait la saveur de son cigare et le parfum des roses, il s'installa derrière sa table de travail.

Mme Webling s'assit, elle aussi, très droite et parut l'évaluer, ainsi que ce qui l'entourait. A l'instant où il allait lui demander : « Que puis-je faire pour vous ? » elle parla, d'une voix curieusement basse et agréable :

— Il s'agit de ma fille, Sir Harald, et de votre fils. — Elle marqua un temps d'arrêt avant d'ajouter : — Il l'a mise enceinte.

Il eut l'impression que son estomac effectuait un léger plongeon, mais son cerveau lui ordonna de revenir à sa place normale. Il fallait s'attendre à quelque chose de cet ordre. Il se souvint de la maison de tolérance, et tolérée, à Windsor. C'était aussi inévitable que de perdre ses dents de lait. Aucune raison d'en faire une histoire si la partenaire et l'endroit étaient destinés à cela. Mais, cependant, une petite sonnette d'alarme l'alerta et c'est d'un ton sec qu'il répondit :

— Il faut des preuves à l'appui d'une accusation de ce genre, madame Webling.

— Je sais. Je sais aussi que, légalement, je n'ai aucun droit même s'il était ici et l'admettait. Mais cela ferait mauvais effet, n'est-ce pas ? Nous sommes des gens respectables et personne ne peut dire de ma Katie que c'est une fille facile. Bien au contraire... Mais elle a été à cette fête et je n'ai qu'une explication : elle était grise. Nous ne buvons jamais une goutte d'alcool. Un verre de vin... et elle a perdu la tête. Et voilà. Toute une bande, au début. Puis ils se sont séparés, pour se retrouver à deux dans l'obscurité, derrière les baraques.

Sa langue pointait avec une régularité déconcertante, beaucoup plus par manie que poussée par le besoin de s'humecter les lèvres. Sir Harald qui, en son temps, avait couru les jupons, lui aussi, prit le temps de se dire : « Et toi, il y a vingt ans ? Tu ne te gênais pas. »

— Dès que j'ai su, reprit la voix au timbre agréable, j'ai demandé qui ? Au début, elle n'a pas voulu répondre. Puis elle m'a tout raconté. Voilà. J'ai pensé que le mieux était de vous en parler.

— Je vois.

Déjà, il pensait argent. Cinquante livres ? Aucune loi ne pouvait l'y contraindre, la paternité ne pouvant être prouvée. Mais il tenait à être juste. Mettre un enfant au monde et l'élever coûtait cher. D'autre part, il ne voulait pas donner l'impression d'être faible et de se laisser facilement persuader.

— Et qu'attendez-vous que je dise, madame Webling ?

— Oui, ou non, à ce que je vais vous suggérer, monsieur.

Elle changea de position pour se pencher un peu en avant.

— ... Je connais un jeune homme prêt à épouser Katie immédiate-ment. Il a fini son apprentissage chez le sellier de Bressford et aimerait s'établir à son compte, à Wyck. Mais cela coûte cher. Je n'ai jamais pu faire d'économies. J'ai deux autres enfants plus jeunes que Katie et je suis veuve depuis neuf ans. Mais si je pouvais toucher une centaine de livres...

Lui qui pensait être généreux avec cinquante !

— Cela représente une grosse somme.

— Pour *certaines* personnes. — Elle eut de nouveau un regard circulaire enregistrant les détails de la pièce : — Le viol n'est pas un très joli mot, monsieur. Mais quand le jeune monsieur est connu pour son caractère emporté et que la jeune fille, élevée sévèrement, n'a jamais fait parler d'elle, le viol est la seule explication, n'est-ce pas ? Si on sait que la petite a été violentée, ça enlève un peu de la honte. Mais on peut voir ça d'une autre façon. Il y a des hommes, convenables ceux-là, qui, quand ils se rendent compte qu'on a mal agi, surtout un jeune monsieur avec une fille honnête, n'hésiteraient pas à faire la loi eux-mêmes.

Sir Harald avait entendu parler d'une histoire de ce genre. Pas plus loin qu'à Radmouth. On avait accusé le capitaine d'un bateau de pêche d'avoir tué un jeune homme, membre de son équipage. Aucune preuve tangible à l'appui. Surtout des on-dit. Rien qui justifiât une enquête, un jugement. Mais le capitaine n'était pas revenu de son voyage suivant. Il était tombé par-dessus bord. La marée avait ramené son corps identifiable seulement aux tatouages de ses bras et de ses épaules et pratiquement sans un os intact. On aurait compris s'il avait été drossé sur des rochers, mais il n'y en avait pas entre Radmouth et le lieu de pêche où l'accident s'était produit... C'était là le cas le plus récent de particuliers se chargeant de faire justice eux-mêmes, mais il y en avait eu d'autres. (Personne n'avait pu expliquer comment un serpent extrêmement dangereux avait pu s'introduire dans le lit d'un sergent particulièrement impopulaire, quand le régiment se trouvait à Barrackpore).

La question vue sous cet angle, cent livres lui parurent une somme moins importante. Il ouvrit le tiroir du bas, à droite, de son bureau et prit dans une liasse des billet qui, pour lui, ne représentaient toujours pas de véritable argent. Le papier monnaie, comme l'impôt sur le revenu et autres taxes, n'étaient que des mesures de temps de guerre. Mais, une fois en place, elles demeuraient.

Madame Webling accepta la somme, sans remercier.

— Je suis sûre que c'est la meilleure façon, monsieur. Bonsoir.

SAUF en ce qui concernait Copsi, il avait peu d'imagination, mais cela, dans une certaine mesure, concernait Copsi. Il se représentait un petit garçon — son petit-fils car l'idée ne l'effleura même pas qu'il put s'agir d'une fille — un petit garçon officiellement fils d'un sellier, grandissant avec Copsi dans ses veines, venant peut-être pour livrer une selle ou un harnais et contempler, émerveillé, le château... Non, c'était pousser un peu loin la sentimentalité ! Cependant, l'idée persista. Son whisky n'avait plus de goût ; son cigare s'était éteint et, pour la première fois, il se sentit réellement fâché contre Magnus. Jusque-là, il avait été exaspéré, anxieux, plein d'espoirs, désespéré mais jamais furieux. Il ne s'appesantit pas à s'expliquer ce changement d'attitude. Elle l'étonnait car il se souvenait avec quelle ardeur il avait toujours cherché des excuses à des comportements beaucoup moins excusables. Déflorer une fille derrière une baraque sur un champ de foire n'était peut-être pas très recommandable, mais cela n'avait rien de rare. A présent qu'il y pensait que faisait donc une fille si bien élevée, toute seule, à la foire, à boire avec des inconnus, à rester jusqu'à la fin ? Le garçon était, en fait, beaucoup plus pardonnable d'avoir fait cela que tout ce qu'il avait fait dans des crises de rage — comme d'envoyer un banc à travers une fenêtre par exemple —. Mais il était très mécontent contre son fils et décida de lui parler avec sévérité, très sévèrement même.

Il n'en eut pas l'occasion avant le dîner. Magnus arriva juste à temps pour se mettre à table à l'heure. Personne ne remarqua que Harry était plus silencieux que d'habitude. Lady Copsey et Mme le Beaune rapportaient des nouvelles de Fowlmere et se querellaient, radieuses, à cette occasion. Angela Barrington, qui avait vingt ans, était fiancée à Sir Walter Hilborough qui avait le triple de son âge, mais était riche.

— J'en ai été tellement surprise, commenta Mme le Beaune, que j'ai failli lâcher ma tasse de thé. Moi qui avais toujours cru que Mme Barrington était une mère aimant ses enfants. Quel espoir de bonheur peut donc avoir cette pauvre petite mariée à un homme assez vieux pour être son père.

— Tous les espoirs, répliqua Lady Copsey. Mon mari était de beaucoup mon aîné, et nous avons été heureux. — Elle mangea une asperge et ajouta, comme si l'idée lui en venait : — Sir Walter n'a pas eu d'enfants de son premier mariage.

Tout le monde, autour de la table, comprit ce qu'expliquait cette remarque. Cousin William qui approuvait le mariage pour les autres hommes déclara :

— Eh bien, c'est parfait. Stonehurst aura peut-être son héritier.

Jonathan Winthrop, quant à lui, projetait un tableau : trois sorcières. Lorsque les deux femmes s'envoyaient des piques, elles ressemblaient à des sorcières, leur animosité leur donnant un air de famille. Il y avait déjà songé, mais il lui en fallait une troisième et, celle-là, il l'avait aperçue l'après-midi même. Une femme de petite taille, tout en noir, s'éloignant dans une voiture de louage. Rien de remarquable, à l'exception de son expression de jubilation mauvaise. A présent, songea-t-il, je les ai toutes les trois.

— J'ai à te parler, dit Sir Harald s'adressant à son fils d'un ton froid, brusque. Sans même dire Magnus ou mon garçon.

Magnus lui-même le remarqua et eut l'air surpris.

— Oui, papa.

Personne n'osa demander « que se passe-t-il à présent ? » Mais la question fit le tour de la table, transmise par des regards avides, furtifs.

Magnus, cependant, bénéficia d'un autre répit.

A peine la porte de la salle à manger avait-elle été franchie qu'un laquais annonçait.

— M. O'Brien attend monsieur dans la bibliothèque.

Sir Harald envisagea avec plaisir l'idée de parler de ce qui le préoccupait avec un homme qui avait des fils. Il prendrait évidemment ses précautions, ne foncerait pas comme un bœuf. Moins il en dirait mieux cela vaudrait. Mais il évoquerait le cas de garçons s'étant mis dans de mauvais draps et écouterait ce qu'O'Brien avait à lui dire. Cela lui permettrait peut-être d'y voir plus clair. Il restait étonné de l'effet que cet incident avait eu sur lui. A table, il ne supportait même pas de regarder Magnus — d'habitude la prunelle de ses yeux.

Brian O'Brien tournait rarement autour du pot. Après que les deux amis se furent salués, que l'un eut offert et l'autre accepté un verre d'eau-de-vie, il demanda :

— Avez-vous reçu la visite d'une vieille sorcière ?

Chose curieuse, la seule vue de son ami, de ce visage si typiquement irlandais, de cette grande bouche toujours prête à rire, de ces yeux bleus toujours prêts à pétiller, l'avait transformé. Déjà, il se traitait d'idiot. Cent livres !

— Les vieilles sorcières m'empoisonnent régulièrement la vie.

— Celle-là sort de l'ordinaire. Vous vous en souviendriez si elle croisait votre chemin. Je me suis dit que vous seriez peut-être le prochain sur la liste et je me suis précipité pour vous prévenir.

— Merci. Mais prévenir de quoi ?

— Je suis passé par là à cause de Francis. Celui qui est en France en ce moment. Elle l'ignorait. Elle croyait que Ross était mon aîné. Et elle me réclamait vingt livres parce que ma crapule de fils avait pratiquement violé son innocente petite vierge de fille pendant la foire de Mai. Cette honte ! Une pauvre petite, si bien élevée !

Le sourire s'élargit, le regard pétilla.

— Savez-vous ce que je lui ai répondu ? « Madame, c'est mon fils qui devrait recevoir vingt livres pour apprendre à votre fille à ne pas se promener à la foire. » Ça lui a coupé le souffle, je vous en fiche mon billet. Mais je me suis dit qu'ayant échoué avec moi, elle pourrait tenter le coup avec vous. Votre fils a l'âge qui convient et vous n'avez pas mon expérience, que Dieu me protège.

— C'est très aimable à vous.

Mais il restait à défendre quelque chose : dignité ? Naïveté ? Bêtise ? La bonne réputation de Copsi ?

— Mais si ce qu'a dit cette femme était exact ? Ou que vous ayez été confronté à ce genre de situation pour la première fois... ?

— Il y a eu une première fois. Et pire que celle-là. Cela se passait à Roscommon. La fille était non seulement jeune et convenable, mais pratiquement une nonne, ce qui est pire que la pauvre enfant exploitée par l'homme riche. Ça pouvait être très dangereux. Je me souviens parfaitement du jour où ça s'est passé. Je suis sorti. J'ai sifflé Francis et je lui ai posé la question, tout net. Il y a une chose dont je suis certain avec mes fils — expliqua-t-il en savourant une gorgée d'eau-de-vie — ce ne sont pas des anges, mais ce ne sont pas des menteurs. Ils ne m'arrivaient pas encore au genou qu'ils savaient que je pouvais passer sur beaucoup de choses, mais que je ne tolérais absolument pas le mensonge. J'aurais pardonné un meurtre, mais un mensonge, non ! Francis, alors, n'a pas menti. Il m'a dit la vérité et j'ai compris. La fille n'était qu'une basse putain et celle qui se faisait passer pour sa mère, une maquerelle. Elles se servaient de la menace du chantage pour mettre du beurre dans leurs épinards. A l'époque, on pouvait s'en tirer avec cinq livres. Mais c'était en Irlande où une livre a cinq fois plus de valeur qu'ailleurs. Ça me rappelle autre chose...

M. O'Brien, depuis son arrivée en Angleterre et son installation à Axworth, s'était rendu compte de la différence entre son caractère celte et celui de ses voisins de l'est de l'Angleterre. Né et élevé à Dublin, cité très anglaise, rien ou presque ne révélait l'Irlandais en lui. Il n'avait pratiquement pas d'accent, peut-être une tournure de phrase par-ci, par-là. Il s'était adapté à Axworth avec une extrême facilité. Mais il avait remarqué... Quoi au juste ! Une sorte de lenteur d'esprit, de réflexion avant de parler, une réserve empêchant la spontanéité du rire qui, parfois, lui avait parut difficile à supporter. Il avait, un jour, à sa façon, commenté à sa femme : « Tu leur allumes un feu sous le derrière, ça ne les fera pas remuer. Le type dira : « ça sent la fumée » et regardera autour de lui pour savoir d'où ça vient ! ». Aussi, en traitant avec ses voisins, O'Brien avait appris à ne pas se presser. Cependant il s'était précipité vers Copsi pour mettre Copsey en garde et le pauvre idiot ne paraissait pas se rendre compte de ce à quoi il avait échappé. La vieille garce qui avait cherché à lui escroquer vingt livres aurait peut-être augmenté son prix en venant au château. Aussi, certain d'avoir rendu service à Sir Harald et conscient que de tous les types à l'esprit lent du coin, c'était bien le pire, Brian O'Brien avança avec prudence.

— Avez-vous fait ce qu'on appelle le Grand Tour ?

— Non. Je suis sorti directement de l'école pour entrer dans l'armée. Et, bien sûr, la guerre a empêché les voyages sur le continent.

— J'y ai beaucoup pensé. Je ne l'ai jamais fait moi-même. Il paraît que voyager, c'est une façon de s'ouvrir l'esprit.

— Je suis mauvais juge. J'ai été, à l'ouest, jusqu'à Sugar Island, à l'est, jusqu'aux Indes. Dans l'armée bien sûr. Un peu comme vous.

Il avait, il s'en souvenait, souffert tout le temps du mal du pays. Cela lui avait-il ouvert l'esprit ? Il avait péniblement conscience d'avoir été dupé, ce même jour, dans cette même pièce.

— Barrington, l'autre jour, en parlait avec enthousiasme. Cela a impliqué la vente de quelques acres, mais cela en valait la peine.

O'Brien aimait beaucoup Sir Harald, mais se sentait plus proche de Barrington qui avait à résoudre des problèmes assez semblables aux siens, une famille nombreuse et une bourse plate.

— ... Aussi j'ai pensé que cela reviendrait moins cher si nous envoyions les trois garçons ensemble. Ross doit entrer à Cambridge mais pas avant la Saint-Michel de l'année prochaine.

Il s'interrompit, plein d'espoir, pendant que Sir Harald réfléchissait avant de répondre. Sa visiteuse de l'après-midi avait peut-être été un escroc femelle, mais la situation pouvait se répéter. Autant que le garçon aille jeter sa gourme ailleurs. La compagnie des fils O'Brien ne pouvait que lui être bénéfique. Quelle chance, pour un homme, de pouvoir se reposer totalement sur la franchise de ses fils !

— Oui, dit-il enfin. Je suis parfaitement d'accord. Mais, bien sûr, il faut que je demande à Magnus ce qu'il en pense.

« Mauvaise tactique, mon vieux, songea O'Brien. Heureusement que j'ai dressé mes garçons. Si je leur disais qu'ils s'embarquent pour Tombouctou, samedi, *ils le feraient*. Peut-être est-ce différent avec un fils unique. »

— La visite de ce qu'ils appellent le pays des châteaux ne coûtera pas cher, dit-il. Francis a une maison à Bordeaux et des amis dans toute la région. Aussi, si votre garçon donne son accord pour participer à un plaisir pour lequel beaucoup sacrifieraient leurs yeux, je demande à Barrington le nom du meneur d'ours ou c'est vous qui vous en chargez ?

— Meneur d'ours ?

— C'est le nom que l'on donne aux hommes qui guident les jeunes gens. Barrington en pense grand bien. Un érudit, mais cependant un homme qui connaît la vie.

Sir Harald se surprit à espérer — honteux de ce souhait — que Magnus accepte cette proposition. Penser avec soulagement qu'il pourrait ne pas être là pendant plusieurs mois, était sûrement mal. Il aimait son fils, n'est-ce pas ? Jusqu'à ce soir où il s'était surpris à le haïr. L'école l'avait amélioré. Un voyage à l'étranger ne pouvait que l'améliorer davantage ? Le Grand Tour n'était-il pas quelque chose pour laquelle la plupart des garçons sacrifieraient leurs yeux, comme l'avait précisé O'Brien avec sarcasme. Barrington n'avait-il pas vendu des terres afin que son fils puisse profiter de l'occasion ? Sir Harald ne pensait pas se tromper en estimant qu'envoyer Ross et Barry à l'étranger exigerait un certain sacrifice de leur père. Là, évidemment, il pourrait se rendre utile. Si Magnus partait avec eux, il exigerait de payer la moitié et non le tiers des dépenses. Tout bien pensé c'était là une idée remarquable et il ne comprenait pas ce qui le faisait hésiter.

Magnus, consulté, accueillit le projet avec une manifestation d'enthousiasme rare chez lui.

— Oh oui, ça me plairait ! Phil Barrington ne cesse de raconter ce qu'il a vu et fait.

— Nous — c'est-à-dire M. O'Brien et moi — espérons obtenir les services de l'homme qui a accompagné Philip.

— Bravo.

Le compte rendu de Phil Barrington sur son Grand Tour tendait à démontrer que l'homme d'expérience prenait souvent le pas sur le lettré : un combat de taureaux dans le midi de la France ; une course de chevaux spectaculaire quelque part en Italie ; des jeux un peu partout ; des filles presque nues qui dansaient et étaient, ensuite, données au plus offrant pour la nuit.

Sous la chaleur de la réaction de son fils, les doutes de Sir Harald fondirent et il se plongea avec joie dans les préparatifs du voyage qui devait commencer à la mi-septembre, époque la meilleure — après Pâques — pour voir Paris où ils devaient rester une semaine. Puis, comme les hirondelles, ils descendraient vers le Sud. Ils devaient se trouver à Naples pour la fête de Saint-Janvier où une foule adorante voit le sang du saint se liquéfier. Pâques à Rome, la Pentecôte à Venise où ils assisteraient au mariage symbolique de la ville et de la mer, le Doge jetant un anneau nuptial dans cette dernière.

Et puis, au début de septembre, il se produisit un événement qui convainquit Sir Harald qu'il serait non seulement souhaitable, mais sage, d'éloigner Magnus pour quelque temps. La chasse à la perdrix ouvrait en septembre et, les garçons ne devant pas être là pour les faisans, Sir Harald décida d'avancer l'ouverture. La lumière était trompeuse, surtout à la fin de la journée, avec des rayons horizontaux parfois aveuglants. Magnus manqua une cible facile et un aide garde-chasse se mit à rire. Alors, Magnus lui tira dessus.

Tout le monde déclara qu'il s'agissait d'un accident. C'est désolant, mais ce sont de ces choses qui arrivent. Magnus lui-même dit que c'était un accident. Mais Sir Harald ne se faisait aucune illusion. Il avait été assez proche et bien placé pour voir, entre les quelques secondes séparant le coup de feu ratant son but et celui le touchant, cette expression de rage incontrôlable qu'il avait tant espéré ne plus jamais revoir.

Heureusement, le jeune homme n'était pas gravement blessé et il appartenait au domaine. Les choses purent être adoucies avec des excuses, un salaire total même pendant la période d'inactivité et quelques shillings supplémentaires pour l'achat de nourriture fortifiante. Mais Sir Harald était trop proche de ses villageois pour ne pas sentir un courant d'animosité ; se rendre compte que certaines conversations cessaient à son approche, que l'on souriait moins facilement et avec moins de sincérité. Et puis, il y eut cette pénible entrevue avec le garde-chasse en chef, apparenté à la victime par leurs deux familles.

— Je suis bien fâché de vous l'annoncer, monsieur, mais Jim ne veut pas revenir. Il aura fait son temps à la Saint-Michel et il dit qu'il va se faire terrassier.

— Il ne peut pas faire ça ! s'écria Sir Harald sincèrement.

Les terrassiers dont il était question étaient ces hommes qui construisaient le réseau de chemin de fer qui — et Sir Harald n'était pas le seul à le penser — détruisait le paysage. C'étaient des hommes sans foyer, sans attache — sauf avec le chef de bande qui les embauchait. C'étaient des hors-la-loi, presque pires que des romanichels. Le travail était dur et bien payé, mais le plus clair de l'argent passait en boissons, et alors des bagarres sanglantes éclataient entre hommes armés de pelles et de pioches. Au fur et à mesure qu'avançait la voie ferrée, les honnêtes gens de la région éprouvaient autant de crainte que si une armée de barbares se disposait à les envahir. Fermez bien votre poulailler — ces bandits volent, sûrs de l'impunité, protégés par l'anonymat et la certitude que leur chef d'équipe appuierait n'importe quel alibi de crainte de perdre un travailleur. Prenez garde à vos femmes ! Une bande d'hommes de ce genre constituait une réelle menace.

— Mais c'est pire que de s'engager dans l'armée, dit Sir Harald. Un soldat subit une certaine discipline et peut espérer finir son temps sain, honnête et respecteux de la loi. Le terrassier, à moins de mourir jeune, devient un paria.

— J'ai fait de mon mieux pour le convaincre de changer d'idée, répondit Bateman, homme puissant qui prenait son travail et lui-même très au sérieux. Sa mère aussi, monsieur. Elle est dans tous ses états, la pauvre femme. Elle dit qu'elle ne l'a pas soigné depuis des semaines pour le voir partir se faire tuer par l'ouvrage, la boisson et la pneumonie. J'ai pris sur moi de dire que j'allais demander qu'on l'augmente, monsieur, un shilling par semaine, peut-être. Mais il est décidé.

— Je suis désolé d'apprendre ça, Bateman. Il court à sa perte.

— C'est ce qu'on pense tous. Mais, pendant qu'on discutait, Jim m'a dit quelque chose que je ne sais pas si je dois répéter, monsieur. Mais ce serait une explication.

— Racontez-moi. Vous savez que vous pouvez tout me dire.

— Eh bien, monsieur... Jim est sûr que monsieur Magnus a tiré sur lui volontairement parce qu'il riait. Et ce n'était pas de *lui* qu'il riait. Il riait parce que le chien de M. Frisby qui, à l'entendre, était tellement extraordinaire, faisait tant de bêtises. Et Jim a ajouté « Réfléchis un peu et pense ce que ce sera de vivre avec un maître qui tire sur un homme comme sur un lapin. »

C'était parfaitement exact, mais jamais Sir Harald ne l'aurait admis. Attaquer c'était encore le meilleur moyen de se défendre. Mal à l'aise, il attaqua sur plusieurs fronts à la fois.

Faussement enjoué :

— Jim voit loin, dites-moi, Bateman. J'espère bien être bon pour une trentaine d'années encore.

— Nous l'espérons tous, monsieur. De tout notre cœur.

La négation pure et simple :

— Jim se trompe en pensant que c'était intentionnel. Je sais. J'étais là. Il a encore plus tort en faisant courir une histoire aussi fausse.

— Monsieur, de ma place je ne pouvais rien voir. Mais Jim, oui. *Et il n'était pas le seul.*

La cajolerie :

— Vous avez bien fait, Bateman, de promettre une augmentation. Son engagement se termine à la Saint-Michel, comme vous le dites. Je m'en tiens là. Autre chose. Un garçon si prévoyant pensera bientôt au mariage. A Copsi il sera assuré d'avoir une maison.

— Je le lui ai fait remarquer, monsieur.

— Bon, vous avez fait ce que vous avez pu, moi aussi, il peut partir. Mais *je suis* vraiment navré qu'un homme de Copsi devienne un terrassier.

L'aide garde-chasse ne fut pas le seul à partir cet automne-là. Deux jeunes gens s'embarquèrent ; l'un émigra en Amérique et un autre s'engagea dans l'armée. Ils étaient amis et contemporains de Magnus.

MAGNUS écrivit — pas aussi souvent que l'aurait souhaité Sir Harald — mais avec une certaine régularité. Ses lettres avaient ceci de remarquable qu'elles ne racontaient rien. Le nombre de milles parcourus entre deux étapes, le temps qu'il faisait et à quoi ressemblaient auberges ou gîtes. Rien de plus. Pour des informations dignes de ce nom, Sir Harald dépendait de M. O'Brien dont les fils écrivaient de longues lettres, commencées par l'un, terminées par l'autre, un peu incohérentes.

— Ils aiment le bavardage ! commenta leur père, critiquant ce dont il était fier.

Ce fut d'O'Brien que Sir Harald sut qu'il y avait un changement de programme.

Le meneur d'ours, qui s'appelait Garnet, s'était tellement bien adapté à son rôle mixte d'érudit et d'homme pratique qu'il saisit par les cheveux une occasion inespérée. Ross O'Brien devait rentrer en Angleterre, attendu à Cambridge au début de l'automne. Barry et Magnus n'étaient pas aussi pressés. Garnet avait compris très vite que c'était le jeune Copsey qui avait de l'argent. Qu'il fût également le plus désagréable et le moins facilement satisfait, Garnet était prêt à l'oublier s'il pouvait aller en Égypte, tous frais payés, en passant par la Grèce et Chypre. Magnus était tout à fait d'accord pour prolonger le Tour. L'histoire et les ruines l'ennuyaient, il ne s'intéressait pas au paysage, ni aux coutumes locales mais il aimait voyager et l'impression de liberté éprouvée à être ici aujourd'hui, ailleurs demain. Il adorait ce qu'il appelait la grande vie d'autant qu'il régalait, le plus souvent. Le vieux Garnet disait : « Qu'en dites-vous, Copsey ? Pouvons-nous nous permettre une soirée dehors ? » Magnus était assez astucieux pour voir qu'il lui attribuait, en théorie, la responsabilité de la bourse commune, mais cela lui conférait une position sensationnelle. Parfois, il feignait de devoir réfléchir, les mettant tous sur des charbons ardents.

Ils étaient au Lido, à Venise, quand Garnet suggéra de prolonger le Tour. Venise était l'avant-dernière étape. Il n'y avait plus que Naples à venir et la perspective de remonter au nord pour l'été, accepter un travail pénible, servir de guide à des garçons arriérés ou de scribe pour un éditeur lui faisait l'effet d'un nuage sombre sur sa tête. Les meneurs d'ours n'avaient pas d'occupation intéressante pendant la belle saison, les parents pensant que la chaleur, à l'étranger, représentait un danger... Pour chasser ce nuage, il but abondamment du vin payé par Magnus et, à travers un autre nuage, déclara : « Je voudrais...

Ross O'Brien qui avait hérité la résistance de son père au vin ou à toute autre boisson, répondit :

— Je dois rentrer. Et je doute beaucoup que mon père puisse se permettre de dépenser davantage pour Barry.

Garnet, légèrement ivre, savait ce que Garnet, à jeun, avait compris. M. O'Brien était son véritable employeur, c'était lui qui s'était mis en rapport avec lui, avait convaincu Sir Harald de laisser son fils faire partie du groupe. Garnet n'avait rencontré Sir Harald que deux fois, mais il avait compris que, livré à lui-même, il n'aurait jamais songé à expédier son fils à l'étranger et pensait qu'il avait pris cette décision malgré lui. Il se dit que si les deux O'Brien rentraient chez eux à la date prévue, le jeune Copsey rentrerait aussi. Aussi fit-il une proposition qui, financièrement, ne pouvait que convenir à M. O'Brien et ne saurait déplaire à Sir Harald. Il basait sa plaidoirie sur le succès du voyage dû au fait que les jeunes gens se tenaient compagnie pendant qu'il poursuivait ses études. « Même quand il fait un trajet qui lui est familier, un homme comme moi doit lire beaucoup et, l'Égypte m'étant inconnue, il me faudra lire encore davantage. Aussi, cher Monsieur, si vous autorisiez Barry à nous accompagner, je le considérerais comme le compagnon de Magnus et ferai en sorte de réduire ses dépenses au minimum. »

M. O'Brien, ce qui était à prévoir, parla de ce projet à Sir Harald qui, bien entendu, répondit qu'il aimerait connaître l'avis de Magnus.

— J'ai reçu une lettre de mes fils par le même courrier. Ross est navré de ne pouvoir faire le voyage. Barry est enthousiasmé à cette idée. Mais il faut voir les choses en face. A moins que vous soyez prêt à partager les dépenses, c'est impossible.

— Je ne connais pas la Grèce, je n'y ai jamais été. A Chypre non plus. Mais il n'y a rien à voir en Égypte, sauf du sable, des mouches et des mendiants aveugles.

Une telle réponse ne manqua pas d'étonner M. O'Brien qui avait une vive imagination.

— Mais les pyramides comptent parmi les sept merveilles de l'ancien monde !

— Il y avait quelque chose comme ça — une sorte de phare, m'a-t-on dit, à Alexandrie. Je n'en ai rien vu pendant mon séjour. Non, je suis contre l'Égypte. Ils ont souffert là-bas des sept fameuses plaies, maintenant il y en a dix, sans compter le sable et les mouches. Nous avons perdu quantité de braves garçons entre Alexandrie et Suez.

— Au combat ?

— Sacré bon sang, non ! De maladie ! D'horreurs dont on n'a jamais entendu parler. De trucs que je préfère oublier... Non, pas question d'aller en Égypte. Et si cela vous déplaît de le dire à M. Garnet, je le ferai. Je suis d'accord pour la Grèce si c'est aussi important que cela. Je ne connais pas Chypre et je n'en ai pas entendu dire de mal. L'Égypte, non !

O'Brien et Garnet durent se contenter de cet accord. En dépensant avec parcimonie les fonds dont il disposait et en rognant sur les dépenses, ce qui ne fut pas du goût de Magnus, Garnet parvint à leur faire visiter Leptis Magna, endroit oublié, suppliant qu'on le redécouvre. Les pêcheurs mettaient leurs filets et les femmes leur linge à sécher au sommet des colonnes et d'arches somptueuses submergées par le sable. « Oh ! si seulement, il avait de l'argent », se lamentait Garnet en silence, de l'argent et du temps... Mais ils s'épuisèrent vite, l'un et l'autre et, à Pâques de 1835 le moment qu'il avait si astucieusement retardé, à la Pentecôte de l'année précédente, arriva.

Ainsi, Magnus rentra chez lui, juste après son dix-huitième anniversaire. Il avait beaucoup grandi, s'était élargi. Mais à part cela et le fait que ses cheveux avaient perdu le reflet doré de son enfance, il semblait avoir peu changé. A nouveau, il parut content d'être revenu. Sir Harald, dans sa joie de le voir bien vivant et en bonne santé, commit l'erreur de déclarer au cours du dîner que cela faisait plaisir d'avoir de nouveau quelqu'un de jeune dans la maison.

Chacun se sentit atteint. Lady Copsey et Madame le Beaune frémirent d'indignation. Cousin William renifla dans son verre et Jonathan, ne disposant pas de miroir, étudia le dessus de ses mains comme pour y chercher des taches brunes, des veines saillantes trahissant son âge.

— Vous semblez oublier, Harry, que l'on m'a appliqué l'épithète de « vieille » pour me distinguer de la femme de Magnus — et de la pauvre Juliet. C'était un peu prématuré. Je suis à peine de douze ans votre aînée.

Elle aurait aimé ajouter qu'elle pouvait toujours parcourir trois kilomètres sans peine, ce qui aurait également atteint Harry, handicapé par une blessure glorieuse. Marie n'eut rien à dire, chacun savait que sa belle-mère et elle fêtaient leur anniversaire la même semaine.

— L'âge ne devrait pas se calculer d'après le nombre d'anniversaires, déclara cousin William qui avait soixante-deux ans. C'est surtout une question d'état général... et d'appétit.

Là-dessus, il se consacra à son gigot avec une vigueur nouvelle.

Magnus sur lequel toute l'attention avait été centrée depuis son retour déplorait cette diversion et se creusait le crâne pour trouver quelque chose de sensationnel à annoncer. Une phrase commençant par : « Quand j'étais en Crète... » Aucun de ceux qui l'entouraient n'y avait mis les pieds, aussi l'écouterait-on immédiatement. Malheureusement, il ne se souvenait de rien... du moins rien qui puisse être raconté en leur présence !

— Maintenant que tu es revenu, mon garçon, déclara Sir Harald, jovial, nous allons nous remuer un peu. Que dis-tu d'un bal pour le premier mai ?

— Ça me plairait, répondit Magnus.

L E grand salon, à Copsi, faisait une salle de bal idéale. Il jouxtait la grande salle à manger que l'on employait seulement en cas de dîners d'apparat. Elle servirait pour le souper. Partant du palier, l'escalier se divisait, à gauche, vers la grande galerie, à droite, vers le salon rarement utilisé lui aussi. On pourrait y installer des tables de jeu pour ceux qui ne voulaient pas danser et la place ne manquerait pas pour s'asseoir et bavarder. La petite salle à manger serait à la disposition des fumeurs. Sir Harald passa le tout en revue en soldat et fut satisfait du résultat. Mais il remarqua qu'à l'exception de la petite salle à manger dont on se servait tous les jours, le reste avait besoin d'un bon nettoyage. Tout était terne et poussiéreux. Il aurait fallu... non pas ça ! Il avait une remarquable femme de charge et nombre de servantes et un laquais ne souffrirait pas de grimper sur une échelle pour dépoussiérer les trophées de chasse, le haut des portes, les pièces d'armures et le dessus des tableaux dans la grande galerie. Irrité soudain, il pensa qu'il y avait trois femmes dans la maison ! Mais, comme pour la nurse autrefois, il avait été obligé d'interdire à sa belle-mère et à sa sœur d'exercer un contrôle quelconque, sauf sur leurs propres appartements. Elles se seraient contredites l'une l'autre, pour le plaisir. Quant à Bertie, elle menait une vie très à part et sa chambre illustrait le peu de cas qu'elle faisait de l'entretien domestique.

L'idée que la maison avait besoin d'une châtelaine l'amena à penser que Magnus, bien que trop jeune pour se marier encore, aurait une femme un jour. Et, les longues fiançailles étant à la mode, il n'était pas trop tôt pour étudier la question. Dans le voisinage immédiat, le choix était plutôt réduit : deux filles Collins, l'une d'environ dix-huit ans, l'autre beaucoup plus jeune. Charmantes toutes deux, mais pas jolies. Non pas qu'elles fussent laides, mais... C'était amusant de constater comme deux yeux, un nez, une bouche pouvaient, selon le cas, rendre quelqu'un joli, ou laid. Rosemary O'Brien promettait d'être une beauté avec des yeux très bleus et une masse de cheveux noirs. Un peu jeune encore, mais rien ne pressait. Il y avait également les Bradford, à Southbury. La mère de Sir Harald était née Bradford mais c'était une autre branche de la famille qui s'était installée là et le lien de parenté était ténu. C'était tout. Cependant, après tout, rien ne m'obligeait de choisir une jeune fille des environs, se dit-il, l'esprit tranquille, bien qu'il l'eût préféré et, grâce à son habile gestion ils n'auraient pas besoin d'héritière. Tout se passerait très bien.

Il était pratiquement certain que la crise de rage au cours de laquelle Magnus avait tiré sur l'aide garde-chasse avait été la dernière. De même que le coup de tonnerre le plus impressionnant et l'éclair le plus brillant pouvaient marquer la fin d'un orage. Si Magnus s'était montré difficile, M. Garnet n'aurait pas désiré prolonger le voyage et quand Ross O'Brien était revenu un soir que Sir Harald dînait à Axworth il avait — habilement à son avis — amené la conversation sur le sujet cher à son cœur.

— Ross, satisfais aux faiblesses d'un père quelques minutes et parle-moi de mon fils.

Ross avait donné des détails n'en omettant qu'un seul. Dans une *maison tolérée* (1) de Nîmes, Magnus semblait être soudain devenu fou parce qu'aucune des filles ne lui plaisait, sauf l'une d'elles qu'il avait aperçue, traversant le palier. La tenancière lui avait répondu que la fille était retenue, ce qui loin de le calmer, l'avait mis en rage. Il avait tout cassé autour de lui en commençant par un énorme lustre. Ross, Barry et M. Garnet — arraché à son propre plaisir — n'avaient pas été de trop pour l'immobiliser. Et la note présentée pour le dommage provoqué avait été exorbitante. Mais c'était Magnus, bien sûr, qui l'avait réglée. M. Garnet, homme expérimenté, s'était chargé de tout. Cependant, les deux frères s'étaient demandé comment Magnus était parvenu à sauter assez haut pour atteindre et décrocher le lustre. Un cheval réussissant un tel bond, proportionnellement à sa taille, aurait été un phénomène. Magnus, lui-même, avait reconnu qu'il en aurait été incapable de sang-froid. Une autre soirée comme celle-là, avait déclaré M. Garnet, et ils seraient obligés de s'arrêter à Rome, faute d'argent pour aller plus loin. Et, Magnus, parfaitement remis, avait répondu, aimable : « J'ai payé de ma poche, monsieur. L'argent n'a pas été pris dans la bourse commune. » Il était, alors, tellement difficile de faire la différence que M. Garnet avait jugé préférable de ne pas prolonger la discussion.

De tout cela, Ross ne dit rien. Et, pour Sir Harald, le temps avait fait son œuvre. Il n'était plus absolument certain d'avoir vu cette expression diabolique déformer le beau visage de son fils, une seconde avant qu'il tire sur le garde-chasse. La lumière était douteuse et, les magistrats, ses pairs, s'en plaignaient, il était toujours prêt à accorder le bénéfice du doute.

En tant qu'officier consciencieux, Sir Harald savait qu'il fallait donner des ordres, mais aussi s'assurer que ceux-ci soient exécutés. Aussi, ayant ordonné un nettoyage à fond, il passa l'inspection et se montra satisfait du résultat. Il commença par le rez-de-chaussée, la salle à manger était impeccable. Les murs eux-mêmes, recouverts de soie rouge, rayée — remarquable piège à poussière — avaient été brossés consciencieusement. Les meubles, encaustiqués, brillaient. Dans la grande salle également tout était propre. Mais

(1) En français dans le texte.

quelques-uns des trophées de chasse n'avaient pas résisté à l'épousse-tage.

— Ils me sont restés dans les mains, expliqua le laquais. C'étaient les toiles d'araignées qui les faisaient tenir.

Évidemment, c'était grand dommage, mais à part Sir Harald, personne ne remarquerait les places vacantes. Il se dirigea vers le palier où l'escalier se divisait dominé par le vaste panneau où avait figuré le portrait de Charles Ier. Il n'y pensait pas, pas davantage qu'au mystère voulant que certains distinguaient le tableau sous la couche de peinture et d'autres n'y voyaient rien. Il songeait surtout qu'il devait éviter de regarder le long de la grande galerie les deux petites aquarelles de Juliet, commémorant tout ce qu'elle avait connu de Copsi ; quelques fleurs, et le portrait de Magnus, œuvre de Jonathan.

Prêt à l'épreuve, il gravit quelques marches et alors, là, sur le panneau, aussi clairement que si le peintre venait de poser son pinceau, il vit le visage grave et digne de Charles Ier.

Sa première idée fut que, suivant ses ordres, quelqu'un avait nettoyé également le panneau, parvenant à ôter les dernières couches le barbouillant. Il pensa même que c'était là une très bonne chose. Puis, il gravit une autre marche et le portrait disparut à ses yeux, oblitéré.

— Ça ! dit-il, tout haut. Que le diable m'emporte !

Et il redescendit, à reculons. Le panneau resta ce qu'il avait toujours été, une masse confuse de vert, de brun, de noir.

Ceux qui croyaient en la légende attachée à ce mur et qui assuraient avoir vu le portrait, disaient que c'était une question de lumière. Mais la lumière n'avait pas changé le temps qu'il gravisse une marche !

Il était là, stupéfait et même, il se l'avouait, un peu inquiet lorsque sa sœur Mary fit irruption, venant de la grande galerie.

— J'ai cru entendre quelqu'un. J'ai eu peur qu'il s'agisse de Lydia se mêlant de ce qui ne la regarde pas, comme toujours.

Elles s'étaient querellées pour savoir laquelle des deux se chargerait des fleurs. Sir Harald, sachant qu'elles étaient incapables d'un travail en commun avait suggéré que l'une décorât la grande galerie, l'autre le salon. Mais laquelle ? Se quereller, pour elles, était devenu une telle habitude, que le choix proposé aurait été un nouveau sujet de protestations. Magnus, auquel la perspective de ce bal plaisait beau-coup, avait suggéré :

— Pourquoi ne pas tirer au sort ?

Cela avait parfaitement réussi, on ne pouvait contester le hasard. Mais il restait nombre de merveilleuses chamailleries à venir car si Mai voyait des fleurs éclore un peu partout dans les bois et les prés, les fleurs de serre diminuaient en nombre.

— Je regardais où je mettrai mes bouquets, annonça Mme le Beaune. Je ferai un arrangement floral à l'extrémité de la pièce. Comme tu le sais, Harry, je suis superstitieuse. Le lilas et l'aubépine portent malheur dans une maison. Il me restera donc peu de choix à part des tulipes et quelques tiges du rosier perpétuel.

Voilà ! Elle était parvenue à s'en assurer la priorité. Au moment où la dispute éclaterait, et cela ne pouvait manquer, elle pourrait dire à Lydia : « Mais j'en ai parlé à Harry, il y a au moins une semaine. »

De son bavardage, Sir Harry ne retint qu'un mot : « superstitieuse ». La superstition c'était bon pour les ignares, cependant, il avait éprouvé une sensation étrange, non pas quand le portrait lui était apparu, mais quand il avait disparu, ce qui prouvait que cela n'avait rien à voir avec le nettoyage. Mais quant à croire à cette vieille histoire, c'était aussi stupide que de voir sa sœur se refuser à faire entrer du lilas — somptueux en ce moment — dans la maison. Ou de croiser les doigts quand quelqu'un prononçait les mots de diable ou de satan ; ou de se jeter une pincée de sel par-dessus l'épaule gauche, ou de ne pas passer sous une échelle. Fichaises que tout cela !

Peut-être était-ce ridicule, mais il en fut suffisamment mal à l'aise pour penser à la façon dont penchait la cage de l'escalier. Elle avait, aussi longtemps qu'il s'en souvenait, été légèrement de travers, mais elle n'était pas soumise à de gros efforts. Quand il recevait ses amis, ceux-ci montaient et descendaient sans cesse, mais les enfants n'étaient pas lourds. Et si — oh juste une supposition — qu'à la fin d'une danse quelques douairières et leurs protégées gravissent les degrés ensemble et que ce fût trop ? Quelle catastrophe !

Cependant, le charpentier du domaine, homme sûr, après en avoir passé l'inspection, déclara que l'escalier malgré son âge était ferme comme le roc.

— Si vous me demandez mon avis, monsieur, il a été un peu bancal dès le début. On a employé deux qualités de charpentes. Une bien sèche, l'autre qui ne l'était pas. En séchant, celle-là s'est un peu affaissée. Mais vous pouvez être tranquille, il n'y a aucun danger. Je vous le dis, c'est solide comme du roc.

Il ne se passa aucune catastrophe. Le bal eut un énorme succès et suscita une série d'invitations au cours des semaines suivantes.

Ce bal avait marqué les débuts de Rosemary O'Brien. Elle portait la robe de mousseline blanche traditionnelle et avec la masse de ses cheveux ramenée en chignon elle était réellement fort jolie. Sir Harald ne fut pas le seul à penser que ce serait un beau parti.

Ce fut un été heureux, paisible et la moisson riche à souhait.

Et septembre arriva et, un matin, en faisant sa ronde, Sir Harald passa par Reffolds, curieux de se rendre compte comment le fermier, un certain John Reeve, très brave homme, s'en tirait avec ses essais d'acclimatation d'une nouvelle espèce d'orge. Elle produisait un grain particulièrement dur fort apprécié des brasseurs mais qui, malheureusement, mûrissait tard. Pour peu qu'il pleuve en septembre comme c'était souvent le cas et l'expérience serait ratée.

La fauche avait commencé dans le champ brun sombre et trois

hommes s'y employaient : John Reeve lui-même, l'homme dont il louait régulièrement les services et un autre qui passait d'un travail à un autre, du genre de ceux qui ne restent jamais longtemps au même endroit et ne sont liés à personne. Il tondait les moutons, recouvrait un toit de chaume, travaillait aux conserveries de poissons, construisait une soue. Quel dommage, se répéta Sir Harald pour la centième fois, que Reeve n'ait pas de fils. Il en avait eu un, un garçon très prometteur. Mais il était mort de la scarlatine. Mme Reeve ne s'était jamais remise du choc éprouvé. Après quinze ans, elle ne souriait toujours jamais, semblait en vouloir à tout le monde. Sir Harald, où qu'il aille, avait l'habitude d'être accueilli avec chaleur. On l'invitait à entrer pour se mettre à l'abri de la chaleur, ou du froid ; goûter et donner son avis sur une bière de ménage, des vins de fabrication locale et de toutes les variétés, manger un morceau de pouding ou de gâteau au gingembre. Il n'avait jamais mis les pieds à Reffolds et savait seulement de Mme Reeve que c'était une femme de petite taille, propre, pâle, polie mais peu aimable qui, disait-on, faisait le meilleur beurre de la région. Par contre, John Reeve, grand homme jovial, lui plaisait. La seule fois où la pénible question d'un renouvellement du bail avait été mentionnée il avait dit :

— Oh, je me répète que quand une porte se ferme c'est pour qu'une autre s'ouvre. Mon frère a quatre garçons, je pourrais avoir l'un d'eux ; ou Hannah peut épouser un garçon bien. Dans ce cas, monsieur, je pense que vous reverrez la question.

— Sans aucun doute, avait répondu Sir Harald sans hésiter, espérant même qu'Hannah épouse un de ses cousins. — Il y avait eu des Reeve à Reffolds depuis presqu'aussi longtemps qu'il y avait des Copsey à Copsi.

En cette belle matinée de septembre, John Reeve posa sa faux, enjamba le fossé qui séparait le champ d'avoine du sentier et, du revers de son bras, épongea son front en sueur.

— Bonjour, monsieur.

— Bonjour, Reeve. Ça m'a l'air réussi. Juste le temps qui convient, hein ?

— Ça pourrait pas être mieux, reconnut le fermier, mais sans le sourire, l'air satisfait d'un homme qui a couru un risque et gagné.

— Ça m'a l'air de devoir durer encore deux ou trois jours, annonça Sir Harald.

Il avait trois moyens de prévoir le temps, un baromètre, un morceau d'algue accroché à l'extérieur, à côté de la porte la plus utilisée à Copsi et sa blessure. Leurs avis ne concordaient pas invariablement, mais quand ils différaient, il avait tendance à croire les prévisions de l'algue qui, douze heures environ avant qu'il pleuve, se faisait molle et humide pour se raidir et sécher quand le beau temps persistait. Le baromètre, peut-être parce qu'il était à l'intérieur, était un peu moins précis. Quant à sa blessure elle pouvait le faire souffrir pour d'autres raisons.

Ce matin, ils s'étaient mis d'accord pour indiquer du beau temps. Reeve pourrait engranger sa moisson bien sèche et ce serait un beau bénéfice d'assuré.

Mais l'homme semblait mal à l'aise. Il ne sourit pas, s'épongea le front à nouveau, cette fois-ci avec un mouchoir rouge imprimé de fers à cheval bleus et jaunes.

— Je suis obligé de vous demander quelque chose, monsieur. Et c'est un peu difficile.

— Mais voyons, parlez, mon vieux. Nous nous connaissons depuis assez longtemps tous les deux.

— Il ne s'agit pas de quelque chose d'ordinaire, monsieur... Voyez-vous, mon Hannah a été passer quelque temps avec une de ses camarades de pension, à Axworth. Ils ont fait la moisson très tôt cette année. Alors, M. Wentworth a donné une fête pour célébrer ça. Les jeunes messieurs de Axworth sont venus jeter un coup d'œil, vous savez comme ça se passe, et M. Magnus était avec eux... Et il a, comme qui dirait, trouvé Hannah à son goût. Tellement qu'elle a quitté la grange où on dansait pour rentrer dans la maison... Mais ça ne s'est pas arrêté là comme ça *aurait dû*. Elle est en pension, comme vous savez et... bref je vais le dire tout net parce qu'il n'y a pas d'autres moyens... Il la harcèle là-bas depuis quinze jours. Mademoiselle Drayton n'aime pas ça et Hannah non plus. Un jour, il a dit qu'il était son cousin et on l'a fait entrer au parloir. Hannah est descendue sans rien soupçonner et ça n'a pas été drôle. Et puis il s'est mis à envoyer des tas de choses, des fleurs, des gants, du parfum. Tout ça en quinze jours. Et elles se promènent, les élèves, en rang, deux par deux, tous les après-midi. Elles vont à l'église, le dimanche. Il est toujours là, à rôder. Ça attire l'attention sur Hannah comme si... Il y en a à qui ça plairait, qui en plaisanteraient, mais Hannah, ce n'est pas son genre. Ce n'est pas qu'elle soit timide, mais réservée. Aussi, elle a écrit et a demandé que je parle. Sans vous offenser, on sait ce que sont les garçons.

Aussi loin qu'il s'en souvenait, Sir Harald n'avait jamais harcelé de jeune fille. John Reeve, oui. Il lui avait fallu faire preuve de beaucoup d'obstination pour persuader Martha de l'épouser. Personne ne voudrait le croire à présent, mais elle avait été une très jolie fille et pouvait se permettre de choisir mieux qu'un métayer. Mais il l'avait importunée jusqu'à ce qu'elle cède et, la mort de leur fils mise à part, leur mariage avait été aussi heureux que beaucoup d'autres. Cependant là, c'était différent, le but, si but il y avait, n'était pas le mariage.

— Vous avez eu raison de... d'attirer mon attention, Reeve. Je ferai en sorte que cela cesse.

La réponse était correcte, mais sa façon d'être avait changé, s'était faite moins amicale. Il s'était senti offensé, malgré tout. Tant pis, songea Reeve, on n'y pouvait rien. Il fallait en parler et il l'avait fait avec le plus de précautions possible. Pas de détails. Il n'avait pas cherché à expliquer la peur qu'exprimait la lettre d'Hannah. « Papa, il me terrifie. J'ai peur qu'il fasse quelque chose d'horrible. Je crois qu'il est fou. Il me tirera peut-être dessus comme il a tiré sur Jim Bateman ».

Reeve n'avait pas parlé de l'effet ressenti à lire sa lettre — ses lettres exactement — l'hebdomadaire rituelle destinée à eux deux et la petite enveloppe, scellée à la cire, glissée dedans et marquée. « Papa seulement — Personnel ». Cette lettre-là commençait par une prière. « Je t'en prie, ne dis rien à maman, elle dirait que c'est ma faute ». Il n'avait lu que cette phrase, replié le feuillet, s'était forcé à sourire et avait expliqué : « C'est au sujet de ton cadeau d'anniversaire ». Martha avait accepté cette explication, se contentant de rétorquer, de son air morne habituel que les anniversaires, quand on avait passé quarante ans, il valait mieux les oublier. Ensuite, c'est au cabinet qu'il avait lu la lettre de sa fille. Il avait éprouvé un choc, puis avait senti sa gorge se serrer à la dernière phrase : « Je t'en prie, papa, fais quelque chose. Mademoiselle Drayton est très ennuyée. Je vais peut-être être forcée de partir. »

C'était toujours vers lui que la petite se tournait quand elle avait besoin d'appui, même de compagnie. Martha était une excellente mère, mais pendant un temps elle avait paru reprocher à Hannah d'avoir survécu à la maladie qui avait tué Johnny. Rien de vraiment précis, aucune méchanceté, mais un peu de raideur, toujours prête à remarquer le moindre détail. C'était Martha qui avait insisté pour envoyer Hannah chez Mademoiselle Drayton.

— Elle est beaucoup trop gâtée, étant fille unique.

Mais il y avait une autre raison. Si l'on mettait Hannah en pension c'était pour en faire une gouvernante. Martha avait été gouvernante à Bressford, avant son mariage.

— Mais donner des leçons à sa propre fille c'est extrêmement désagréable. De plus, elle est toujours dehors, avec toi. D'autre part, les temps changent et, de nos jours, il faut absolument savoir le français.

John Reeve n'avait pas été particulièrement enchanté de se séparer de sa petite fille, si vive, si jolie. Elle lui manquerait beaucoup. Et, surtout, il ne voulait pas qu'elle devienne gouvernante. Mais on traiterait de cette question, le moment venu. Après tout, une gouvernante n'était pas autre chose qu'une sorte de domestique.

Le fait était qu'un fermier était un fermier et qu'il valait mieux rester en bons termes avec son propriétaire. Aussi, ce fut presqu'avec humilité qu'il fit remarquer :

— Un mot suffirait, monsieur. Si vous vouliez être assez bon pour faire remarquer qu'Hannah n'est pas une fille avec laquelle on peut s'amuser.

— Je sais quoi dire, répondit Sir Harald, mentant comme il ne l'avait jamais fait encore au cours d'une vie remarquablement droite.

Il était là, grand homme vigoureux, confiant, sûr de soi, chevauchant un cheval gris, puissant, seigneur de tout ce qui l'entourait et dans sa chair un poltron se tassait, tremblant. Il savait ce qu'il *devait* dire. Ce que tout homme convenable dans de telles circonstances dirait : « Cesse d'importuner une jeune fille bien élevée. Les autres ne manquent pas, par Dieu ! » Mais il avait peur d'être obligé de dire quelque chose qui risquait de nuire à des relations heureuses, amicales et, en même temps si fragiles. Non pas qu'il craignît son fils ! Mais... il y avait beaucoup de vrai dans cette formule si souvent employée et de façon ridicule : « J'en suis le premier désolé. » Et c'était vrai depuis la petite enfance de Magnus. Chaque fois qu'il lui avait parlé, avec sévérité selon lui, c'était lui qui souffrait, perdant quelque chose à quoi il tenait — mal définie d'ailleurs — l'approbation de son fils, sa confiance en soi ; l'image rêvée de Magnus qu'il avait érigée et entretenue, souvent face à des difficultés que personne ne comprenait et ne pouvait partager. Il songea que depuis le jour où Magnus avait mordu la main de sa nurse, les compromis s'étaient succédé. C'était tenter de guider un attelage de chevaux sauvages avec un fil.

Le fil se rompit le soir même. Ils étaient dans la bibliothèque. Le jour baissait et les lampes avaient été allumées. Dans quelques jours, il faudrait faire du feu. Il faisait déjà un peu froid.

— Magnus, j'ai quelque chose à te dire. C'est au sujet d'une jeune fille... Hannah Reeve.

— Oui. Je me doutais que vous en entendriez parler tôt ou tard. J'ai l'intention de l'épouser.

Pendant quelques terribles et interminables secondes, Sir Harald crut qu'il venait d'être frappé d'une attaque. Incapable de remuer la langue et la mâchoire, il ne pouvait parler. Une pression terrifiante sur la poitrine l'empêchait de respirer. Mais son cerveau fonctionnait et les idées s'y bousculaient, horribles. Cette attaque l'avait rendu muet. Puis la parole lui revint et il bredouilla :

— Tu... tu n'es pas sérieux ?

— Oui. Ma décision a été prise dès que je l'ai vue, dans la grange de Wentworth.

— Mais pourquoi ? Pourquoi ? Avec une douzaine de jeunes filles de ton monde dans les environs ?

Magnus se serait-il donné la peine — et eût-il été honnête — qu'il aurait su expliquer la raison exacte de cette surprenante décision. Le désir d'avoir cette jeune fille à lui ne lui était pas venu immédiatement, comme il l'avait dit. Il avait été attiré par elle, car c'était la plus jolie. Mais ce n'était qu'après lui avoir demandé de danser pour la quatrième fois et qu'elle avait refusé, fort poliment.

— Non, monsieur Copsey. Soyez plus équitable dans la distribution de vos faveurs. Dansez donc avec Alice.

Elle avait reculé d'un pas, s'écartant en même temps de telle sorte qu'elle s'était trouvée à demi cachée par une fille plantureuse qui le regardait, pleine d'espoir, la main déjà à demie tendue. Quand la danse avait pris fin, la jeune fille qui l'intéressait avait disparu. Et son envie d'elle s'était installée. Il avait l'habitude de recevoir ce qu'il voulait, quand il le voulait. Peu à peu, au cours des années, les gens lui avaient toujours cédé, craignant, il le savait, la violence de son caractère. Il ne savait pratiquement pas se contrôler et il était dépourvu d'intelligence. Il était le centre de son univers personnel. Même Eton ne lui avait rien appris. Et la seule chose qu'il ait retenue de son Grand Tour c'était la puissance de l'argent. Il pensait que cet argent lui donnait le droit de choisir. Il était astucieux et se croyait très subtil.

Et son astuce lui permit de trouver une réponse à la question stupéfaite de son père.

— Je suis tombé amoureux, je pense.

Son esprit borné aimait et retenait les bavardages et ceux des deux vieilles femmes lui avaient appris depuis longtemps que son père avait aimé sa mère et l'avait épousée bien qu'elle fût sans fortune. C'était donc la réponse à faire.

— Eh bien, il est à espérer que tu ne tarderas pas à reprendre tes esprits. Ce serait la dernière des choses. Je n'ai rien à reprocher aux Reeve, de braves gens honnêtes et travailleurs, mais réfléchis un peu, Magnus. Pense à Copsi.

— Pourquoi ?

— Ce sera à toi, un jour.

— Je sais.

— Alors, peux-tu imaginer cette Hannah Reeve — une jeune fille très bien, je n'en doute pas... mais maîtresse *ici* !

Un tel effort d'imagination dépassait de beaucoup les capacités de Magnus. Mais il répondit quelque chose dont la terrible portée ne frappa Sir Harald que plus tard.

— Oui, si je ne peux pas l'avoir d'une autre manière.

Sur le moment cela ne lui parut qu'une manifestation d'entêtement et Sir Harald se rendit simplement compte que cette conversation si sérieuse pourtant, avait, comme tant d'autres, abouti à une impasse. Il se consola en pensant que Magnus était jeune et que ce genre d'entichement était le propre des garçons de son âge. Cela passerait avec le temps et des distractions.

Et puis, dans la même semaine, on reparla des Reeve. On chargeait les gerbes de la merveilleuse orge, aux beaux épis durs, mûris tard. John Reeve, dans la charrette, les recevait, les rangeait aussi vite que les deux autres hommes les lui tendaient. Le chargement avait atteint une hauteur qui réclamait le sens de l'équilibre et le pied sûr. Il était sur le point de dire : « Ça suffit », lorsqu'il tomba. Selon son commis, une guêpe venait de piquer le cheval qui se secoua, déséquilibrant son maître. Il resta étalé sur le dos, dans le chaume. Les deux hommes, lâchant leur fourche, se précipitèrent vers lui.

— Ça va, les gars, dit-il. Il n'y a pas de mal.

Mise à part la brutalité de sa chute, il ne sentait rien du tout, mais quand il tenta de se remettre debout, il eut l'impression de ne plus avoir de jambe.

— Un peu ankylosé, expliqua-t-il.

Ils lui frictionnèrent les jambes, essayèrent de le redresser.

— Accrochez-vous. Ho hisse ! On y va !

En vain. Ils auraient tout aussi bien pu vouloir mettre une poupée de son sur pied. A la fin, ils défirent la barrière de ses gonds, l'étendirent dessus et l'emmenèrent jusque chez lui.

— Stop, dit-il, à l'entrée de la cour. Je ne veux pas effrayer la patronne. Je vais essayer encore.

Il essaya jusqu'à en être trempé de sueur.

— Entendu, portez-moi jusqu'à l'intérieur. Ça va s'arranger. Je ne me suis rien cassé.

Un membre brisé faisait souffrir, émettait une sorte de grincement, prenait parfois une forme étrange.

Mme Reeve, qui avait entendu des voix, apparut à la porte de la cuisine, son moule à beurre à la main. A la vue de son mari, affaissé, près du portail, elle étouffa un cri. Avant qu'elle ait le temps de poser une question, il lui expliqua de sa voix tranquille, habituelle :

— Ce n'est rien, Martha. Je suis juste tombé et mes jambes sont devenues molles. Ça va s'arranger.

C'était une femme intelligente, pleine de sens pratique. Elle comprit aussitôt qu'il serait impossible de transporter un homme corpulent, allongé sur une barrière, jusqu'à l'étage, à cause du coude que faisait l'escalier. Quand le père de John était parti pour son dernier voyage, il avait pratiquement fallu mettre le cercueil debout.

— Portez-le jusqu'au salon et couchez-le sur le canapé, dit-elle.

Le salon, à Reffolds, était beaucoup mieux que celui du contremaître, à Sheppey Lea, que Magnus avait trouvé affreux. Il était plus vaste, les entre-poutres étaient blanchies à la chaux et les murs recouverts d'un joli papier fleuri de roses. La table ronde qui en occupait le centre était garnie d'un tapis en chenille rose. Tous les autres meubles étaient de bonne qualité. Ayant été gouvernante, Martha Reeve avait plus de goût que la plupart des femmes de fermiers.

Les deux hommes posèrent la barrière par terre, puis portèrent leur maître sur le canapé, mais quand ils voulurent l'étendre à nouveau, il protesta, à cause de Martha.

— Non, asseyez-moi. Je suis bien... à part mes jambes.

Ils lui obéirent, le mettant dans une position qui ne semblait ni n'était confortable, le dossier du canapé se recourbant vers l'arrière. Martha lui glissa un coussin sous les épaules.

— Merci, mes amis, dit John. Maintenant, vous pouvez aller continuer le chargement. Je vous rejoindrai dès que je ne serai plus engourdi.

Martha s'activa durant quelques minutes, s'assurant que rien n'était cassé et puis, elle proposa l'inévitable panacée, une tasse de thé. Tout en buvant la sienne, elle le regardait. Les mains ne tremblaient pas. Sa chute ne l'avait même pas secoué. Il lui raconta l'accident et l'explication de Sam, selon laquelle le cheval aurait été piqué par une guêpe. Il ne voulait surtout pas qu'elle pense qu'il s'était montré imprudent ou maladroit. La pendule de marbre noir sur la cheminée au-dessus recouvert d'un napperon égrenait les minutes et, au bout d'un quart d'heure, elle s'aventura à demander :

— Comment cela va-t-il, à présent ?

Il tenta de remuer une jambe, puis l'autre, de tourner un pied, de plier un genou. Toujours sans résultat.

— C'est pas encore remis, dit-il. Mais ça va venir.

— Bon, tu n'as qu'à rester tranquille. Je retourne m'occuper de mon beurre. Appelle-moi si tu as besoin de quelque chose.

Elle avait des clients réguliers dans les deux Copsi, des gens qui n'avaient pas de vaches. Elle salait même quelques pots de beurre pour les vendre sur les péniches à charbon et les petits bâteaux de pêche. Elle savait, en épousant John Reeve, que sa seule spécialité — donner des leçons à des enfants — ne servirait à rien dans cet endroit perdu et elle s'était appliqué à apprendre quelque chose qui vienne augmenter les revenus d'une ferme de soixante acres. Étant perfectionniste de nature, son beurre était meilleur que la plupart.

Au même moment, dans le salon, le blessé éprouva un besoin que Martha ne pouvait satisfaire. Elle l'aurait pu, mais il ne voulait pas le lui demander. Elle était sa femme, ils avaient partagé le même lit avec fruit et elle avait mis deux enfants au monde. Mais, pour lui, elle gardait la délicatesse, cette espèce de supériorité qui l'avait attiré dès le début. Jamais par exemple en près de vingt ans, il n'avait voulu qu'elle aille donner à boire aux cochons. Alors, ça, c'était inimaginable !

Il appela et elle arriva très vite.

— Appelle, Jerry, dit-il, choisissant l'aide temporaire plutôt que son commis, parce que quitte à avoir honte, autant que ce soit devant quelqu'un qui, dès l'orge engrangée, s'en irait, plutôt que devant quelqu'un avec qui il travaillerait chaque jour.

Il avait fait le bon choix. Jerry parut balançant une bouteille à bout de bras.

— Je me doutais bien que c'est ça qu'il faudrait.

— Se trouver dans un état pareil ! dit John Reeve, le nécessaire terminé.

— Ça arrive, répliqua le jeune homme comme s'il avait parlé d'un simple éternuement. Ça m'est arrivé à moi aussi, un jour. J'étais jeune et bête. Je me suis embarqué à Radmouth sur un bâteau en partance pour la Côte de l'Or (1). Là j'ai attrapé une fièvre. Il n'y avait pas que mes jambes qui ne servaient plus. Je ne savais plus où j'étais.

_____

(1) Nom ancien du Ghâna.

J'avais perdu la tête. Mais j'avais de bons copains et quand je suis revenu à moi, j'étais propre et correct. Quelqu'un m'avait même changé ma chemise.

— Il est une heure et demie, maintenant, constata John Reeve en regardant la pendule. J'espérais être sorti à présent.

— Oh, attendons la fin de la journée. Et une nuit. Et puis, si ça ne va pas mieux, je serais d'avis d'appeler le docteur. Voulez-vous que je vous retire vos bottes.

Qu'on les lui enlève, qu'il les garde, ça ne changeait rien. Mort, depuis la ceinture. Et, à supposer que...

Non, il ne pouvait pas supporter ça ! C'était trop horrible. Il frémit, repoussant cette perspective. Mais il arrivait tant de choses affreuses. Il n'était pas idiot et il revit toute une série d'accidents d'apparence anodine qui avaient eu des suites funestes, une morsure de chien, sur la place du marché, à Bressford ; une coupure avec une lame de faux ; un orteil piqué par une fourche... Une liste sans fin d'hommes en pleine force, emportés par quelque chose que l'on aurait admis voir enlever un enfant peut-être, mais certes pas un homme de quarante ans n'ayant jamais été malade. Et qui avait jamais entendu parler d'une simple chute supprimant l'usage des jambes ?

Martha passa la tête par la porte.

— Ça va mieux ? demanda-t-elle.

Et, désespérément, mais sans plus de résultat, il renouvela ses efforts.

— ... Alors, je vais t'apporter ton déjeuner. Mais auparavant... ne veux-tu pas... ?

— Non. Jerry s'en est occupé.

— Il était inutile de l'appeler, mon chéri. Pourquoi te gêner avec moi ?

Depuis que son fils, son trésor, son petit amour, était mort, on l'entendait rarement employer des mots tendres aussi, le « *mon chéri* » le toucha-t-il, le renforçant dans sa détermination de ne pas l'ennuyer, de ne pas la dégoûter. Pour lui plaire, il mangea ce qu'elle lui apporta, le tout proprement préparé sur un plateau, y compris la moutarde qu'il aimait avec le bœuf bouilli...

— Si tu ne vas pas mieux demain, j'appellerai le docteur Fordyke, dit-elle, montrant aussi à quel point elle était différente des villageoises ordinaires qui auraient tout fait plutôt que de faire appel à un médecin. Elles avaient leurs propres méthodes, leurs remèdes personnels connus depuis l'époque où l'on ne trouvait de médecin que dans les grandes villes. Ce n'était que lorsque les vieilles méthodes et les remèdes fabriqués chez soi n'avaient donné aucun résultat que l'on appelait le médecin. Et, comme dans la plupart des cas, il était déjà trop tard, le faire venir, c'était condamner le malade. Mais Martha n'était pas comme les autres. La journée se terminant, cette différence qui lui plaisait tant en elle commença de nouveau à le torturer et, au cours du repas du soir, il refusa de boire — peut-être pourrait-il attendre jusqu'au matin. Les hommes s'arrêtèrent de travailler au coucher du soleil et Jerry, sans qu'on le lui demande, apporta la bouteille qui fut utilisée quand Martha partit chercher un oreiller, une couverture et un édredon car les nuits étaient fraîches à présent, même après une journée ensoleillée.

Puis, elle alluma la lampe et s'installa avec son tricot. Choix malheureux car elle tricotait les épaisses chaussettes qu'il portait en hiver. Chaque cliquetis des aiguilles posait la même question : *En aura-t-il jamais besoin?*

Elle n'était pas amoureuse de lui quand, enfin, elle avait consenti à l'épouser. Elle l'aimait bien, ce qui n'avait rien à voir. Nombreux étaient ceux qu'elle aimait bien, mais le seul qu'elle eût jamais aimé de la façon la plus romanesque était le jeune docteur Fordyke qu'elle n'intéressait même pas. Elle ne manquait pas de galants dont certains, comme le nouveau pharmacien, à Wyck, avaient besoin d'une femme qui sache au moins lire, ou le vicaire de Bressford auquel, quand il aurait enfin une situation, il faudrait une femme, sortable socialement et en mesure de faire marcher un ménage avec de faibles moyens. Mais elle avait choisi John Reeve, fermier à demi illettré, parce que quand on ne peut avoir quelqu'un que l'on adore, autant avoir quelqu'un qui vous adore. Et l'adoration de John était indiscutable.

Des années de vie commune lui avaient fait apprécier ses qualités. La gentillesse personnifiée, indulgent, compréhensif, admiratif. D'autres hommes de son milieu se rendaient au marché, de temps à autre. Si la vente était bonne, ils buvaient pour célébrer. Si elle était mauvaise ils buvaient pour se consoler. John Reeve allait au marché et, les bons ou les mauvais jours, rentrait à jeun chez lui et toujours avec un présent : un livre, une chanson populaire, un flacon de parfum. Elle se rendait compte que, depuis la mort de leur petit garçon, qui avait dû le faire souffrir autant qu'elle, elle avait changé. Elle était presque du jour au lendemain, sinon devenue vieille, du moins plus dure et plus froide, plus triste, se rebiffant contre l'injustice du sort. D'autres enfants avaient, eux aussi, la fièvre scarlatine et survivaient malgré des soins moins intelligents, moins dévoués. Hannah avait survécu... Mais, en dépit du changement que cette perte avait provoqué, John avait fait face avec gentillesse, tolérance et bonne humeur.

A présent, c'était à elle de faire quelque chose pour lui!

La pendule de marbre — cadeau de mariage de la famille où elle avait été gouvernante — sonna neuf heures, l'heure de se coucher pour les paysans qui avaient à se lever tôt le lendemain. Au neuvième tintement, elle planta ses aiguilles à tricoter dans la pelote de laine grise et déclara de ce ton vif, précis que certains trouvaient acide, d'autres, froid.

— Écoute, John. Ce que Jerry Flordon peut faire, j'en suis également capable. Il n'y a aucune gêne à ça.

— Je ne peux pas, ça me fait honte, répondit-il, malheureux.

Neuf heures et on l'avait porté et laissé là, loque incapable un peu après onze heures. Dix heures. Pas d'amélioration. Mon Dieu ! Mon Dieu ! Comment pourrait-elle ? Et la ferme ?

S IR Harald apprit, relativement tard dans la soirée, que Reeve avait eu un accident et son premier mouvement, le matin venu, fut de diriger son cheval en direction de Reffolds. Jamais cet endroit n'avait été celui qu'il préférait et à présent, après ce que Reeve et Magnus avaient dit, il l'aurait souhaité à mille pieds sous terre. Mais il allait de son devoir de s'y rendre, de se renseigner. Il offrirait son aide, suggérerait surtout la venue du médecin que tant redoutaient. Il était tout prêt à aller à Bressford lui demander lui-même de venir. Il se préparait également, malgré son déplaisir, à mettre pied à terre, voir la victime de l'accident, prononcer des paroles d'encouragement, évaluer les dommages, les prendre à sa charge.

A peine se fut-il approché de la maison, que la porte de devant s'ouvrait et que Mme Reeve sortait. Reffolds se distinguait, là aussi, des autres petites fermes des environs où les forces jointes de deux hommes vigoureux étaient nécessaires pour forcer la porte de devant restée fermée depuis le dernier enterrement, mariage ou baptême.

Tout ce que Mme Reeve avait pu avoir comme beauté s'était effacé en elle. Ses cheveux, blonds autrefois, étaient gris, son visage avait la couleur du parchemin, ses lèvres elles-mêmes étaient pâles comme si le fait de les serrer perpétuellement en avait retiré tout le sang. Elle avait une silhouette mince et se tenait très droite. Elle était habillée de façon beaucoup plus soignée que la plupart des fermières, de si bonne heure. Elle portait la robe traditionnelle grise à impressions blanches, très nette, très bien coupée. De petits clous d'or brillaient à ses oreilles.

Polie, elle salua d'une légère génuflexion au lieu de la révérence habituelle.

— Bonjour, monsieur, dit-elle, mais sans cette vénération à laquelle il était tellement habitué, qu'il ne la remarquait, qu'absente. Pas davantage de ces formules qui lui semblaient si naturelles : « Tout-va-aller-mieux-à-présent-que-vous-êtes-là ! »

— J'ai été terriblement navré d'apprendre que votre mari avait eu un accident. Que s'est-il passé ?

— Il est tombé du haut d'une charrette à demi pleine.

— Quelque chose de brisé ?

— Pas que je sache. Ses jambes refusent de le porter.

— Je serais d'avis que vous fassiez venir le médecin.

— Je l'ai déjà fait appeler.

— Je vois. Dites-moi, madame Reeve, votre mari acceptera-t-il de me voir ?

— Je suis désolée. Mais, pour l'instant, ce ne serait pas possible.

C'eut été même très gênant car, au même instant, John et Jerry Flordon se battaient pour le première fois avec le bassin.

Il la connaissait bien sûr — il connaissait tous ses fermiers — mais pas bien. Elle n'était pas de ses préférées, pas plus que Reffolds n'avait jamais été un endroit où il aimait s'arrêter. Il le savait, la perte de son fils l'avait aigrie, mais ce matin, un sentiment de culpabilité lui fit découvrir une nouvelle hostilité facilement attribuable aux ennuis que son fils faisait subir à sa fille. Était-ce le bon moment pour en parler ? Oui, puisque la pauvre femme attendant avec anxiété l'arrivée du médecin avait assez de tracas comme cela. Et, avec autant de maladresse que de sincérité, il lui déclara :

— Je vous prie d'excuser le comportement de mon fils. Croyez-moi, je l'ignorais et je ne l'approuve en rien. Cela ne se reproduira pas, ajouta-t-il, sachant la faiblesse de sa position.

Il vit alors la surprise effacer le calme et la dignité apparents sur son visage. Ses lèvres s'entrouvrirent et ses yeux s'agrandirent. De beaux yeux, brun foncé, très grands, au blanc très pur et aux cils recourbés d'une longueur exceptionnelle.

Il comprit, trop tard, qu'il avait fait une erreur. Reeve ne lui avait rien dit. Et de fait, quel homme irait se confier à une femme dont la silhouette aussi sèche et dont le visage fermé démontraient un tel manque de sympathie pour les faiblesses humaines ?

— Excusez-moi, Sir Harald. Je ne vois pas de quoi vous parlez.

— Peu importe ! Peu importe ! Rien qui vaille que vous vous tracassiez. Bon, j'espère de tout mon cœur que le docteur fera quelque chose et que votre mari sera bientôt sur pied. Faites-moi savoir si je puis vous être utile... ou si vous avez besoin de quoi que ce soit.

— Merci, répondit-elle. C'est très aimable.

Il fit faire volte-face à son cheval et s'éloigna, au trot.

LE jeune docteur Fordyke, que l'on persistait à appeler ainsi bien qu'il eût cessé d'être jeune depuis longtemps, savait tout ce qu'il fallait savoir sur les os. Il avait été l'un de ces étudiants en médecine assez favorisés pour pouvoir se permettre l'achat d'un squelette, aux ossements astucieusement reliés par des fils de fer. Le « Vieil Adam », tout ce qui restait de ce qui, autrefois, avait été un homme, avait partagé sa chambre pendant toute la durée de ses études. Des camarades, moins heureux, étaient souvent venus comparer le vieil Adam aux dessins de leurs livres.

Un examen complet du blessé le persuada qu'aucun os n'était brisé . Il n'était pas tombé sur la tête provoquant une lésion cervicale qui aurait pu expliquer son état. Il n'avait, à aucun moment, perdu conscience ou manifesté aucun symptôme de commotion. Une seule conclusion — et pénible — il était atteint d'une lésion de la moelle épinière, cette mystérieuse masse de nerfs et de vaisseaux sanguins qui, dans un être vivant, circule au creux des vertèbres. Dans le cas présent, il n'y avait rien à faire, sauf espérer que la guérison se fasse d'elle-même.

— Il faudra peut-être que vous restiez couché quelque temps, dit le médecin, de ce ton chaleureux et léger des bons médecins. En tombant, vous vous êtes peut-être meurtri un os, ce qui est pire que de se meurtrir la chair. Par contre, la guérison peut venir aussi rapidement que l'accident. Il ne faut pas perdre espoir.

Malheureux, le médecin songeait qu'un os cassé pouvait se réparer, un orteil atteint de gangrène être amputé, une hémorragie arrêtée, une douleur atténuée. Mais ici il n'y avait rien à faire, sauf attendre. Et bien qu'ayant parlé de la nécessité de garder le lit, d'un ton qu'il avait voulu léger, il savait devoir préparer Mme Reeve.

Il la connaissait depuis longtemps, alors qu'elle était encore Miss Allsop, gouvernante des enfants Wheeler à Bressford. Mme Wheeler, femme gâtée et hystérique, ne servait à rien. Lorsque l'un de ses enfants tombait malade, ce qui leur arrivait souvent parce qu'élevés aux Indes ils supportaient très mal l'hiver anglais, c'était la gouvernante qui faisait fonction d'infirmière. Admirable, compétente et ravissante. Des cheveux blond argent, de beaux yeux et un teint de pêche. Il l'avait trouvée vraiment très attirante. Mais il n'était pas en état de se marier — son père l'avait fort bien traité, s'était montré généreux pendant la durée de ses études, mais exigeait à présent un remboursement en nature. A en juger par la robustesse du vieux il se passerait longtemps avant que son fils puisse prendre femme — Et quel homme ayant tant soit peu le sens de l'honneur aurait-il fait une demande qui aurait mis dix ans à se réaliser ? Il n'aurait pas non plus accepté de compromettre une jeune fille en lui faisant la cour d'autre façon. Ainsi, la seule lueur romanesque ayant éclairé sa vie n'avait abouti à rien. Elle s'était mariée, avait eu des enfants, l'avait envoyé chercher pendant l'épidémie de scarlatine et manifesté son désespoir à la mort de son fils. Depuis, jusqu'à ce jour, il ne l'avait plus revue et s'avouait qu'il aurait pu la croiser dans la rue sans la reconnaître. Cela donnait tristement à réfléchir sur ce que le seul fait de vivre peut opérer sur les gens.

— Je dois vous avouer, madame Reeve, dit-il, sur le seuil de la porte d'entrée, hors de portée d'oreille du salon, que je ne peux expliquer, ni améliorer l'état de votre mari. Dieu sait si je le voudrais ! Il peut guérir de lui-même. Les premiers symptômes seront alors comme des piqûres d'aiguille dans les jambes. Ou alors, et je me dois de vous prévenir, il peut rester paralysé.

— Je vois, dit-elle, se représentant cette triste perspective et voyant aussi, devant elle, l'homme ventru aux cheveux clairsemés qui, autrefois, avait pour elle été le symbole de la beauté, du désir, occupant ses pensées le jour, ses rêves la nuit.

— Faites en sorte qu'il ne se démoralise pas, dans la mesure du possible, et qu'il ne prenne pas de poids.

Elle paraissait si fragile, si menue et l'homme étendu sur le canapé était lourd et pouvait, sans exercice, grossir encore.

— ... Je viendrai le voir de temps à autre et, bien sûr, si vous avez besoin de moi, faites-moi appeler.

— Merci.

Elle le raccompagna et retourna dans le salon arborant un sourire qui, rare chez elle, avait la valeur des objets précieux.

— A ce qu'il paraît, tu vas devoir rester couché un jour ou deux. Autant que tu sois à ton aise. Je vais demander aux garçons de descendre le lit d'Hannah.

Elle s'accrochait à son rôle jouant résolument la bonne humeur et lui au sien, soupçonneux et sinistre.

— Qu'est-ce qu'il a raconté d'autre, dehors ?

— Je te l'ai dit, quelques jours au lit. Quand tes jambes redeviendront elles-mêmes, ça commencera par des piqûres d'épingle.

— Espérons que ce sera demain. Je ne peux pas rester comme ça, inutile. Il y a l'orge à préparer pour le maltage. Il y a le labour à faire. Il y a des centaines de travaux...

— Te tracasser n'y changera rien. Patiente pendant quelques jours.

— Tu as commencé par dire un jour ou deux, maintenant c'est quelques jours. Qu'est-ce que ça veut dire ?

En moins de vingt-quatre heures leurs rôles avaient complètement changé. Il avait toujours été jovial, optimiste à un point qu'elle jugeait même grotesque, se consolant même de la mort de Johnny. C'était à elle, à présent, de feindre l'espoir.

Mais ce soir-là, quand la lampe fut allumée et tout rangé, quand elle alla à sa commode de bois de rose où elle serrait son tricot et sa boîte à couture, à la place des chaussettes de laine grise elle prit un jupon de flanelle rouge destiné à Hannah, mesuré et coupé en été mais pas encore cousu puisqu'il devait être son cadeau de Noël.

La conversation entre eux avait toujours été facile quoique limitée à des faits matériels. Les livres n'intéressaient pas Reeve et il était pratiquement incapable d'émettre une réflexion abstraite. Il aimait raconter à sa femme ce qu'il avait fait dans la journée et ce qu'il projetait pour les jours suivants. A présent, le malheureux venait de vivre une journée vide et cela recommencerait peut-être le lendemain. Ce fut presque avec soulagement qu'elle trouva un sujet de conversation.

— Sir Harald est venu, ce matin. Pendant que Jerry Flordon et toi... Aussi, je ne l'ai pas fait entrer. Mais il m'a dit quelque chose de très curieux. Connais-tu la raison pour laquelle *il me* demanderait d'excuser l'attitude de son fils ?

— C'est ce qu'il a fait ?

— Oui. Je me souviens de ses paroles exactes : « Je vous prie d'excuser le comportement de mon fils. Croyez-moi, je l'ignorais et je ne l'approuve en rien. » Et, quand je lui ai répondu que je ne savais pas de quoi il parlait, il a dit « Peu importe » et il est parti.

— Oui, j'ai essayé de te cacher ça. Je ne voulais pas que tu te tracasses. C'est pas grand-chose. Juste que M. Magnus a embêté Hannah.

— Embêté Hannah ! Et comment le sais-tu ?

— Elle me l'a dit dans cette lettre... celle qu'elle avait ajoutée à l'autre.

Le lui eût-il dit plus tôt, qu'elle aurait émis quelques remarques acerbes critiquant le seul fait qu'Hannah ait écrit à son père, plutôt qu'à elle. Elle aurait parlé d'agissements menés en cachette, de conspiration contre elle. Et, sans nul doute, aurait-elle blâmé Hannah, déclarant que les hommes n'importunent pas les jeunes filles qui ne les encouragent pas. Tout cela, elle le pensa, mais ne le formula pas, se contentant de demander :

— Et où, mon Dieu, a-t-il eu l'occasion de l'embêter ?

— Ça a commencé pendant son séjour chez Alice Wentworth. On a fêté la moisson et il est venu avec quelques amis pour s'amuser.

C'est ça, et Hannah lui a fait les yeux doux ! songea Martha. Et c'est en grande partie ta faute ! Elle avait eu l'occasion de remarquer avec ses propres camarades de classe et ses élèves que les filles gâtées par leur père étaient toujours les premières à penser qu'il leur suffisait de regarder un homme pour obtenir ce qu'elles voulaient. Il aurait été facile de démontrer que les coquettes commencent toujours à se faire les dents sur leur père.

Mais tout cela, elle ne pouvait le dire à un pauvre homme sans défense.

— Les gens s'excitent toujours aux fêtes de la moisson, surtout quand il y a bal dans les granges. Mais j'aurais cru que l'on pouvait faire confiance à Mme Wentworth et qu'elle aurait veillé à ce que tout le monde se tienne bien.

— Notre fille s'est bien tenue. Elle est rentrée dans la maison. Mais ça n'a pas suffi.

— Qu'y a-t-il eu ensuite ?

— Il a été à l'école et s'est fait passer pour son cousin. Puis il a envoyé des cadeaux. Hannah dit que Mademoiselle Drayton est très ennuyée et peut lui demander de partir.

— Ce serait une honte !

Et tout cela parce que Mlle Drayton n'était qu'une snob qui avait fait des difficultés pour accepter Hannah dans son établissement. La fille d'un simple fermier, pensez donc ! La façon de s'exprimer et les bonnes manières de Martha avaient eu raison des préjugés de la directrice. Mais, maintenant, elle s'empressait de commenter : « C'était à prévoir ! »

— Oui, je sais. Le jour où j'ai reçu la lettre, j'ai été parler à Sir Harald. Il m'a dit qu'il ferait en sorte que cela cesse.

— Il m'a dit la même chose. Mais chacun sait qu'il n'a pas plus d'autorité sur son fils que sur la lune.

Et puis il lui vint une idée. On pouvait s'éviter la honte d'une expulsion. Là, dans ce lit, se trouvait l'excuse parfaite. Martha réfléchissait rapidement tout en bâtissant ses coutures. Ses doigts allaient et venaient d'un geste automatique. Tout en piquant son aiguille, elle se dit : « Il ne fera pas d'objections. Il ne voulait pas qu'elle aille en pension et, grâce à l'attitude de Magnus Copsey, il ne verrait rien d'étonnant à ce qu'on fasse revenir Hannah. Elle avait quinze ans et demi, l'âge de se rendre utile. Martha s'était proposée de la laisser poursuivre ses études pendant encore un an. Peu importait, elle pourrait apporter ses livres... Et, quand elle aurait seize ans et demi — l'année prochaine à pareille date — elle serait assez âgée pour son premier emploi de gouvernante.

Martha, plus que tout, voulait que sa fille devienne gouvernante, dans une famille bien, naturellement. Elle l'avait elle-même été dans deux maisons différentes. Dans la première, elle avait été extrêmement malheureuse et solitaire, ballottée entre la famille et les domestiques et méprisée par l'une et les autres. Par contre, elle avait été très heureuse avec les Wheeler, venant immédiatement derrière Mme Wheeler et même, en cas de crise, remplaçant sa maîtresse.

A la fin d'un long silence que John Reeve craignait de voir se terminer par une tirade, elle dit tranquillement :

— Eh bien, j'ai réfléchi et je crois que le mieux pour Hannah est d'être à la maison. *Nous* — petite astuce au passage — pourrons au moins veiller à ce qu'on ne l'importune pas.

Il acquiesça :

— Elle a dit qu'elle en avait peur.

Martha plia son ouvrage.

— Je vais écrire tout de suite à Mademoiselle Drayton et envoyer Jerry avec la voiture demain matin. Il pourra la ramener à la maison.

Elle songea soudain, comme elle déplaçait la lampe et ouvrait son secrétaire en retournant dans sa tête des phrases pleines de dignité qu'elle allait tracer de sa fort belle écriture que, pour une chose ou une autre, elle commençait à dépendre de Jerry Flordon, ce garçon absolument instable. Mais il n'y avait d'autre alternative que Sam Archer qui était d'une stupidité sans bornes et tout aussi maladroit. Plein de bonne volonté et dur à la tâche, mais davantage à la manière d'un cheval de labour que d'un être humain. Si, la veille, elle lui avait demandé d'aller chercher le médecin, il lui aurait fallu dix minutes pour lui expliquer où aller et quoi dire. Cette stupidité, elle en connaissait la cause : une série de mariages entre cousins et quelques incestes depuis de longues générations. Et, parfois, lorsque John pour se consoler de la perte de leur fils disait qu'il espérait qu'Hannah épouserait un de ses

cousins Thetford, Martha se voyait entourée de petits-enfants dégéné-
rés d'une certaine manière. Pas autant que Sam Archer, bien sûr, mais
un peu idiots, myopes.

MADEMOISELLE DRAYTON, ne sachant pas autre chose que le fait
que le père d'Hannah avait eu un accident et qu'on réclamait la
jeune fille chez elle, annonça la nouvelle aussi doucement qu'elle le put
et l'aida avec dextérité à la confection de ses bagages. La jeune fille
assise enfin sur le siège à côté de Jerry et en route avait l'impression
d'émerger d'un tourbillon.

— A présent, dit-elle, racontez-moi exactement ce qui s'est passé.

Depuis que Mlle Drayton l'avait appelée pendant le cours de français,
qu'elle avait employé le mot accident et dit qu'on la réclamait chez elle,
une angoisse terrible l'étreignait. Elle avait eu tort d'écrire à son père.
Il avait réagi et M. Magnus l'avait blessé.

— Il était en haut de la charrette. On chargeait. Sam et moi, on lui
tendait les gerbes. Et il est tombé. Il ne s'est rien cassé, mais il a perdu
l'usage de ses jambes. Il est paralysé depuis la taille.

— Le docteur est-il venu ?

— Oui. Hier matin. Rien à faire, paraît-il, sauf attendre et voir si ça
s'arrangera avec le temps.

Elle se mit à pleurer. Au début, sous le choc et se sentant à demi
coupable, elle avait été dans l'incapacité de verser une larme.

— J'ai pensé qu'il valait mieux que vous sachiez, expliqua Jerry. Je
veux dire, si vous étiez entrée juste comme ça...

— Oh ! oui. Au moins, à présent, je suis... préparée.

Elle continua de pleurer, s'essuyant les yeux avec un ridicule petit
mouchoir de soie, à peine grand comme la main et bordé de dentelle.

— Il n'est pas en danger. Il ne souffre pas. Et il y a toujours de
l'espoir.

Il l'avait mise au courant trop brusquement et, à présent, ses derniers
mots sonnèrent faux car elle remarqua, entre deux sanglots :

— Mais, vous, vous ne pensez pas qu'il y en ait beaucoup, n'est-ce
pas ?

— Je n'ai pas dit ça. Tenez, prenez ça, il est propre.

Il lui tendait un vaste mouchoir, de soie multicolore. Le genre de
mouchoirs favoris des messieurs qui prisaient car la toile se souille
facilement. « Mouchez-vous et essayez de ne plus pleurer. Ça ne lui
fera pas de bien si vous arrivez avec une tête d'enterrement. »

Elle obéit, se moucha.

— Non. Il faut penser à ça... Comment est-il, à part ses jambes ?

— Très abattu. Et qui ne le serait pas ? Mais de vous voir ça va le
remettre de bonne humeur. A condition que vous essayez de sourire.

— Je vais essayer.

Sa façon d'être pratique, presque désinvolte, était juste ce qu'il fallait, se dit Hannah. Pas de pitié, elle n'en aurait que pleuré davantage. Pas de faux-fuyant, ce qui lui aurait fait craindre le pire. Le fait est que — même mère l'admettait — quoi que fît Jerry Flordon, il le faisait bien. Mère n'admirait pas l'homme en soi. Elle aurait considéré le mouchoir de soie comme une affectation. Mère aimait que les objets aient une place déterminée et Jerry n'avait sa place nulle part. A dire vrai la légère, très légère antipathie que Martha éprouvait pour leur employé avait une racine profonde et secrète. Sa façon de se tenir, de parler, soulignait son échec quand elle avait tenté de dégrossir un peu son mari. Elle s'y était efforcée, au début, puis avait dû renoncer devant son impénétrabilité placide, aimable. Alors que Jerry Flordon, après deux saisons de pêche passées en compagnie d'un ancien officier de marine qui avait préféré la vie en mer, même sur un humble bateau de pêche plutôt qu'à terre, avait acquis tout ce que Martha n'était pas parvenue à enseigner à force d'exemples, d'aimables reproches.

Après s'être essuyé les yeux et mouchée, Hannah constata :

— Je suis contente que vous ayez été là pour aider.

— Oui. C'est une chance. J'avais quelques jours devant moi et votre père avait cette moisson tardive. Mais on m'attend à Yarmouth après-demain.

— Vous êtes forcé d'y aller ?

— J'ai donné ma parole.

Après cela il n'y avait plus rien à dire, sauf quand la maison fut en vue.

— J'ai l'air normal maintenant ?

— Un peu pâle. Frottez-vous les joues.

C'était une jolie petite, mais de cette beauté qui dépend surtout de la couleur, du contraste.

— C'est mieux ? demanda-t-elle après s'être pincé les joues.

— Oui. Ça va lui faire du bien de vous voir.

Devant la porte de la cuisine, il sauta à terre, l'aida à descendre et l'accompagna jusqu'aux marches, sans une fausse note, sa main brune et fine rassurante.

— J'espère que tout se passera bien, dit-il.

— Merci, Jerry, merci pour tout, répondit la jeune fille.

John Reeve fut heureux de voir sa fille et déclara, feignant l'assurance :

— Ce n'est pas grand-chose, ma chérie. Je me suis juste un peu cogné les jambes. Le docteur lui-même dit que tout peut redevenir brusquement comme avant.

Comme pour se moquer de lui, la pendule noire se mit à sonner. Chaque fois, son cœur sautait. Encore une heure et moi qui suis là, désarmé ! Cette satanée pendule marquait le reflux de l'espoir.

Iᴌ y eut du poulet rôti pour le déjeuner. Il y en avait toujours lorsque Hannah venait à la maison. A la pension on n'en servait jamais, parce qu'il était trop difficile d'en faire des parts équitables. Il avait l'air délicieux et embaumait, mais personne ne mangea beaucoup. John pensait au vase de nuit — moins il absorberait, moins il évacuerait — Jerry Flordon qui se débrouillait si bien serait parti le surlendemain et rien, ni personne, pas même Martha ne pourrait rendre Sam Archer adroit. Plein de bonne volonté... mais autant se fier à un singe. Martha et Hannah s'efforçaient de paraître gaies dans une situation n'inspirant nulle gaieté. Seulement deux jours d'inaction forcée et de soucis avaient déjà transformé un homme puissant, joyeux et insouciant.

Mère aussi avait changé, se dit Hannah. Curieux! Aussi loin qu'elle s'en souvienne, jamais elle n'avait connu sa mère autrement que maussade, voyant tout sous un angle sinistre, prête au mot sec, à la rebuffade, à la critique. Une bonne mère, sans doute, mais sans tendresse. Lorsque, pour la première fois, elle avait entendu Mᵐᵉ Wentworth dire « ma chérie » à Alice, elle avait été étonnée et jalouse. Elle se serait attendue, dans cette crise, à voir sa mère acariâtre et acide, agissant comme si la vie et père, son instrument, s'étaient ligués pour l'accabler. Et c'était le contraire. Mère était restée vive, mais de façon beaucoup plus agréable.

— Je m'occupe de la vaisselle, dit-elle. Vous deux, faites-donc une partie de dame.

C'était au tour de père d'être amer, à présent.

— Oui. C'est tout ce que je suis capable de faire.

Impitoyable, la pendule sonna deux coups. John Reeve comptait les heures écoulées depuis son accident et Hannah pensait à ses camarades s'habillant et se groupant pour la promenade quotidienne. C'était le jour de Mˡˡᵉ Drayton.

Mᴀᴅᴇᴍᴏɪsᴇʟʟᴇ ᴅʀᴀʏᴛᴏɴ croyait aux bienfaits de l'air frais, de l'exercice et des longues promenades.

— Nous allons suivre Priory Lane, traverser les Haberden et revenir par Ivy Street, décida-t-elle et toutes les jeunes filles, alignées deux par deux, émirent des grognements discrets. La plus pénible des promenades en perspective. Aucune boutique, presque aucun passant.

Les jeunes filles venaient à peine de tourner dans Priory Lane lorsqu'un cavalier les dépassa. Puis il fit demi-tour, revint sur ses pas et, se penchant, examina chaque pensionnaire sous le nez. Mademoiselle Drayton reconnut en lui le jeune M. Copsey qui, l'année scolaire à peine vieille de deux jours, était venu au pensionnat, s'était fait passer pour le cousin d'Hannah Reeve et avait été introduit au parloir.

Mademoiselle Drayton, pour laquelle la vigilance figurait au nombre de ses devoirs, exigeait que la porte du parloir restât entrouverte en de telles occasions, une surveillante attendant dans l'antichambre. Ce soir-là, Mademoiselle Drayton assumait elle-même cette charge. Hannah était entrée dans la pièce et en était aussitôt ressortie en courant. Le tout n'avait pas duré plus d'une minute. Du parloir, on avait alors entendu une explosion de jurons et un fracas terrible, puis le visiteur, le visage déformé par la rage, avait quitté la pièce et gagné directement la porte d'entrée. Sur le sol du parloir gisaient les débris d'un vase, le préféré de la directrice.

Ce premier choc n'avait rien été à côté de celui éprouvé en apprenant que le visiteur était Magnus Copsey, le fils de Sir Harald pour lequel Mademoiselle Drayton éprouvait énormément de respect — chacun, de son côté, luttait pour de bonnes causes. Racontée par d'autres jeunes filles, Mademoiselle Drayton aurait peut-être douté de l'histoire. Mais Hannah, quoique vive, avait toujours été considérée comme franche. Et Alice Wentworth avait confirmé le récit de ce qui s'était passé au cours de la fête de la moisson. Hannah, indiscutablement, avait eu une conduite parfaite. Et puis des présents avaient commencé à arriver et l'insistance avait continué. A présent, il était là, à dévisager les collégiennes et se rapprochant de Mademoiselle Drayton qui, à l'arrière, veillait à ce que les plus jeunes ne traînent pas. Il fit faire un demi-tour à son cheval, s'arrangeant pour barrer le passage à la directrice, l'immobilisant entre le poitrail de sa monture et la rampe. Elle se souvint de ce qu'avait dit Hannah : « Il me terrifie. » Loin d'être rassurée, elle-même, elle garda cependant son sang-froid.

— Sybil, remplacez-moi. Mesdemoiselles, continuez à marcher.

— Où est Mademoiselle Reeve ? demanda Magnus, arrogant.

— Elle n'est plus au collège.

— J'ai dit *où*.

Copsi mais c'était là qu'habitait cet effrayant jeune homme. Dieu lui pardonnerait un mensonge.

— Elle a trouvé une situation.

— Où ? Vous êtes donc incapable de répondre à une question aussi simple, vieille toupie ?

Il semblait réellement sur le point de la cravacher ou de l'écraser contre la rampe. Elle réfléchit : pas Londres ! Des gens comme ça, connaissent Londres.

— A Bristol. Bristol Avon, Avonmouth Terrace.

— Que le diable vous emporte !

Il cravacha son cheval et partit au galop. Mademoiselle Drayton redressa son chapeau, respira à fond puis se hâta de rejoindre ses élèves. Ce pauvre Sir Harald. C'était terrible pour lui !

A Reffolds, on n'avait pas parlé de Magnus et Hannah redoutait le moment où on le ferait. Elle s'imaginait la promenade de l'après-midi et lui la cherchant, demandant : « Où est Hannah Reeve ? » Quelqu'un répondrait qu'elle était retournée chez elle. Et même si sa mère avait changé, elle ne manquerait pas de l'accuser de l'avoir encouragé d'une façon ou d'une autre. Alice ne serait pas là pour la défendre. Évidemment, père dirait qu'elle avait écrit pour se plaindre. Mais son état permettait-il qu'on le tracasse avec des problèmes de ce genre ? Et sa mère ? Oh, mon Dieu, avec les milliers de filles de par le monde, pourquoi fallait-il que cela m'arrive à moi ?

Martha reçut une lettre le lendemain matin. Reconnaissant l'écriture de Mademoiselle Drayton, Hannah eut la nausée.

— Continue de surveiller la cuisine. Il aime ses oeufs frits de chaque côté, n'oublie pas. Il est ridicule en ce qui concerne les besoins naturels et s'imagine qu'en se laissant mourir de faim...

Elle ouvrit la lettre d'un geste précis et émit un son, pas exactement un rire, plutôt une sorte de jappement.

— Bien joué, Mademoiselle Drayton ! Tiens, tu peux lire !

Mademoiselle Drayton ne s'embarrassait pas de phrases. Elle disait être navrée de l'accident et exprimait son espoir d'un prompt rétablissement. Puis « J'ignore si Hannah s'est confiée à vous au sujet de M. Magnus Copsey. Tout porte à croire qu'elle s'est fort bien tenue. Cet après-midi, il m'a accostée et a voulu savoir où elle était. J'ai jugé prudent de le tromper en lui donnant une adresse de mon invention, à Bristol.

Sincèrement vôtre
Agatha Drayton »

— Cela n'a pas été de ma faute, dit aussitôt Hannah retrouvant son attitude habituelle lors des discussions avec sa mère. Je ne l'ai même pas *regardé,* sauf la première fois.

— Je sais.

Comment ? De quelle façon ?

— ... Ne te tracasse pas. Tout cela passera. Ce n'est qu'un enfant gâté qui veut ce qu'on lui refuse.

C'était là une explication aussi succincte qu'intelligente de la situation. Mais Miss Allsop avait l'expérience des enfants, gâtés ou non.

S IR Harald avait nourri l'espoir que l'engouement de Magnus ne durerait pas. Mais il savait l'obstination dont son fils pouvait faire preuve pour obtenir ce qu'il convoitait. Il ne lui en parla plus mais, désireux de s'en ouvrir à quelqu'un, se rendit chez Bertie pour lui raconter ce que Magnus lui avait dit. Il s'était attendu à une réaction plus caustique que sympathique. Non. Elle le choqua, elle aussi.

— Serait-ce une si mauvaise chose, Harry ?

Le choix l'étonnait, mais remontait un peu son neveu dans son estime. Elle l'avait toujours jugé incapable d'autres sentiments que d'égocentrisme.

— ... Les Reeve sont des gens convenables, appartenant à une vieille famille. La petite a reçu une certaine instruction. C'est peut-être ce qu'il lui faut.

— Bertie ! Tu me stupéfies ! Rappelle-toi notre mère. Ma Juliet... Non, mais te représentes-tu sérieusement cette Hannah Reeve, la fille d'un petit fermier, portant *leur* titre ? Je ne suis pas snob, Dieu merci, mais...

— Mais tu as le respect des gens de ta condition.

— Entendu. Et qui ne l'a pas ? Je sais que tu fréquentes des marchands de bétail, des commissaires priseurs, des procureurs. Tout cela c'est très démocratique ! Mais jamais tu n'aurais pensé à épouser l'un d'eux.

(J'y ai songé ! s'il n'avait déjà été marié et père de deux enfants la première fois que je l'ai rencontré.)

Bertie haussa les épaules.

— Je ne suis pas très versée dans les histoires d'amour, mais, à en juger d'après ce qu'on en lit, il peut opérer des miracles. Il faut envisager la question sous un autre aspect, aussi. Il aurait pu t'infliger quelqu'un de bien pire.

— Je le sais ! Cela n'a rien à voir. C'est assez pénible comme ça. Bertie, pense à notre famille. Je ne peux laisser mon fils unique, l'héritier de Copsi, épouser une fille de ferme.

— Tu es en mesure de l'en empêcher ?

— Bon Dieu, Bertie ! Tu sais que je ne le peux pas. Je ne peux même pas employer la fameuse menace consistant à lui couper les vivres. C'est le seul héritier.

Sans joie, il accepta un verre d'eau-de-vie. Excellente. Il se demandait parfois si, parmi ses relations variées, Bertie ne comptait pas un ou deux contrebandiers. L'alcool lui délia la langue.

— Il y a autre chose qui ne me plaît pas dans cette histoire. Cette fille paraît ne pas apprécier les attentions de Magnus. Elle s'est plainte à son père.

— Sans doute ne se faisait-elle pas d'illusions sur ses intentions. Elle paraît intelligente.

— Ce n'est pas tout. Il m'a annoncé son intention de l'épouser *s'il ne pouvait pas l'avoir autrement.*

— Comme tendresse, on fait mieux ! Mais tu ne peux tout de même pas la lui acheter pour Noël, n'est-ce pas ?

— Bertie, je te jure que je voudrais le pouvoir. Pas en tant qu'épouse, évidemment.

— Tu me choques !

— Je me choque moi-même. Mais il faut faire face aux faits. Une bonne cabriole dans le foin et tout serait réglé.

Ce n'était pas particulièrement élégant à dire à une femme ! Mais, avec Bertie, on avait tendance à oublier.

— Elle ne m'a pas l'air d'être le genre à se faire culbuter dans le foin. L'as-tu jamais vue ?

— Pas récemment. Petite, elle suivait son père partout. Une gamine tout en jambes, avec une masse de cheveux... blond paille. De grands yeux... Au fait, Reeve a eu un accident.

Il le lui raconta.

— Pauvre homme ! dit Bertie. J'espère que ça n'aura pas le même résultat qu'avec Charlie Felton. Oh, c'est vrai, c'était avant ton époque. Je crois toujours que tu n'es jamais parti. Charlie Felton est tombé de cheval et l'animal lui est tombé dessus. Il n'a jamais plus remarché. Sa famille l'a traîné à Londres, à Bath. Il a fini par se tirer une balle dans la tête et je le comprends.

Sir Harald regarda sa sœur et se demanda si ce Charlie Felton avait été son secret tragique. A l'époque dont elle parlait, Bertie était jeune, belle et très courtisée.

Elle emplit les verres.

— Enfin, tout espoir n'est pas perdu.

— Harry, pour changer tout à fait de sujet... j'ai décidé de construire une maison à Sheppey Lea, déclara-t-elle soudain.

Elle savait qu'il réagirait mal à cette décision et en connaissait la raison. Elle partageait son amour pour la demeure ancestrale, s'en voulait de toujours remettre l'annonce de sa décision à plus tard. Cela semblait idiot après avoir acquis son indépendance personnelle et matérielle de rester collée au même endroit ; de souffrir à l'idée d'abandonner un cèdre que l'on disait avoir été rapporté du Liban, par un Croisé, sous forme d'arbrisseau ; le lac autour duquel, au printemps, des milliers de narcisses fleurissaient ; cette pièce au plafond voûté. Mais rien ici ne lui appartenait, ne lui appartiendrait jamais. Et le moment était venu de partir. De même que celui de prévenir Harry qui, préoccupé par ailleurs, ne ferait peut-être pas d'histoire. Mais il en fit.

— Mais pourquoi diable ? Parce que je t'ai parlé du mariage de Magnus ? Oublie ça ! Cela peut ne pas se produire avant des années. Et, en admettant qu'il se marie, s'il le fait jamais, je suis encore là. Et, même quand... Enfin, aucun de nous n'est éternel, évidemment. Même si... tu es chez toi, Bertie. Personne ne voudra s'installer ici.

Il jeta un regard circulaire et un peu dégoûté dans la pièce encombrée mais malgré tout en ordre.

— ... Si tu veux davantage de place. Ce ne sont pas les chambres inoccupées qui manquent. Je te l'ai déjà dit.

Elle prit un ton désinvolte soudain pour lui répondre :

— Harry, je t'en prie, accorde-moi le petit rêve de chaque femme :

sa maison à elle. Je ne veux pas devenir comme les deux vieilles. Et il y a également un côté pratique à considérer. Le jour viendra où je ne me sentirai pas en état de me lever à l'aube pour me rendre à la ferme à cheval afin de tout surveiller.

Logique, rationnel, mais horrible. Tout semblait s'écrouler sous ses pieds.

— Copsi ne sera plus le même.

— Rien n'est immuable, Harry.

— Je sais. Mais ce qui m'accable, c'est que tous les changements sont pires les uns que les autres.

L E lendemain matin, Magnus déclara :
    — Je vais à Bristol.

« Parfait » se dit Sir Harald, un changement de décor pouvait opérer un effet thérapeutique. Le choix de sa destination le surprit néanmoins. Mais, pour une fois, Magnus condescendit à s'expliquer.

— Pendant notre Grand Tour, nous avons rencontré un homme. Son père s'occupait de bateaux. Il nous a dit que Bristol était une belle ville et qu'on pouvait le voir quand on voudrait.

— Très bien ! Si cela te plaît, ramène ton ami avec toi. La chasse promet d'être bonne cette année.

L'astuce pesante qui remplaçait l'intelligence chez Magnus Copsey le fit frétiller. Ramener son ami ? C'est elle qu'il ramènerait ! Farouche, timide, ou méprisante, quelques jours à faire un travail ingrat — une situation comme avait dit cette vieille toupie — et elle serait devenue plus souple. Elle serait même peut-être heureuse de le voir. Parfaitement, elle le serait. Et alors, on pourrait s'amuser !

L E trafic des esclaves, aboli depuis peu, avait beaucoup enrichi Bristol et, comme toutes les villes à croissance rapide, elle s'était beaucoup étendue. Mais il y existait effectivement une Avonmouth Terrace, cette adresse inspirée à Mademoiselle Drayton, dans un moment de panique contrôlée. A l'hôtel, quelqu'un l'indiqua à Magnus. Ce n'était pas loin, juste à l'angle de la boutique du barbier.

La rue comportait huit grandes maisons à la façade de stuc érigées sur un sous-sol. Tout à fait le genre de maison où l'on pouvait se permettre des domestiques.

La première employait un valet de chambre, très précis et hautain. L'esprit sans imagination de Magnus ne put lui fournir qu'une question. La seule qui lui importât.

— Mademoiselle Hannah Reeve travaille-t-elle ici ?

— Pas à ma connaissance, monsieur.

Sans doute un gentilhomme d'après la voix et les vêtements et aux intentions rien moins qu'honorables! Un de ces individus amoureux d'une femme de chambre et qu'on ne saurait admettre dans une maison convenable.

— Oh! Vous êtes sûr!

Le valet, radical bon teint, avait été fort actif au cours des manifestations de Bristol provoquées par le *Reform Bill* (1). C'était néanmoins un bon domestique parce que tout en étant persuadé que le valet avait autant de valeur que le maître, il savait que le valet devait gagner ses gages. Cependant il n'y avait aucune raison pour que, simplement parce qu'il travaillait, un jeune monsieur, qui n'avait certainement jamais levé le petit doigt de sa vie, mette sa parole en doute d'un ton particulièrement insultant.

— J'en suis sûr. Nous n'avons pas eu de changement dans le personnel, ici, depuis six ans. Mais si vous ne me croyez pas, monsieur, vous pouvez demander à Madame Parkinson.

Et elle te remettra à ta place, mon garçon.

— Non, répondit Magnus ne voyant dans cet entretien avec Mme Parkinson, qui qu'elle fût, qu'une simple perte de temps.

Très bien, pensa l'autre, ravi.

— Si je peux suggérer quelque chose, monsieur, si vous cherchez une personne employée, il vaut mieux sonner à la porte de service.

Une. Il en restait sept autres.

Presque partout des femmes de chambre accortes, secouant les ruchés de leurs bonnets et le regard en coulisse.

— Oh non, monsieur. Il n'y a pas d'Hannah Reeve ici. Désolée.

Puis un autre valet, vieux et traînant la jambe, tellement courbé qu'il donnait l'impression de chercher une pièce roulée à terre.

— Non. Nous n'avons pas de femmes ici. Le colonel ne les aime pas. Et moi non plus.

Une fois, une jeune femme fort vive, habillée pour sortir.

— Je ne sais pas, dit-elle. Ça change si souvent. Quel nom avez-vous dit? Hannah Reeve. Je vais m'en assurer.

Elle ouvrit une porte, au fond du couloir et cria quelque chose. Sa voix résonna comme dans une grotte, mais Magnus n'entendit qu'Hannah Reeve, Hannah Reeve...

La jeune femme revint.

— Non. Je suis navrée. Notre nouvelle femme de chambre — elle est arrivée hier — s'appelle Anna Green et c'est la nièce de la cuisinière.

Sept. Encore une.

A ce qui aurait dû être le huit si les maisons avaient été normalement numérotées. Tout semblait mort. Il n'avait pas, évidemment, suivi le conseil donné d'aller sonner à la porte de service. Après tout, il était

(1) « Bill » de réforme — autrement dit décret —.

Magnus Copsey, de Copsi. Mais là, à entendre la sonnette tinter et ne recevant pas de réponse, il songeait sérieusement à s'abaisser jusqu'à descendre les marches menant au sous-sol quand, enfin, la porte s'ouvrit de quelques centimètres avant d'être arrêtée dans sa course par une chaîne robuste. Et une voix de femme, un peu tremblante, demanda :

— Qu'est-ce que vous voulez ?

Au-delà de la fente, rien que l'obscurité.

Une fois de plus la même question : Mlle Hannah Reeve travaille-t-elle ici ?

— Travailler ici ? Personne ne travaille ici maintenant. Je ne peux pas me permettre...

C'était l'une de ces vieilles femmes auxquelles la peur de la pauvreté était venue avec l'âge. Elle était riche, même pour Bristol, mais elle s'était convaincue qu'elle était pauvre et si les pommes de terre augmentaient d'un sou, elle s'en passait. Deux terreurs dominaient sa vie, les voleurs et la montée des prix. Pour se défendre des premiers elle gardait toutes ses valeurs dans un coffre, à la banque ; pour lutter contre la vie chère, elle faisait ses courses elle-même dans les boutiques les plus misérables, des quartiers les plus pauvres. De ce fait, elle fut plus utile à Magnus que tous ses voisins.

— Il y a une autre Avonmouth Terrace. Un endroit minable. C'est une honte de se servir de notre nom, comme ça. Nous ne sommes peut-être pas riches, mais nous sommes respectables.

— Où est-ce ?

Elle le savait, ne demandait pas mieux que de le dire, mais ses explications, extrêmement compliquées, n'étaient compréhensibles que pour quelqu'un connaissant déjà les lieux.

— Pas le coin où il y a un balayeur des rues, mais celui où il n'y en a pas. Mais on peut prendre un raccourci en passant par King's Head...

Magnus, très vite impatienté, sans un mot de remerciement, la planta là au milieu d'une phrase. Quel étrange comportement, se dit-elle et une peur affreuse l'assaillit. Les voleurs, chacun le savait, envoyait quelqu'un reconnaître les lieux. Quelle meilleure couverture qu'un jeune homme séduisant, bien habillé, s'exprimant bien, venant prendre des renseignements sur une domestique inexistante ? Bien sûr, elle avait appuyé sur sa pauvreté. Mais peut-être ne l'avait-il pas crue. Autant s'assurer que les contrevents étaient bien fermés. Aidée de la misérable lumière d'une chandelle à mèche de jonc beaucoup plus économique qu'une lampe ou une bougie elle passa d'une pièce obscure à une autre pièce obscure avant de redescendre au sous-sol où toutes les fenêtres étaient barrées pour empêcher les bonnes de sortir et leurs galants d'entrer. Là, elle se sentait plus en sécurité.

Magnus retourna dans la rue animée où se trouvait son hôtel et fit signe à un fiacre.

— Je veux aller Avonmouth Terrace.

Parfait, songea le cocher. A cinq minutes à pied, juste à l'angle de la boutique du barbier, en haut d'une petite montée. Mais ce n'était pas un truc à dire à un jeune aristo qui débarquait.

— Entendu. Tout de suite, monsieur.

Mais les espoirs du cocher furent de courte durée quand le jeune aristo précisa :

— Non, pas celle-là, l'autre.

Avant de s'y perdre il avait écouté les explications de la vieille et retenu un détail.

— ... Cela se trouve à côté d'un marché assez misérable.

— Je connais, monsieur.

La femme du cocher y faisait ses courses. C'était un excellent marché et le terme de « misérable » lui parut insultant.

L'Avonmouth Terrace était peut-être, pour une vieille femme excentrique, un quartier misérable, mais représentait néanmoins l'idéal pour beaucoup de bons citoyens. Cela consistait en une rangée de douze maisons extrêmement étroites, serrées les unes contre les autres, mais précédées d'un jardinet et adossées à un terrain plus long où l'on pouvait faire sécher le linge et où les enfants pouvaient jouer. Pourvu d'une sorte d'auvent entre la porte de derrière, les cabinets et la réserve à charbon, ce genre d'habitations était très convoité et seuls les obtenaient ceux qui bénéficiaient de revenus réguliers. Des employés des postes ou des chemins de fer, par exemple.

Avon, terme presque magique, était souvent employé à Bristol. Peu importait à un entrepreneur que, pour jouir d'une vue sur la rivière, il fallait pouvoir grimper sur un toit et qu'en fait, en général, on ne distinguait que le mur aveugle d'un entrepôt.

Magnus réfléchit. Ce dont il était certain, parfois, prenait une tournure tout à fait différente de ce qu'il attendait. Il savait à présent qu'il perdait facilement son sang-froid et que, une fois mis en colère, tout devenait un peu confus. Ensuite, quand on lui parlait de ses réactions, des remontrances, ou même des punitions reçues, il croyait rêver.

Il lutta pour garder les idées claires. Oui, il s'était senti furieux de ne pas trouver la fille qui l'intéressait avec ses camarades. Peut-être, alors, n'avait-il pas très bien écouté ce qu'on lui avait dit. Une situation ? Peut-être que cette vieille taupe avait dit qu'elle en cherchait une ? Des parents des Reeve pouvaient parfaitement habiter dans ce genre de maisons.

— Attendez, ordonna-t-il.

Il changea de mode d'interrogatoire. Dans des bicoques comme ça, on n'avait sûrement pas de domestique.

— Mademoiselle Hannah Reeve habite-t-elle là ?

— Non. Non, je suis désolé.

— Non, je n'ai jamais entendu parler d'elle.

Une femme, pleine de bonne volonté, entendant la diction recherchée, à la vue du costume du jeune homme et de la voiture, expliqua qu'il existait une autre Avonmouth Terrace. Là-bas, de l'autre côté.

— Je sais. J'en viens.

La nuit tombait vite dans cette rue humble, obscurcie par les entrepôts et quand Magnus eut posé neuf fois la même question, les portes s'ouvrirent sur des intérieurs où l'on avait déjà allumé les lampes et l'odeur de la cuisine, oignons et harengs, lui rappela qu'il n'avait pas déjeuné. Il avait passé la nuit et pris son petit déjeuner dans une auberge en cours de route, puis sans débotter avait atteint Bristol et s'était mis en chasse. A présent, la faim venait s'ajouter à la déception. Le joli rêve qu'il avait fait, arrachant Hannah à la servitude, la ramenant à son hôtel, commandant un souper fin avec du vin — toujours utile pour séduire une fille — commençait à s'estomper. Au douzième échec il revint à sa voiture de fort mauvaise humeur.

— Cette vieille garce s'est foutue de moi, dit-il, se souciant peu que le cocher le comprenne ou non.

— Vous cherchez quelqu'un, monsieur ?

Question superflue car, pour quelle raison ce jeune dandy aurait-il sonné à douze portes pour demander la même chose ? Les maisons étaient tellement étroites qu'on entendait pratiquement aussi bien au numéro douze qu'au numéro un.

— Oui.

Ce qui lui servait d'intelligence réagit juste au moment où il allait répondre : « Ma sœur » et inventer une fable expliquant qu'elle s'était enfuie. Puis, il songea qu'il s'appelait Copsey et qu'il cherchait une certaine Hannah Reeve. Il ne pouvait donc chercher une sœur qu'en renonçant à sa propre identité. Alors, quoi dire ? Son manque d'imagination ne lui fournit qu'une réponse. La vérité. Pourquoi pas ?

— Une fille de notre village. Elle s'est enfuie... Et je suis *certain* que cette vieille garce a parlé d'Avonmouth Terrace.

Quoiqu'égocentrique, sa détresse était réelle de même que son désarroi. Il ne savait plus quoi faire. Mais ce ne fut nullement la sympathie qui provoqua la proposition du cocher, désireux de soustraire le maximum d'argent à un jeune provincial idiot, habillé en dandy.

— C'est un nom fréquent par ici, monsieur.

— Quoi, Hannah Reeve ?

— Non, Avonmouth... rue, avenue, boulevard. Je pourrais vous en citer une demi-douzaine. Davantage, si vous comptez les grandes maisons. J'ai une proposition à vous faire, monsieur. Vous me retenez pour demain ? Disons une livre pour la tournée.

— Entendu.

— Avec un petit quelque chose à manger pour moi et le bourrin.

Autant profiter de l'occasion et garder en réserve une autre proposition...

Le cheval eut une bonne journée, le lendemain. Pas de précipitation.

Il ne fallait tout de même pas passer d'un endroit à l'autre le plus vite possible. Juste une promenade à travers la ville, avec des haltes fréquentes, une bonne portion d'avoine.

A la fin d'une journée de chasse bredouille — et le cocher était un homme fort ingénieux — il tâta le terrain.

— Quel genre de fille c'est cette Hannah Reeve, monsieur ?

— Jolie. Très jolie.

— Eh bien, monsieur, sans vouloir manquer de respect, la personne qui vous a donné l'adresse a peut-être pas bien compris. Et, une jeune fille venant de la campagne, une jolie fille, peut avoir été dans un autre endroit.

Même le cerveau obtus de Magnus comprit l'allusion.

— Non. C'est une jeune fille très convenable, très bien élevée.

— Ça se peut. Mais si elle débarque de la campagne on a pu l'enlever. J'ai des exemples. De pauvres jeunes filles innocentes. Plus elles sont jeunes, mieux c'est.

Il avait eu le temps de juger son client. Sans Copsi derrière lui, Magnus perdait de sa stature. Il n'était plus qu'un jeune homme avec beaucoup d'argent et une seule idée en tête. Une proie toute désignée.

— Je connais toutes les maisons et toutes les tenancières en bas, vers Tiger Bay. Mais c'est encore un peu tôt. Vous et moi et mon bourrin, on s'offre un petit souper et on se repose un coup et on recommence la tournée. Ça sera deux livres. Le travail de nuit, c'est toujours plus cher.

Il ne s'était pas vanté en déclarant connaître toutes les maisons de tolérance — à moins qu'on en ait ouvert une au cours de la nuit — et, si ses calculs étaient exacts, son jeune dandy retrouverait son Hannah Reeve quelque part ou, mieux encore, il l'oublierait, s'offrirait une professionnelle, dépenserait beaucoup de bon argent pour du mauvais champagne et le cocher toucherait sa part.

L'homme sous-estimait l'importance que Magnus Copsey s'attribuait et son obstination à obtenir ce qu'il voulait. Ce soir-là, les maisons de tolérance de Bristol se souvinrent de la visite d'un client qui ne voulait pas de la marchandise offerte — Dommage, parce qu'il avait évidemment de l'argent. Il avait, de nouveau, changé sa question : « Avez-vous une Hannah Reeve, ici ? » pour recevoir partout la même réponse : « Non ». Il tenait à s'en assurer lui-même. Les lubies des clients ne se comptent plus dans ce genre d'établissement et on laissait faire, au début, avant de se montrer hostile quand on comprenait qu'il ne voulait que regarder et refusait même de boire en passant l'inspection. Une tenancière, persuadée qu'un homme refusant un verre était déjà ivre, décida de lui jouer un tour.

— Hannah Reeve, répéta-t-elle, songeuse. Vous savez, il y a des filles qui changent de nom comme de robe. A quoi elle ressemble, cette jeune dame que vous cherchez ? Jolie sans doute ?

— Oui. Très jolie.

— Grande ou petite ?

— Petite.

— Brune ou blonde ?

— Oh ! Blonde. Très blonde. Beaucoup de cheveux, blond argent.

— Vous restez ici, monsieur. Prenez un verre en attendant. C'est offert par la maison.

— Je vous l'ai dit. Je ne veux rien boire.

C'était une femme corpulente, mais elle gravit l'escalier avec une célérité remarquable.

— Toi, Fanny, dit-elle, choisissant une fille qui correspondait à peu près à la description qui venait de lui être faite. Il y a un client, en bas, très saoul et qui cherche une fille. Pour cette nuit, tu t'appelles Hannah Reeve. Tu piges ? Hannah Reeve.

— Et comment il s'appelle, lui ?

— Contente-toi de l'appeler chéri. Aie l'air contente de le voir. Montre-lui un lit et il s'endort illico.

La mission semblait facile.

La patronne avait fait un bon choix. Dans l'établissement, délibérément mal éclairé et à une certaine distance, la fille ressemblait à Hannah, mais quand elle s'approcha en souriant, l'appelant « chéri » et proclamant son plaisir de le revoir, la tromperie sautait aux yeux. Il l'empoigna par les cheveux, la soulevant de terre, la secouant.

— Salope ! Ignoble putain !

On tolérait certaines brutalités, mais il y avait des limites. Non seulement la douleur était insupportable, mais la fille sentait ses cheveux, auxquels elle tenait tant, se détacher de son crâne. Elle se mit à hurler et l'homme, toujours à portée de voix pendant les heures de travail et dont la devise était : « Agir d'abord. Poser des questions ensuite », se précipita et d'un simple direct à la mâchoire, assomma le forcené.

— Remonte, Fanny, ordonna la tenancière apparue, elle aussi. Tu as joué ton rôle. Tu auras ta part.

La prise était bonne. Cinquante livres au moins, une chevalière en or massif, une montre en or et sa chaîne.

— L'endroit habituel, décida la patronne. Mais flanque-lui un gnon sur le crâne de façon qu'il ait l'air d'avoir été attaqué par derrière.

'

L E cocher de Magnus attendit longtemps. Son cheval lesté de deux généreux picotins s'endormit. Son maître somnola par intermittence. Quelqu'un l'arracha à ses rêves, à un moment, pour lui ordonner de déplacer son véhicule afin de laisser passer une voiture aux rideaux baissés. Lui aussi avait, chose exceptionnelle, bien mangé ce jour-là et bu une bonne quantité de bière brune, sa boisson favorite. Il somnolait donc et ce fut le froid des premières heures de l'aube d'un automne précoce qui le réveilla totalement. Il avait perdu quelque chose! Oui, son client. Sans doute quand on lui avait fait changer sa voiture de place, ou peut-être pendant qu'il piquait du nez, son client peu ordinaire avait, soit trouvé ce qu'il cherchait soit tenté sa chance dans une autre maison. Laquelle? Allez savoir? Le quartier en fourmillait, on racontait même que certains établissements étaient reliés par des passages secrets par lesquels on faisait venir, une rousse, une Française, ou une mulâtresse manquant sur place.

Quoi qu'il en fût, le cocher n'y pouvait rien et il prit sa perte avec philosophie. Il avait touché une livre pour sa journée de travail, deux bons repas pour lui-même et son cheval. Inutile de ronchonner. D'ailleurs qui l'aurait entendu, à part son cheval?... Aussi se contenta-t-il de dire : « Allez, mon vieux, on rentre. » Le tout accompagné d'un vigoureux claquement de fouet.

M AGNUS se réveilla là où on l'avait laissé tomber, une allée étroite et malodorante entre une rangée de barrières et une tannerie. Les idées se bousculaient dans sa tête. Il ne se souvenait pas s'être enivré, être tombé ou avoir eu une crise de colère, quoi que ce soit qui pût expliquer ce mal de tête, ce malaise général. Il se mit debout en s'accrochant à la barrière. Le jour pointait. C'était le matin. Quelle heure? Il chercha sa montre, ne la trouva pas. Son argent! Disparu. Quelle poisse! L'allée oscilla un peu, puis se stabilisa. Ses idées reprirent leur cours normal également, c'est-à-dire qu'elles se fixèrent sur ce qui le préoccupait : Hannah Reeve. D'autres faits, se rapportant à ce nom, lui revinrent en mémoire. La chasse stérile de la veille se terminant par la rencontre avec cette fille qui ressemblait à Hannah, sans être elle. Il se souvenait avoir été déçu et furieux. Mais, ensuite, plus rien. Cependant, il se rappelait qui il était, où il était et pourquoi, et le nom de l'hôtel où il était descendu.

L'impasse débouchait dans une petite rue qui, elle-même, donnait sur un carrefour que traversaient déjà quelques passants.

— Quel chemin faut-il prendre pour aller au « Cygne » ? demanda-t-il à un garçon pâle et maigre qui descendait un auvent devant une boutique.

Le garçon le lui indiqua, songeur : « Quelle fête il avait dû faire le veinard ! ».

Magnus avait l'impression de traîner avec lui la puanteur de la ruelle. Il avait dû passer la nuit dans le ruisseau. Peu importait, il avait une valise et des vêtements propres à l'hôtel. La perte de ses affaires ne le tracassait pas outre mesure. Jamais il n'avait manqué d'argent et, de ce fait, lui accordait peu de valeur.

Au « Cygne » aussi, la vie commençait. Une vieille femme lavait par terre, un jeune portier fourbissait des cuivres. C'est à ce dernier que Magnus s'adressa.

— J'ai été agressé et volé. Je veux un bain. Je veux du café. Je veux mon petit déjeuner.

Ni alors, ni plus tard, on ne le plaignit. Les jeunes gentilshommes qui allaient étaler leur richesse dans les bas quartiers de la ville cherchaient des ennuis et en avaient, en général.

La chambre qu'on lui avait attribuée avait, autrefois, fait partie du grenier et l'hôtel avait de nombreux étages. Baigné, habillé de frais et son petit déjeuner avalé, Magnus alla à la fenêtre et regarda la vue que, dans sa hâte, il avait totalement négligée. A présent, les dimensions de la ville l'impressionnèrent, n'évoquant ni respect, ni admiration mais du dégoût. Chercher une fille dans un endroit pareil? Sans espoir! Une seule chose à faire, retourner à Copsi et tirer la vérité de ses parents. Ils devaient savoir. Il aurait dû y penser avant de se mettre en route.

Mais, pour retourner chez lui, il lui fallait de l'argent. Eh bien, il en emprunterait.

Il fut sincèrement choqué quand l'hôtelier, servile, mais déterminé répondit à sa demande : « Je veux cinquante livres », en prétendant qu'il avait pour règle de ne jamais prêter d'argent. Grotesque!

— Et pourquoi cela? Ma parole ne vous suffit pas? Je suis Magnus Copsey.

— Ça ferait mauvais effet, monsieur.

L'hôtelier déplorait davantage que l'incident fût arrivé à l'un de ses clients, ils n'étaient que trop fréquents et donnaient mauvaise réputation à la ville. Il déplorait l'incident en soi, mais ne plaignait pas la victime. Il n'était pas inquiet non plus quant à l'argent que le jeune homme lui devait. Ce jeune crétin avait un cheval valant au moins quatre-vingts guinées et un bon cabriolet qu'il vendrait facilement cinquante guinées en sous-main. Dès l'instant où il avait appris la mésaventure de son client, il les avait mis tous deux sous bonne garde. La loi se montrait sévère avec les hôteliers, tenus pour responsables des animaux, véhicules et bagages confiés à leurs soins. Mais, dans un cas comme celui-là, même la loi serait de son côté. Il vaudrait cependant mieux éviter d'en venir là et il suggéra de s'adresser à une banque.

— Quel est le nom de votre banque, monsieur?

— Spear's, répondit Magnus après un moment de réflexion.

L'hésitation et le fait que l'hôtelier n'avait jamais entendu ce nom augmentèrent ses soupçons. Il y avait des hommes que l'on assommait pour les dépouiller, ce qui ne plaidait pas en faveur du nouveau système policier, mais il y avait aussi des escrocs, des gens bien habillés, s'exprimant avec élégance et avec des manières de grands seigneurs, comme celui-là.

— Il n'y a pas de succursale de la banque Spear's à Bristol, monsieur.

— Peut-être. Il n'y en avait pas à Naples non plus. Mais je touchais quand même mon argent.

Sûr de soi, mais à pied, parce qu'il n'avait pas les moyens de louer une voiture pour dix minutes, Magnus visita quatre banques. La vieille formule tellement employée *Je veux* fit son effet dans la mesure où cela s'arrêta à « Je veux voir le directeur ». Celui-ci le reçut, mais n'obtempéra pas, cet âne bâté, quand il précisa : « Je veux cinquante livres. » Dans cette ville étrangère, barbare, le nom de Copsey ne voulait rien dire et celui de Spear's très peu. Et quand, fort mécontent, il déclara qu'à Rome, qu'à Naples, même au Caire, il avait pu toucher tout l'argent qu'il voulait, on lui répondit : « Oui, par entente préalable », ou des niaiseries du genre : « Attendre trois jours l'échange de lettres de crédit. »

Il songea, alors, que Garnet se chargeait toujours de ce genre d'opérations pour lesquelles on le payait. Il aurait beaucoup donné pour l'avoir sous la main. Mais il était seul, dépouillé, sans un sou, repoussé de partout. Il lui restait cependant son cheval, son cabriolet et son intelligence qu'il estimait hautement. Il retourna au « Cygne » et proposa un marché propre à satisfaire les deux parties.

— Voyez-vous, dit-il au patron, j'ai pensé avoir besoin de cinquante livres, mais je me contenterai de moins.

Il avait demandé ces cinquante livres parce que c'était une bonne somme bien nette et à peu près l'équivalent de ce qu'on lui avait volé. Mais vingt suffiraient certainement au prix d'une chaise de poste et à couvrir des frais de logement dans une auberge.

— Je veux vingt livres, pour rentrer chez moi, expliqua-t-il non sans peine. Vous gardez mon cheval et ma voiture, en gages. Pour ce que je vous dois et les vingt livres que vous me prêterez. Dès que je serai chez moi, j'enverrai quelqu'un vous payer ma note et rembourser les vingt livres. D'accord ?

— Non. Le cheval, il faut le nourrir et la voiture, elle prend de la place. Disons une livre par jour. Et je veux ça par écrit, monsieur.

MAGNUS voyagea de jour, comme de nuit, comme l'avait fait son père. Mais son but à lui n'était pas de revoir Copsi le plus vite possible. Si tout allait comme il le souhaitait, il s'arrêterait tout d'abord chez les Reeve. Il arriva à Wyck vers neuf heures du matin, passa chez un barbier, prit un rapide petit déjeuner et se rendit à la banque d'où il retira cent livres. Le reste dépendrait des renseignements qu'il obtiendrait de Mme Reeve ou de son mari. Sir Harald avait parlé de l'accident de celui-ci mais, comme toujours quand quelque chose ne le concernait pas directement, il l'avait aussitôt oublié. Il espérait presque que Mme Reeve lui confirmerait la présence d'Hannah à Bristol ; de sorte qu'il pourrait retourner au *Cygne* et rendre son argent à l'hôtelier. Il le jetterait par terre et le regarderait ramper pour le ramasser !

Hannah était en haut, procédant au ménage hebdomadaire et à fond des chambres. Elle se trouvait dans sa charmante chambre personnelle où le canapé avait remplacé son lit. L'un des derniers travaux de Jerry Flordon à Reffolds avait été de monter ce canapé, gêné plutôt qu'aidé par Sam. Lorsqu'il avait été à sa place, il avait constaté qu'il ne serait pas très confortable et serait mieux sans son dossier rembourré et le bout recourbé.

— Je vais le retirer, si vous le désirez. Cela vous donnera au moins trois centimètres de plus en largeur et sept en longueur.

— Je ne pense pas que cela plairait à ma mère. Il va avec les autres meubles du salon.

— Quand on vous rendra votre lit, je remonterai le tout.

Mais il pensa que la jeune fille ne retrouverait l'usage de son lit que lorsque John Reeve serait emmené au cimetière. On ne pouvait penser qu'il s'agissait d'un engourdissement passager d'un état qui durait depuis plus de quatre jours.

— ... Je suis bon ébéniste, ajouta-t-il.

— Entendu, alors. Ce sera mieux.

Ce samedi matin-là, Hannah se pencha par sa fenêtre pour secouer un chiffon. Puis, elle se précipita au rez-de-chaussée, dans la cuisine où sa mère étalait de la pâte destinée à faire une tarte aux pommes.

— C'est Magnus Copsey ! Il vient ici. Maman, ne lui dis pas que je suis ici. Je t'en prie. Il me fait tellement peur.

Elle avait indiscutablement l'air effrayé.

— Je m'occupe de lui, déclara Martha, l'air sombre.

Elle ôta son tablier, s'en servit pour s'essuyer les mains. Puis, elle se dirigea vers la porte d'entrée, l'ouvrit juste au moment où Magnus se demandait s'il allait y frapper ou passer par la porte de derrière. Il désirait plaire et savait se montrer aimable, quand il le souhaitait.

— Bonjour, monsieur Copsey, le salua Martha de son air le plus digne. Vous êtes venu prendre des nouvelles de mon mari ? C'est très aimable à vous. Malheureusement, je ne peux pas vous inviter à entrer. Mon mari, qui a eu une très mauvaise nuit, dort en ce moment.

Elle ne l'avait pas vu de près depuis son enfance. Sir Harald donnait une réception pour tous ses fermiers à Noël et, jusqu'à la mort de Johnny, elle y avait assisté tout en souffrant d'être mise au rang des autres paysans. Sir Harald avait des idées archaïques concernant ces fêtes offertes à ses fermiers. La bière coulait à flots pour les hommes qui, vite un peu ivres, se livraient à des plaisanteries grossières et les femmes n'avaient aucune conversation, sauf en ce qui concernait leurs enfants. Elle avait parlé d'enfants, jusqu'à ce que la mort, lui dérobant le sien, en ait fait une recluse.

Elle fut surprise de constater que Magnus Copsey était devenu un jeune homme séduisant. Un peu comme... non, le moment n'était pas venu de penser à Johnny et à ce qu'il serait devenu s'il avait vécu.

— Oui, dit Magnus, je suis navré au sujet de votre mari, madame Reeve. J'espère qu'il sera bientôt sur pied. Mais ce que je veux savoir...

Son visage changea brusquement, comme un nuage obscurcissant le soleil, un jour d'été et transformant tout un paysage, en quelques secondes.

— ... C'est où est Hannah?

Elle eut honte d'elle-même, de se sentir effrayée, après être restée si longtemps certaine qu'elle n'éprouverait plus aucune émotion, ni joie, ni tristesse, ni peur. Mais là, elle avait peur en pensant à l'isolement de Reffolds, qu'elle était seule avec une fille terrifiée et un mari infirme. Sam était parti au moulin, une de ces missions assez simples pour qu'on puisse les lui confier. Tout pouvait arriver...

Mais sa peur ne se vit pas. Elle soutint son regard dément.

— En quoi les mouvements de ma fille peuvent-ils vous intéresser?

Oh, elle avait décidé d'être désagréable. Il le serait aussi.

— C'est mon affaire.

— Au contraire, c'est la mienne. Hannah est très jeune, elle n'a pas encore seize ans. Toutes relations que vous voulez avoir avec elle, monsieur Copsey, me regardent.

Il fallut plusieurs secondes à son esprit lent pour trouver une réplique.

— Je veux lui parler.

— J'ai compris d'après l'attitude de ma fille, d'une part chez Mme Wentworth, d'autre part à son école, qu'elle ne souhaitait pas s'entretenir avec vous. Dans ce cas, il faut savoir respecter les désirs d'une jeune fille...

— Je n'en ai pas encore eu l'occasion. Mais je veux lui parler. Je lui parlerai.

Il regarda la maison et les craintes de Mme Reeve s'accentuèrent. Il était parfaitement capable d'y entrer et elle ne pourrait pas davantage l'en empêcher que s'il s'agissait d'un taureau furieux. Le calmer!

— Alors, il vous faudra attendre qu'elle revienne. Et, à ce moment, vous lui parlerez, mais en ma présence.

— Où est-elle?

— Je ne sais pas exactement.

— Inutile de me mentir.

Elle préféra ne pas relever cette impolitesse.

— Hannah a une tante qui a jugé le moment venu qu'elle fasse la connaissance de quelques parents éloignés. Et, quand je dis que j'ignore où elle se trouve en ce moment, c'est la vérité. Ils sont partis pour Radmouth par mer et, s'ils sont partis vers le nord pour Hull, ou au sud, pour Londres, dépend du premier bateau.

Elle avait parlé avec calme, intelligence et conviction.

— Quand rentrera-t-elle ?

— Vraisemblablement pas avant Noël.

Il la crut. Elle vit l'expression de déception boudeuse, enfantine, remplacer le regard furieux.

— D'abord, ça a été Bristol. Maintenant c'est Hull ou Londres.

— Bristol fait partie de l'itinéraire, mais ce sera l'une des dernières étapes.

— Nom de Dieu !

Sur ce salut, il fit opérer une volte-face à son cheval, l'éperonna brutalement et partit au galop.

Dieu merci, le salon ne possédait plus qu'une fenêtre. On en avait muré une, la plus petite, quand on avait appliqué l'impôt sur les fenêtres. Elle espérait pouvoir retourner dans sa cuisine, retrouver son sang-froid, mais John l'appela.

— Martha !

Elle ouvrit la porte du salon.

— ... Qu'est-ce que c'était ? J'ai entendu un cheval.

— Quelqu'un qui cherchait « Le nid de l'écureuil » et que l'on avait mal dirigé. Tu vas bien ?

Il savait ce que signifiait cette question : avait-il besoin de la bouteille détestée, du bassin encore plus détesté.

— Oui, je suis bien.

— Bon, alors, je retourne m'occuper de ma tarte.

Avant, il comptait les heures. A présent, c'était les jours. Déjà, le second Dimanche. Bientôt, cela ferait quinze jours ! Et Sam pire qu'inutile et toute cette humiliation retombait sur Martha. Il faisait de son mieux, mangeant et buvant le moins possible, s'il pouvait le faire sans qu'on le remarque, il renversait le contenu de sa tasse de thé dans l'un des pots de plantes vertes ornant le rebord de la fenêtre.

Il possédait un fusil, comme tous les fermiers. S'ils n'étaient pas autorisés à tuer du gibier, du moins pouvaient-ils tuer des animaux nuisibles comme des pigeons ou des lapins. Son fusil était à la place qu'il avait toujours occupée, derrière la porte de la cuisine et, après chaque séance humiliante il pensait que, s'il pouvait mettre la main dessus ou se le faire apporter, il se ferait sauter la cervelle. Vivant, il était inutile, juste une charge déplaisante. Mort, quelques clauses mises à part, naufrage ou suicide — et il donnerait à cela l'aspect d'un accident — il vaudrait deux cents livres versées par la Compagnie d'assurance *le Pelican*.

Il avait fait une tentative pour mettre la main sur son arme, prétendant qu'il voulait la nettoyer et Martha avait répondu l'avoir prêtée à Blount, « Au bout du Marais ». Il ne l'avait pas crue pas plus qu'il ne la croyait quand elle prétendait ne voir aucun inconvénient à vider le bassin. C'était tout de même curieux, mais parce que vous avez perdu l'usage de vos jambes, les gens pensaient que vous avez également perdu la raison !

HANNAH n'était pas dans la cuisine, mais, au bout d'une minute ou deux, la porte de la resserre s'ouvrit et elle passa la tête par l'entrebâillement.

— Est-il parti ?

— Oui. J'ai réussi à lui faire avaler une histoire. Je n'ai fait que gagner un peu de temps. Peut-être assez pour qu'il oublie cette idée fixe. On peut toujours l'espérer. Je le crois fou. Je crois qu'il peut être dangereux. Et, ma pauvre fille, je t'ai condamnée à te cacher dans la maison jusqu'à Noël. Tu vois, je lui ai dit que...

Elle donna les détails et Hannah répéta qu'elle n'avait rien fait qui justifie une telle persécution.

— Je te crois. En fait, c'est la base de tout. Il a une telle habitude d'obtenir tout ce qu'il veut que ce qu'il ne peut avoir immédiatement acquiert aussitôt une valeur spéciale... Cependant, je suis d'avis qu'il serait bon que tu ailles voir ta tante Hannah, pour quelque temps. Sam peut bavarder. Et, à Radmouth, tu pourrais sortir.

C'était une remarquable volte-face de la part de sa mère. Pendant longtemps, une sorte de mystère avait entouré la sœur de son père dont on lui avait donné le nom. Les gens, à la campagne, parlant des enfants, disaient, les petits pots ont de grandes oreilles. Hannah avait été un pot minuscule avec de très grandes oreilles et une curiosité dévorante qui avait fort peu de chose à se mettre sous la dent, les adultes ayant la détestable habitude d'interrompre une conversation, même une querelle, à l'arrivée d'un enfant. Tante Hannah, à une certaine époque, était venue passer une semaine chaque année au mois de juin à Reffolds. Elle avait de jolies robes et sentait toujours très bon. Elle apportait des cadeaux — la plupart des jouets d'Hannah, sa poupée et son berceau, un service à thé miniature lui avaient été donnés par elle — Pour papa c'était du tabac et des choses à boire. Pour maman des livres ou des pièces d'étoffe pour faire des robes.

Puis il y avait eu une terrible querelle. Personne n'avait crié, mais on s'était quand même disputé.

« Tellement injuste pour John », avait dit tante Hannah, et « Jeune » et « Encore le temps d'en avoir une demi-douzaine si tu prenais sur toi. » Maman avait été s'enfermer dans sa chambre et n'avait pas voulu manger. Papa avait dit : « Pas le droit de lui parler comme ça. Tu n'as jamais eu d'enfant. »

Après cela, tante Hannah n'était plus revenue. Et puis l'oncle Frank, au cours d'une de ses rares visites, avait expliqué qu'Hannah devenait aveugle. Pas complètement, elle commençait... Maman, naturellement, avait réagi avec beaucoup de correction. Elle avait déclaré : « Hannah et moi, nous sommes très différentes... sous bien des rapports. Mais, aveugle ! John, tu dois lui écrire et lui offrir de venir habiter ici.

— Nous l'avons fait, dès que nous l'avons appris, avait répondu l'oncle Frank. Mais elle est très bien installée. Oui, ils se sont montrés très bien avec elle... Une jolie petite maison, d'après ce que j'ai compris, et quelqu'un pour s'occuper d'elle. Et elle n'est pas aveugle au point de ne pas écrire, ni faire sa dentelle.

ET voilà que maman suggérait qu'elle aille la voir.

    — Tu aimeras cela, n'est-ce pas ?

C'était la première fois que l'on demandait son avis à Hannah et elle n'avait pas l'habitude de prendre de décision. Elle en avait pris une dans la grange des Wentworth, mais c'était autre chose. Purement personnel. Et quel résultat ! Ce qu'elle aurait surtout voulu c'était retourner au collège et ne plus être ennuyée. Comme beaucoup d'enfants dont la vie à la maison n'était pas très heureuse, elle avait aimé l'école. Mais Mademoiselle Drayton ne voudrait pas la reprendre, à présent. Et maman avait peur, elle aussi, c'était visible. Elle souhaitait la voir s'éloigner.

— C'est peut-être mieux, dit-elle à contrecœur. Mais comment irai-je sans qu'il le sache ? Jerry m'a amenée ici sans problème... mais il n'a pas cessé de surveiller l'école ensuite. Il peut surveiller la maison. Maintenant.

— Je ne le crois pas. Je lui ai expliqué... il a paru accepter... Mais, évidemment, on ne peut jamais savoir avec quelqu'un d'aussi dérangé. Et dire qu'on est en Angleterre ! Un pays libre. On se croirait au Moyen Age, ou au milieu de l'Afrique. Ton père a parlé au sien — et c'est un magistrat ! Il faudrait changer la loi. Il aurait fallu faire quelque chose quand il a tiré sur le jeune Bateman. Cela n'aurait pas manqué s'il s'était agi de quelqu'un d'autre... Cesse de pleurer. Ton père s'en rendra compte. Il ne faut pas l'inquiéter. Ce serait le comble.

Elle souleva le couvercle d'une casserole.

— ... Quand les pommes de terre seront bien cuites, tu les réduiras en purée et tu ajouteras un morceau de beurre. J'ai une idée. Je me débrouillerai.

Mais, ce soir-là, avant d'allumer la lampe, dans le salon, ou la chandelle dans la cuisine, elle tira les rideaux. Dans une pièce éclairée, les gens étaient de trop belles cibles.

Plus tard, le dîner terminé, la bouteille utilisée — Hannah envoyée dans sa chambre évidemment auparavant — Martha s'efforçant de parler avec chaleur exposa son projet d'envoyer leur fille à Radmouth, appuyant sur les avantages, ignorant presque la véritable raison.

— C'est tellement triste pour elle d'être confinée dans la maison sans rien à faire. Hannah n'est pas une femme avec laquelle on s'ennuie.

Il sentait le besoin de s'opposer à elle, de temps en temps. Il l'aimait toujours, se fiait totalement à elle et lui était reconnaissant, mais, à moins de s'affirmer un peu, il deviendrait comme un enfant, ou comme une des plantes du bord de la fenêtre, bien soignées, mais sans importance.

— Si mes souvenirs sont exacts c'est justement parce qu'Hannah aimait la compagnie que nous nous sommes fâchés.

— Oh ! tout ça c'est terminé à présent.

— Je préférerais qu'elle aille chez Frank.

Il s'en fallut de peu que Martha ne réplique, comme elle l'aurait fait autrefois. « Eh bien, moi je ne veux pas ! » Frank, comme John, était un brave homme, mais il avait épousé une femme qui, si jamais elle avait su ce qu'était la simple propreté, y avait renoncé devant les difficultés, un mari sans soin, trois garçons grossiers. La maison était empuentie d'odeurs pénibles où dominaient celles du fumier et de pieds malpropres.

— Ils n'ont pas beaucoup de place.

— Hester peut enlever ses poules couveuses de la grande salle.

— Et c'est encore plus isolé qu'ici.

Là, il avait fait sa petite démonstration d'indépendance.

— Bon, si tu penses qu'Hannah voudra la recevoir et si tu juges que cela vaut mieux.

— Je vais lui écrire, m'excuser et lui demander son aide dans une situation difficile.

— Et comment vas-tu faire pour la faire sortir d'ici ?

— Je trouverai le moyen.

— Oui. Et tu me le raconteras plus tard quand tout sera arrangé ! Je ne compte plus ! Bon Dieu ! Je sais l'erreur que j'ai faite ! Quand j'ai reçu la lettre de la petite, je n'aurais pas dû aller parler à Sir Harald. J'aurais dû prendre mon fusil, attendre et abattre ce petit salaud dès qu'il aurait commencé à l'embêter !

— Et on t'aurait pendu.

— J'aurais été bien content.

— John, tu ne devrais pas dire des choses comme ça. Ça ne fait pas quinze jours que tu es couché. Si tu avais eu la variole tu...

Il s'interrompit brusquement.

— Je serais guéri ou mort. Et si tu as prêté mon fusil à Blount tu le lui réclames, que je voie un peu comment il l'a entretenu. Tu sais comment sont les gens avec les choses qu'ils empruntent.

— Il faut attendre que je puisse aller le chercher moi-même. Tu connais Sam. Il reviendrait avec un moule à cake.

Elle réussit à sourire. Et parfois, ça fait mal de sourire.

VOILA, dit Martha en se reculant, il pourrait être dans la même voiture que toi et ne pas te reconnaître.

Elle avait pu déguiser sa fille parce que la grand-mère Reeve, dans la mesure où les moyens de son mari le lui permettaient, avait adoré la toilette. Et John Reeve était un sentimental, attaché au passé et aux affaires personnelles, Martha avait utilisé l'un des côtés de la grande armoire de la chambre du grand-père comme armoire à linge, gardant de l'autre côté, bien protégés des mites beaucoup de vêtements impossibles à donner à des pauvres et qu'il aurait été criminel de brûler. Parmi ceux-ci se trouvait un chapeau à capote, article n'ayant été à la mode que fort peu de temps, parce que le rebord très important dissimulait presque totalement les traits, le visage de celles qui le portaient se devinant comme une masse confuse au fond d'un tunnel. A l'époque, il avait été unique en son genre dans les deux Copsi et, envieuses, les autres femmes l'avaient baptisé « la pelle à charbon » de Mme Reeve. Celle-ci avait possédé également quelque chose de plus pratique : un long et volumineux manteau chaudement doublé de lapin que justifiait un départ aux premières heures glacées de la journée.

— Je te conduis jusqu'au croisement du Gibet et si la première voiture est à l'heure, je te mettrai dedans. Si elle a du retard, il faudra que je te laisse. Je ne peux pas m'absenter plus d'une heure. Sam est tellement stupide ! Que ne donnerais-je pour revoir Jerry Flordon — ou quelqu'un dans son genre — quelqu'un avec un peu de jugeote. Mais ils sont tous employés ailleurs. Peu importe. Nous nous débrouillerons. Et, j'en suis sûre, nos problèmes se résoudront avec le temps. Ce jeune écervelé s'entichera de quelqu'un d'autre et ton père ira mieux... ou se résignera.

JOHN REEVE n'alla pas mieux et ne se résigna pas. Il se tourmentait au sujet des travaux de la ferme, harcelant sa femme pour trouver un commis plus utile que cet idiot de Sam qui n'était même pas capable de tracer un sillon droit.

— John, j'ai essayé. Ce n'est plus comme autrefois où il n'y avait que la terre. Mais les garçons trouvent du travail au port, à présent.

— Pas de blé d'hiver, cette année, grognait-il. C'est la ruine qui nous attend.

Martha le savait — elle y songeait chaque nuit mais elle parvint à répondre d'un ton enjoué.

— C'est un peu tôt pour parler de ruine, mon chéri. J'ai deux veaux prêts pour le marché et la grosse truie blanche a dix petits. On se débrouillera jusqu'à ta guérison.

Il y avait des moments où, malgré son amour pour elle, sa gratitude, il l'aurait tuée. Tuée !

— Tu n'as pas récupéré mon fusil, dis donc ?

— Non. J'ai oublié de te le dire ? Blount m'en a offert trois livres. Et comme c'était un vieux fusil et que tu n'en as pas besoin en ce moment...

Elle ne lui en avait pas touché un mot !

AU château, Sir Harald eut une période d'espoir. Magnus était revenu de Bristol mettant sur le compte d'une perte au jeu la disparition de ce qu'il avait au départ. Il ne parla pas d'Hannah Reeve. Il fallait, de toute évidence, faire diversion et les occasions ne manquaient pas avec la chasse et les festivités de Noël et du Jour de l'An. Magnus se comporta fort bien, dansa avec nombre de jeunes filles, jolies, sans grande beauté, même laides, mais jamais, hélas, ne parut s'intéresser à l'une d'elles.

Immédiatement après le Jour de l'An, le mauvais temps s'installa, pire qu'à l'accoutumée. De violentes chutes de neige bloquèrent routes et chemins. Pendant cinq jours d'affilée il fut impossible de se déplacer.

Sam Archer lui-même, loyal malgré sa stupidité, ne put venir travailler et Martha, si soignée et, comme toutes les citadines, si effarouchée devant la vache la plus paisible fut obligée de s'occuper du bétail. John aurait préféré qu'Hannah le fît à la place de sa mère, elle avait du sang de paysans dans les veines. Mais Hannah était à Radmouth.

HANNAH était à Radmouth chez la tante dont on lui avait donné le nom et, tout bien réfléchi, elle s'y sentait fort bien. Tante Hannah vivait de façon très confortable, dans une jolie maison douillette, tenue par une bonne d'un certain âge, très efficiente, que l'on appelait Minnie. Là, pour la première fois de sa vie, Hannah jouissait du luxe d'une chambre chauffée et de son petit déjeuner au lit. Tante Hannah, elle-même, était quelqu'un avec qui on ne s'ennuyait pas. Vieille, bien sûr, mais mince et droite, très bien habillée, extrêmement soignée et parfumée à ravir. Le seul détail révélant sa cécité de plus en plus prononcée était l'interdiction de déplacer quoi que ce soit chez elle. Si chaque objet restait à sa place habituelle, elle se débrouillait fort bien. Et son désir, touchant à l'obsession, de manger proprement. Pliant la serviette, concentrant ce qui lui restait de vision sur son corsage ou la nappe, près de son assiette.

— La perspective de devenir malpropre me fait horreur.

Elle avait demandé à Hannah de se décrire.

— Inutile d'être modeste, mon petit. Les Reeve ont toujours été séduisants et ta mère était très jolie.

— Eh bien, au collège, certaines de mes camarades disaient que je suis jolie (pour ce que cela m'a rapporté !). J'ai beaucoup de cheveux, couleur paille.

— Blond doré ou argenté me paraît une formule plus appropriée.

Tante Hannah avait l'art de dire des choses aimables.

— Et j'ai des yeux comme ceux de maman, mais avec des petits points... un peu comme ce Xérès, mais avec des taches claires ou sombres.

— Très joli ! Le teint ?

— Clair. Et je n'ai aucune marque, ni taches de rousseur.

— C'est préférable.

Minnie, à laquelle on demanda son avis, discrètement déclara : « Plutôt jolie. Mais rien en comparaison de madame quand elle était jeune ! »

Tante Hannah voulut également en savoir davantage au sujet de l'accident et se montra réellement émue.

— Je voudrais pouvoir me rendre utile, mais je me trouve dans une situation bizarre. Un ami très cher, pensant que devenir aveugle c'est être désarmé et devenir gâteux, s'est occupé de moi de façon à me protéger, selon lui. Cette maison tant que je serai de ce monde, toutes mes factures réglées par un notaire et une jolie petite rente pour Minnie si elle tient le coup... Aussi, je ne peux aider personne.

— Maman peut se débrouiller, je crois, dans une certaine mesure... Si seulement nous pouvions trouver un bon commis. (Si seulement Jerry Flordon n'avait pas estimé qu'ayant donné sa parole, il devait partir pour une saison de pêche !) Je peux travailler, moi aussi. Les vaches ne me font pas peur. J'ai appris à traire quand j'avais huit ans... Mais maman a voulu que je devienne gouvernante... Et j'aimais beaucoup l'école. Mais une gouvernante, ça ne gagne pas grand-chose n'est-ce pas ?

Pas davantage, songeait l'autre Hannah, que les apprenties couturières, en fait, elles *payaient* le privilège de se rendre aveugles dans des pièces sans air. Elle éprouvait, même à l'heure actuelle, une vague de reconnaissance pour le jeune homme qui l'avait à la fois sauvée et ruinée, en faisant une femme entretenue, l'installant en haut de cette pente fatale, comme aurait dit un moraliste. Elle admettait avoir eu de la chance, mais s'être également montrée intelligente. Elle n'avait pas trop mal réussi. Elle ne considérait pas sa cécité comme une punition. Ce n'était que le résultat des maux de têtes provoqués par les myriades de piqûres de son aiguille appliquée à faire des points pratiquement invisibles. Elle avait cédé, était devenue une pécheresse et sa cécité n'était venue qu'à l'âge où chacun souffre de mille maux. Elle s'était bien amusée et avait aidé beaucoup d'autres gens à s'amuser. A présent, si elle était presque aveugle, du moins avait-elle une vie très confortable et elle avait l'esprit assez vif pour s'intéresser à autre chose qu'à elle seule. On n'aurait pu en dire autant de beaucoup. En fait, elle avait appris à vivre avec le pire des maux humains — et à le traiter à la légère.

Lorsque, il le fallut bien, Hannah lui confia ses problèmes personnels, la vieille courtisane resta songeuse. De prime abord, cela lui rappelait son histoire personnelle, mais Hannah insista sur le fait que Magnus Copsey la terrifiait.

— Il est tellement violent. On raconte quantité d'histoires, mais une chose est certaine, il a cherché à tuer un garde-chasse, dans une crise de rage.

Tante Hannah ne manifesta pas d'émotion particulière. Tous les hommes avaient plus ou moins tendance à perdre leur sang-froid. Le temps passant, elle apprit à connaître Hannah et à la comprendre. Son intelligence ajoutée à la sensibilité particulière aux aveugles, lui fit conclure que la jeune fille était davantage désignée pour le rôle d'épouse que de maîtresse. Elle avait beaucoup du caractère de sa mère. Elle aurait voulu l'aider en lui donnant une dot, en vendant ses bijoux par exemple, mais cette seule perspective la déprimait. Certains d'entre eux avaient une réelle valeur sentimentale, tous étaient une preuve de succès. Oh, Hannah était très jeune et elle-même serait peut-être morte avant que le mariage s'impose ; un jour, elle ferait son testament et lèguerait ses trésors à Hannah.

MAGNUS se rendit à Reffolds, juste avant Noël.
— Hannah est-elle revenue ?
— Non, monsieur Copsey. Je ne l'attends qu'après Noël.
— Quel dommage. Nous donnons un bal et je voulais l'inviter.

Prétexte plausible, songea Martha. Mais au moins se montra-t-il poli et s'éloigna-t-il sans insister.

Il revint après Noël, de tout autre humeur.

— Sacré nom d'un chien ! Vous avez dit *après* Noël. Nous sommes *après* Noël ! Vous me mentez !

— Je n'ai pas l'habitude que l'on mette ma parole en doute, répliqua Martha de son air le plus digne. Mais, puisqu'il en est ainsi, entrez et voyez vous-même.

Nullement intimidé, il sauta à terre et fouilla la maison de fond en comble, y compris le grenier où l'on avait entreposé des pommes, la laiterie, la réserve, se parlant tout seul, visiblement fou. L'inspection s'arrêta dans le salon où John Reeve était couché. Là, il retrouva un vestige de politesse.

— Bonjour à vous, Reeve. Navré de voir que vous n'êtes pas encore sur pied. Espérons qu'avec le Nouvel An la chance viendra... pour nous tous. Mais il ne put s'empêcher d'ajouter : il faut que je regarde sous votre lit.

— Hannah n'est pas ici si c'est à elle que vous pensez, déclara John Reeve d'un ton raide.

Il commençait, depuis quelque temps, à reprocher à ce jeune garnement l'absence d'Hannah à un moment où elle aurait pu se rendre tellement utile, mais aussi son accident. A n'avoir rien d'autre à faire que tourner ses idées dans sa tête il en était arrivé à la conclusion que l'inquiétude qu'il se faisait pour elle l'avait rendu moins prudent, plus distrait. S'il n'avait songé qu'à son travail, il aurait conservé son équilibre et ne serait pas dans cet état.

— Alors, où est-elle ? demanda Magnus qui, après s'être agenouillé, se relevait.

— Comment le saurais-je ? Je ne compte plus. Pas plus que ces plantes sur le rebord de la fenêtre.

— Alors, j'espère que votre curiosité est satisfaite ? demanda, d'un ton fort désagréable, Mme Reeve qui l'attendait sur le seuil.

Le premier mouvement de Magnus fut de la frapper, de fermer d'un bon coup cette bouche qui se moquait de lui. Mais il lui vint une bien meilleure idée. Heureusement, il était intelligent, lui !

— Vous m'avez menti, cracha-t-il. Menti à moi. Eh bien vous vous en repentirez !

JOHN dormait dans le salon dont on laissait la porte ouverte. Martha dormait toujours dans la chambre qu'ils avaient partagée autrefois, laissant la porte ouverte.

— Appelle-moi, si tu as besoin de moi, mon chéri, j'entendrai.

Jamais jusque-là, il ne l'avait appelée. Mais cette nuit-là, il l'appela, angoissé.

— Martha ! Martha ! Viens vite !

Elle arriva, sans perdre une seconde, car elle était toujours prête. Elle gardait une chandelle allumée — de celles dont on se sert dans les nurseries — de façon qu'elle n'ait pas besoin de tâter dans l'obscurité, en cas de besoin. Sa robe de chambre était au pied de son lit, ses pantoufles par terre à côté. En quelques secondes, la chandelle à la main, elle fut au rez-de-chaussée et dans le salon. Elle avait eu le temps de penser : « Le miracle avait peut-être eu lieu ! » Mais ce n'était pas cela.

— Quelque chose brûle ! Tu ne sens pas ?

Effectivement, à présent, elle sentait une odeur de brûlé et elle se précipita dans la cuisine où elle avait laissé la lessive de la journée étendue devant le feu agonisant. Peut-être qu'une étincelle... Non, tout allait bien dans la cuisine rangée avec soin. L'odeur persistait, s'intensifiait et elle perçut une lueur, diffuse d'abord, puis plus intense. Elle ouvrit à la volée la porte de la cuisine. Dieu merci, ce n'était ni l'étable, ni la soue, mais la grange, de l'autre côté de la cour. Celle qui

abritait le foin destiné aux animaux pendant l'hiver. Rien à faire.
Impuissante et désespérée, elle contemplait le spectacle lorsque la
neige se mit à tomber, le meilleur allié d'une femme désarmée contre
un pareil ennemi. Elle regarda descendre le blanc manteau, sentit
l'odeur du feu se changer en celle de la cendre et retourna dans le
salon, un mensonge aux lèvres :

— J'avais laissé le petit bois vert un peu trop près du feu. Il n'y a pas
de mal. Mais quelle odeur !

Pauvre homme, inutile d'ajouter à ses tracas. Mais elle tremblait
presque de peur. « Vous vous en repentirez ! » ces mots ne cessaient de
résonner dans sa tête. Elle souhaitait être impartiale, mais la coïnci-
dence était trop flagrante. Elle le savait, le foin engrangé encore un peu
humide pouvait prendre feu spontanément, mais là ce n'était pas le cas.
Mis à part la perte et le dommage causé, c'était effrayant de penser que
quelqu'un, à plus forte raison un fou, rôdait silencieux, invisible, dans
l'obscurité. Elle se sentait à bout de nerfs, vulnérable. Il lui fallait se
confier à quelqu'un et à qui d'autre qu'à Hannah ?

Tante Hannah ne put voir l'expression d'épouvante et la pâleur
soudaine de sa nièce. Mais elle perçut le changement du rythme de sa
respiration, sentit la détresse de la jeune fille.

— De mauvaises nouvelles ? demanda-t-elle d'un ton calme.

— Horribles ! Ce monstre est venu harceler maman, il a fouillé la
maison et elle le soupçonne d'avoir mis le feu à la grange, au foin...
Évidemment, elle ne l'a pas vu faire. Rien ne l'arrête. Et elle est sans
défense. C'est le fils du seigneur... Les choses n'étaient pas assez
pénibles sans ça ? Vraiment, tante Hannah, même si c'est mal, j'en
arrive à penser que j'aurais dû le laisser me violer cette nuit chez les
Wentworth. Et il faut que je sois ici, pas à la maison, où je pourrais me
rendre utile ! Maman va devenir folle...

— Du calme, mon petit, du calme. C'est pénible, mais la panique
n'a jamais servi à rien. Lis-moi donc ta lettre entièrement. Aucune
preuve effective qu'il ait mis le feu au foin. Bon, nous allons voir ça.
Donne-moi mon écritoire, s'il te plaît.

Elle l'avait mise au point quand elle y voyait mieux. Cela ressemblait
à un instrument de musique avec ses cordes fines tendues en travers
d'un cadre. Guidant ses doigts, elles lui évitaient de faire se chevaucher
les lignes qu'elle écrivait. Avec une plume taillée court et de l'encre
très noire, Hannah l'aînée pouvait encore écrire une lettre lisible. Mais
écrire était, pour elle, un exercice qu'elle haïssait. L'encre se répandait
aussi facilement que de la sauce ou le jaune d'un œuf mollet et
s'enlevait beaucoup plus difficilement. Elle écrivit très lentement,
s'arrêtant souvent pour trouver le mot juste et pour songer que, vingt
ans auparavant, le personnage important et content de soi auquel elle
écrivait, avait été un jeune homme effrayé, à l'esprit brouillon qu'elle
avait aidé à se tirer d'une situation fort embarrassante. Il avait une
dette envers elle qu'elle n'avait, jusqu'à ce jour, jamais cherché à lui

rappeler. A présent, elle le faisait, de la façon la plus aimable possible se contentant de dire : « Pour moi, Walter, agissez si vous le pouvez ». C'était tout à la fois une prière et un défi.

La charge de lord-lieutenant d'un comté était fort ancienne et comme pour beaucoup d'autres choses le passage du temps en avait diminué l'importance. Il devait toujours accueillir son souverain en visite, était responsable de la levée de la milice et de toutes autres mesures de défense en cas de guerre. C'était, théoriquement, la source de la loi et de l'ordre puisque le soin lui revenait de choisir les juges de paix — exception faite de certains maires dans certaines villes qui le devenaient d'office, pendant leur mandat. Ce fut à ce sujet que Lord Hornsby fit référence dans sa lettre d'une remarquable diplomatie à Sir Harald.

« En ces temps changeants, mon cher Copsey, alors que tout ce qui représente l'autorité est mis en doute, il est essentiel que ceux qui la détiennent n'offrent pas le flanc à la critique. »

Sir Harald lut cette lettre avec étonnement d'abord, puis avec une fureur grandissante. Le manque de précision lui-même en était exaspérant : « Il m'est venu aux oreilles de diverses sources... » Quelles sources ! « Une conduite qui laisserait à désirer... » Quelle conduite ? En quoi laissait-elle à désirer ? Que diable cet homme voulait-il dire ? Et cette menace voilée ! Lord Hornsby disait pratiquement qu'un homme incapable de surveiller son fils n'était pas en mesure de juger quelqu'un d'autre. Imbécile de parvenu ! Sans doute ignorait-il que les Copsey avaient été juges de paix depuis qu'on les avait inventés !

L'horrible sensation qu'il était de nouveau menacé par une attaque le reprit et il se contraignit au calme. Il lui fallait entendre ce que son fils avait à dire. Pour autant qu'il sache, mis à part ce ridicule entichement pour Hannah Reeve, Magnus s'était fort bien comporté ces derniers temps. Il avait été à Bristol où il avait perdu beaucoup d'argent — mais tous les jeunes gens jouaient. Il aurait aimé parler à Bertie qui savait si bien écouter, mais en revenant au château où l'attendait cette lettre, il l'avait croisée, à demi morte de manque de sommeil, après deux nuits passées à la bergerie parce que son berger n'aimait pas rester seul au moment où les brebis allaient mettre bas. Chaque fois, il tremblait à l'idée que l'agneau attendu naisse avec deux têtes. Elle devait dormir, à présent. Si Lord Hornsby n'avait pas été à Withinstone, au diable, bien que dans le Suffolk, il s'y serait rendu et lui aurait demandé ce qu'il voulait dire. Peut-être l'intention de Magnus d'épouser cette satanée gamine avait-elle fait le tour du pays. Mais cela ne justifiait en rien cette lettre. Dans la plupart des familles du comté on comptait quelques mésalliances discrètes.

J'AI à te parler, dit-il à Magnus, le premier verre de Porto bu, dans la bibliothèque. Il lui tendit la lettre : « Lis ça et explique-moi ce que cela veut dire !

Dieu qu'il était lent à lire ! Gouvernantes, précepteurs, Eton, Garnet, et le Grand Tour et il lisait encore comme un garçon ayant passé trois mois dans un orphelinat.

— Je ne sais pas, répondit Magnus qui parvint à prendre à la fois l'air innocent et boudeur. Qu'est-ce que cet homme entend par « conduite laissant à désirer ? ».

— C'est la question que je te pose.

Magnus parut faire un effort pour chercher dans ses souvenirs. Il ne pouvait pas s'agir du feu mis au foin de cette vieille garce. Personne n'en savait rien. Pas de complices et, en cas d'accusation, un bon alibi.

— J'ai un peu trop bu, chez Pepper, une fois ou deux. Et j'ai passé une nuit chez la vieille mère Huppert.

Dans d'autres circonstances, on aurait pu classer Mme Huppert comme une femme de mauvaise vie. Mais c'était la veuve d'un pasteur pauvre, restée avec trois filles fort jolies, toutes très frivoles qui venaient retrouver à l'occasion des parentes, jolies et frivoles, adorant organiser des soirées qui se terminaient à l'aube. Les jeunes gens au courant laissaient tomber des pièces dans un vase posé sur une table à cet effet.

— Boire chez Pepper et faire la fête chez Mme Huppert ne justifieraient pas une lettre comme celle-ci, répondit brusquement Sir Harald. Écoute-moi, Magnus. Je dois savoir. Il faut que je réponde d'une façon ou d'une autre.

— Je ne sais pas du tout de quoi il s'agit. Qu'est-ce que j'ai fait ? Je me suis saoulé à Pepper et j'ai passé une nuit chez...

Oh ! Mon Dieu, donnez-moi de la patience !

— As-tu, par hasard, raconté à quelqu'un que tu voulais épouser Hannah Reeve ?

Sir Harald prononça ce nom, qu'il n'avait jamais mentionné jusque-là, avec un suprême dégoût.

— Non. Pourquoi l'aurais-je fait ? J'aurais eu l'air idiot ? Je ne sais même pas où elle est. Je n'ai même pas pu le lui demander. Mais je le ferai. Je l'épouserai.

— Tu ne le feras pas ! s'écria Sir Harald exaspéré au-delà du possible. A moins que tu veuilles crever de faim. Tu hériteras de moi, mais rien ne m'oblige à te donner un sou, ou à t'héberger. Tu n'auras rien avant ma mort... et j'en ai encore pour au moins vingt ans.

Parfait, alors crève tout de suite ! Mis en rage, Magnus était dans l'incapacité de réfléchir. Il ne songea même pas à ce qui se passerait si l'on trouvait son père mort dans sa bibliothèque, le crâne fracassé par l'un de ses propres flacons.

Sir Harald qui, dans sa jeunesse, avait fait de la lutte au corps à corps, saisit le poignet de Magnus qui, les doigts paralysés, lâcha le flacon. Et, dans la seconde qui suivit, assena à son fils unique et adoré un puissant direct à la mâchoire.

Bertie et beaucoup d'autres auraient dit qu'il avait été administré des années trop tard, mais il eut le résultat escompté. En pleine crise de rage, Magnus était peut-être insensible à la douleur, mais non pas au choc. La rapidité avec laquelle son père s'était défendu le prit de court et le stoppa. Sir Harald lui aussi était profondément choqué, à la fois par l'attaque subie et la brutalité de sa propre réaction. Ils restèrent à se regarder en silence pendant d'interminables minutes. Puis, Magnus se détourna et sortit de la pièce. Sir Harald eut, un instant, l'idée ridicule de le suivre et de lui demander pardon, mais la vue de la lettre de Lord Hornsby le fit changer d'avis. C'était très bien de penser : Je l'ai provoqué — Mais il ne fallait pas oublier qu'il l'avait été le premier. Et il lui fallait répondre à cette satanée lettre. Pas immédiatement, il n'avait pas la main assez sûre, encore.

Il restait du whisky dans le flacon. Il s'en servit et le but avec lenteur, s'efforçant d'oublier la scène qui venait de se passer et de composer une lettre polie, mais non servile. Elle devait aussi exprimer la protestation.

« Puisque Votre Seigneurie ne peut me citer la source de ses divers renseignements et qu'une enquête précise ici n'a révélé aucun écart de conduite de la part de mon fils, je ne peux que conclure que le rapport auquel Votre Seigneurie a cru a été fortement exagéré. »

D'autres petites phrases cinglantes lui venaient à l'esprit avec une facilité qui le surprenait lui-même. Tout cela lui rappelait l'armée. Que l'on enlève les mots : « mon fils » et il restait le capitaine Copsey écrivant à son colonel pour défendre le soldat Smith de quelque accusation mal définie. Strict observant lui-même de la discipline, il savait maintenir l'équilibre entre le respect dû au supérieur et la confiance en soi.

Il fut satisfait de sa lettre. Toutefois quand il l'eut écrite et relue, il s'arrêta devant l'expression écart de conduite. La fausseté de cet argument lui sauta aux yeux. Un fils attaquant son propre père... Et avec une telle haine ! Sir Harald revit alors l'expression de méchanceté à l'état pur qu'il avait eue en tirant sur Jim Bateman.

Au bout de quelque temps, l'aveuglement presque total qu'il avait toujours eu pour Magnus vint le réconforter. La seule idée que Juliet et lui avaient engendré un monstre était trop horrible pour qu'il s'y arrête ne fût-ce que quelques minutes. Ce garçon avait tendance à perdre facilement son sang-froid, un point c'est tout. Bateman l'avait provoqué. Lui-même l'avait provoqué et, si l'on y réfléchissait bien, avec calme, les réactions de son fils, chaque fois, avaient eu un côté enfantin, pitoyable. Sans malice. Le matin venu, il lui ferait des excuses pour l'avoir poussé à bout et — il le parierait — Magnus lui demanderait pardon de son geste. Il lui dirait et, alors, avec fermeté :

« Mon garçon, tu dois apprendre à garder ton sang-froid. Te rends-tu compte que si tu m'avais tué on t'aurait pendu ? »

Ils prenaient presque invariablement leur petit déjeuner seuls tous les deux. Magnus était pâle. Avant que Sir Harald ait pu dire quoi que ce soit, il attaqua.

— J'ai pensé à ce que vous m'avez dit, hier soir.

Et non pas à ce qui s'était passé ! Quelqu'un, Sir Harald s'en souvenait — une gouvernante, un précepteur ? avait fait remarquer que la grande faiblesse de Magnus tenait dans le fait qu'il était incapable de faire la différence entre ce qui avait de l'importance et ce qui n'en avait pas. Il y avait des années de cela...

— J'ai parlé un peu vite et je suis prêt à...

— Il y a, à Londres, des gens qui prêtent de l'argent sur des héritages à venir. Peut-être ne le saviez-vous pas. Quelqu'un me l'a appris. Aussi, si vous faites ce que vous avez dit et que vous me laissez mourir de faim, j'irai à Londres et j'emprunterai ce que je veux. Qu'est-ce que vous en dites ?

Les bonnes résolutions de Sir Harald s'envolèrent. Il s'étrangla à moitié avec une bouchée d'œufs brouillés qui lui parut soudain transformée en sable.

— Jeune idiot ! Évidemment tu peux le faire. Mais les vautours auxquels tu t'adresseras prennent un pourcentage de deux à trois cents pour cent. Mets-toi entre leurs griffes et il ne te restera plus qu'un titre et une série de procès. La chancellerie et tes prêteurs se battront pour Copsi comme deux chiens pour un seul os. Ce sera la fin. La fin de Copsi.

— Je me moque de Copsi — sauf pour y habiter — Ce que je veux c'est épouser la fille que j'ai choisie. Et faire ce qu'il me plaît. Sinon, j'irai à Londres et vous n'aurez à vous en prendre qu'à vous.

La matinée était belle, mais le soleil, l'odeur du printemps dans l'air ne parvinrent pas à réconforter Sir Harald qui, lentement, parcourait son domaine. Pour ajouter à son malaise, il savait devoir se rendre à Reffolds, un endroit qu'il évitait. Consciencieusement, il rendait visite aux malades, aimait se montrer aimable, optimiste, utile. Mais avec le pauvre Reeve c'était différent et Mme Reeve lui était antipathique. Toutefois il devait aller les voir ce matin et cela lui était souverainement déplaisant !

Lorsqu'il pénétra dans le sentier qui menait à la maison, bordé de chaque côté des terres des Reeve, un instant il oublia tout, sauf qu'en tant que propriétaire il avait négligé ses devoirs. Cette année, les haies n'avaient pas été taillées, ni les fossés curés. La pluie et la neige fondue n'avaient pu s'écouler normalement. La terre arable n'avait pas été labourée et un foisonnement fait des vestiges de la dernière récolte et de mauvaise herbe la recouvrait. N'eût été quelques vaches dans un pâturage boueux et un filet de fumée sortant d'une cheminée de la vieille maison, on se serait cru devant une ferme abandonnée. Il aurait dû prévoir cela et faire quelque chose. C'était mal, très mal! Puis il contourna la maison, pénétra dans la cour. Une odeur de brûlé l'assaillit et il vit le bois noirci par le feu autour et au-dessus de la porte de la grange.

Mme Reeve, propre, nette — et sévère — comme toujours, lui ouvrit la porte de la cuisine. Elle le pria d'entrer, sans la cordialité des autres fermières, mais avec politesse cependant. La cuisine était d'une propreté parfaite. Il en connaissait où les poules picoraient et laissaient leurs crottes, où l'on soignait près du feu un porcelet malade ou un agneau orphelin. Malgré cela, elles étaient plus accueillantes.

— Comment va votre mari?

— Pas mieux. Et il est loin de se résigner.

— Pauvre vieux. Je vous ai négligés, madame Reeve. J'ai vu que le travail n'avait pas été fait, dans les champs.

Naturellement, elle prit cela du mauvais côté.

— Je me suis efforcée d'engager un homme sur lequel compter, dès que je me suis rendu compte que l'immobilisation de John durerait.

— Je vais vous en envoyer quelques-uns, pour nettoyer un peu. Malheureusement, il est un peu tard pour les semis.

— C'est très aimable à vous, Sir Harald.

Quelle femme inflexible, désagréable!

— J'ai vu que vous avez eu le feu dans votre grange. Rien de sérieux, j'espère.

Son visage, alors, changea, de façon imperceptible. Une ombre sous la peau.

— Très sérieux. J'ai perdu tout mon foin. Seule la neige a sauvé la grange elle-même.

— Mon Dieu. Avez-vous une idée de la façon dont cela s'est produit?

Une question bien innocente et, dans les circonstances, de simple routine.

— Je n'en ai aucune preuve certaine.

Il avait l'impression d'interroger un témoin se refusant à coopérer.

— Mais vous soupçonnez quelqu'un. Dites-le moi. Mettre le feu volontairement. C'est une accusation très grave.

— Je ne puis accuser personne. Tout ce que je dis est que je vois un rapport entre la venue de votre fils un matin, refusant de me croire quand je lui dis que ma fille n'est pas là, fouillant la maison, repartant en nous menaçant et le feu éclatant au milieu de la nuit.

A présent, il comprenait tout. Cette femme, avant de se marier, avait été gouvernante et certaines d'entre elles restaient en relation avec leurs anciens employeurs. Et puis, cette horrible idée, qu'elle avait peut-être raison — un fils voulant tuer son père, n'hésiterait pas à mettre le feu à une grange.

— Je regrette seulement, madame Reeve, que vous ne soyez pas venue me parler de vos soupçons — vos soi-disant soupçons — plutôt que d'aller vous plaindre à Lord Hornsby.

— Lord Hornsby ! Comment aurais-je pu me plaindre à lui ? Je ne le connais pas. Et il m'aurait été difficile de me plaindre à qui que ce soit, je n'ai aucune preuve.

John Reeve, pendant ce temps-là, s'impatientait. Il avait entendu un cheval, des voix, des bruits d'allées et venues. Aussi, secoua-t-il sa clochette et appela-t-il : « Martha ! »

— Voulez-vous le voir ? demanda Martha. Il mène une vie tellement triste.

— Je suis venu dans ce but.

Dans le couloir sombre et étroit qui reliait la cuisine au vestibule sur lequel donnait le salon, elle lui dit :

— S'il vous plaît, ne parlez pas de cet incendie, Sir Harald. Il a suffisamment de soucis comme cela.

Pour une fois, elle eut l'air presque humaine et, en quelques mètres, s'était métamorphosée, laissant son expression revêche pour annoncer avec gaieté :

— Regarde, mon chéri. Tu as de la visite, Sir Harald.

En ouvrant la porte, l'odeur propre aux chambres de malades l'assaillit, l'humiliant. Elle luttait contre celle-ci, à l'eau et au savon, en brûlant de la lavande, en répandant de l'eau de lavande pure, en écrasant du romarin, en laissant la fenêtre ouverte quand le temps le permettait. Mais l'odeur restait — Celle de la faillite, songea Martha — John Reeve ne s'en rendait pas compte, cette odeur s'était installée petit à petit autour de lui. Quant à Sir Harald, bien qu'il en eût conscience, il n'en tint pas compte, absorbé par le changement opéré sur Reeve. Incroyable de penser qu'un homme, visiblement bien soigné et ne souffrant d'aucune maladie grave, ait pu décliner à ce point. Sous le couvre-pieds, ses jambes étaient réduites à l'état de manches à balais. Sa tête, une tête de mort recouverte d'une peau tendue, couleur de suif. Quant à ses yeux, ils n'exprimaient que le désespoir.

Sir Harald aimait être en mesure de rendre service. Là, il put, grâce à Dieu oubliant tout le reste, dire qu'il enverrait quelqu'un.

— Juste pour vous donner un coup de main, en attendant que vous soyez remis sur pied et en état de reprendre vos habitudes.

— Ça n'arrivera jamais, monsieur. Je le sais maintenant.

Machinalement, il eut un coup d'œil vers la pendule. Au début, il avait compté les heures, puis les jours, à présent c'était les mois.

— Allons, allons, pourquoi dire des choses pareilles... Dites-moi, avez-vous vu le docteur Fordyke ces temps derniers.

— Il est venu. Il voudrait bien faire quelque chose. Ça ne sert à rien.

— A mon sens, vous exagérez. Mais il est de fait qu'un médecin de campagne n'est pas forcément un expert dans tous les domaines. Je vais vous dire ce que je vous propose : un spécialiste du système nerveux. Il y a sûrement un nerf d'atteint puisque vous ne vous êtes rien cassé.

— Ça aurait mieux valu. Ou même si j'avais perdu une jambe. J'aurais pu nourrir les cochons avec une jambe de bois. Et labourer. Et faire travailler Sam Archer. J'aurais mieux fait de mourir que de rester comme je suis.

— Non !

Un contact journalier avec la mort avait fait apprécier la vie à Sir Harald. Il assistait régulièrement aux services religieux, donnant le bon exemple, et déclarait avec le reste de la congrégation qu'il croyait en la résurrection du corps et en la vie éternelle, mais il n'avait jamais approfondi sérieusement la question.

— ... Non, Reeve, il ne faut pas penser comme ça. Il faut s'accrocher à l'espoir, à la vie. Je vais voir ce que je peux faire.

Après avoir quitté Reffolds, ses projets pour aider le malade, l'impression qu'il avait fait son devoir le regaillardirent un temps. Puis il pensa à son fils et le jour s'assombrit à ses yeux. Il fallait absolument qu'il parle à Bertie.

— ELLE est là-haut, à la maison, monsieur, répondit le premier homme interrogé et, l'espace de quelques secondes, il ne comprit pas. La maison. Quelle maison ? Puis il se souvint de cette idée absurde qu'elle avait de posséder une maison à elle. Il ne lui en avait plus reparlé au cours des mois écoulés et il avait espéré qu'elle avait changé d'avis.

— En haut de la lande aux moutons, monsieur, expliqua l'homme, aimable.

Sir Harald laissant derrière lui champs cultivés et pâturages, maisons et hameaux, arbres et vergers, émergea dans un paysage aussi triste que lui. Aussi loin que l'œil portait, un sol rasé par les moutons, de place en place une aubépine courbée par le vent et à la limite du plateau où la terre se terminait par une falaise calcaire plongeant à pic dans la rivière, Bertie avait choisi l'emplacement de sa maison. De brique grise, un matériau qu'il détestait parce que beaucoup plus froid que la pierre, même délavée par les intempéries.

Bertie n'avait eu aucun mal à trouver de la main-d'œuvre. Tous les murs étaient dressés et l'on commençait à mettre la charpente du toit. Les hommes grouillaient comme les abeilles d'une ruche. Mais, en dépit de leurs appels joyeux et de l'éclat du soleil, l'endroit restait d'une intense tristesse. A quoi cela ressemblerait-il en hiver avec les tempêtes du noroît ?

Bertie descendit allègrement de l'une des échelles. Elle portait son costume de travail habituel : une jupe de ratine, révélant beaucoup plus que ses chevilles et une vieille veste en peau de mouton. Elle était nu-tête et ses cheveux, de la couleur des siens — chez un cheval on aurait dit bai — n'étaient qu'une masse de boucles. On les lui avait coupés, bien des années auparavant, alors qu'elle avait la scarlatine et puis, venant de France, la mode avait été, peu de temps, aux cheveux courts. Aussi démodés qu'une fraise, à présent, elle y restait fidèle cependant et cela lui allait. Elle ne ressemblait à personne, mais impossible de s'y méprendre, c'était une dame, une Copsey.

— Bonjour ! cria-t-elle. Venu voir les agneaux ?

— Non. J'ai quelque chose à te dire. Tu étais trop fatiguée hier soir.

— J'ai un service à te demander. Entre et tu verras ce que je veux dire.

Plus près de lui, elle lut, sur son visage, le signal de détresse. Encore des ennuis. Pauvre Harry !

Ils passèrent par ce qui serait un jour une porte, mais qui n'était encore qu'un trou, de même que les fenêtres ouvrant de chaque côté. La pièce, à peu près de la dimension de la chambre de Bertie, à Copsi, n'était qu'une coquille, ses murs gris encore nus. Hideux. Quant à la vue, sans doute la plus triste qui soit : la rivière au flot lent, les marais et, au-delà, la mer. Imaginer cela, après Copsi !

— Assieds-toi, dit Bertie en indiquant une pile de planches. J'ai assez de sandwiches pour quatre et...

Elle plongea la main dans son horrible vieille veste et en sortit le genre de flacon que les hommes — jamais les femmes — emportaient avec eux à la chasse. Les planches étaient destinées à servir à la fois de table et de chaises. Les sandwiches, enveloppés dans une serviette, s'y trouvaient déjà.

— Nous ne pouvons pas parler ici, avec tout ce monde.

— C'est l'heure de leur déjeuner. J'ignore pourquoi, mais où que j'aille, je suis toujours la seule ayant une montre qui marche.

Elle sortit l'objet en question d'une autre poche. Ce n'était, en rien , un objet gracieux et féminin, mais une grosse montre fort laide d'ouvrier. Elle lui jeta un coup d'œil et fit claquer ses doigts — stupéfiant le bruit sec que parvenaient à produire des doigts d'apparence aussi délicate. Quelque part, un homme cria quelque chose et la paix descendit.

— Qu'y a-t-il, Harry ?

— C'est presque trop horrible pour en parler, mais, Bertie, il faut que j'en parle à quelqu'un ou je vais devenir fou. Je sais que je n'ai aucune raison de te faire partager mes soucis. Ça — il eut un regard autour de lui — c'est de sa faute aussi. Si... il avait été... disons plus gentil et normal, tu serais restée à Copsi, n'est-ce pas ?

— Et pris la relève des vieilles dames ? Non, Harry. J'ai toujours pensé partir. J'ai hésité entre restaurer une des vieilles fermes ou construire... A présent, je me suis décidée et je suis contente. Maintenant, raconte. Que s'est-il passé ?

— Bertie, hier soir il a essayé de me tuer.

Elle était la seule personne au monde à laquelle il pouvait avouer cela. Et même elle, que l'on se serait attendu à voir rester calme, imperturbable, laissa tomber son sandwich par terre, dans les copeaux.

— Mon Dieu ! dit-elle. Pas ça. Pourquoi ?

Il lui raconta tout. La lettre de Lord Hornsby, la scène dans la bibliothèque, la menace du matin même. Et les soupçons de Mme Reeve... Il termina avec une tristesse qui fendit le cœur de sa sœur.

— Je ne sais pas ce qui n'a pas marché... ce que j'ai commis comme erreur. Je l'ai aimé depuis sa naissance. Avant même, on aime un enfant avant qu'il vienne au monde. Et maintenant... Quand je pense à ce qu'il veut faire de Copsi. J'ai l'impression d'avoir lutté toute ma vie pour rien. A moins que...

Même à Bertie, il hésita à avouer l'idée qui prenait corps en lui.

Dehors, les mouettes criaient. Bertie se leva, ramassa les miettes de ce triste pique-nique et les jeta par l'une des ouvertures. Sans se retourner pour lui faciliter les choses, elle demanda :

— A moins que quoi, Harry ?

— Qu'il y ait un enfant... Tu m'as dit toi-même que les Reeve étaient des gens convenables... Cela peut paraître cruel et dégoûtant, Bertie, mais honnêtement, si la succession était assurée, je le ferais interner.

— Il a certainement davantage besoin d'un gardien que d'une femme, à ce qu'il paraît.

Les sourcils froncés, elle réfléchit, puis elle eut une ébauche de sourire, comme si elle venait de trouver une solution satisfaisante. Cependant, ce qu'elle dit n'avait rien d'optimiste.

— Accepteraient-ils, à présent ? Ils ont mis la petite hors d'atteinte. Et incendier une grange est une forme pour le moins inhabituelle de faire sa cour.

— Ils ignorent sans doute qu'il veut épouser leur fille.

— C'est exact. Les choses prennent un autre aspect avec la bague au doigt. Tu peux toujours essayer. Mais c'est *toi* pour lequel je m'inquiète, Harry. Que la moindre des choses aille de travers et qu'il pique une crise, il fera peut-être une autre tentative.

— Je me tiendrai sur mes gardes, à présent.

Il n'avait pas peur pour lui-même. Il avait été soldat et un soldat peureux n'était bon à rien. Tout, l'entraînement, la tradition, le comportement tendait à vous persuader que rien ne pouvait vous arriver, à vous. Les hommes pouvaient tomber par milliers, à droite et à gauche, vous réussiriez à vous en tirer.

Mais Bertie tenait à son idée.

— Et rien ne peut l'empêcher d'aller à Londres et de commettre des désastres. Mais je connais exactement l'homme qu'il te faut. Il te protégerait et garderait Magnus à l'œil.

Elle eut un léger sourire et son regard bleu clair brilla d'une lueur malicieuse.

— ... Un œil très strict. Magnus figure déjà sur la liste noire de Bolsover. Il a commis le péché mortel de donner un coup de pied à sa chienne. Garde présent à l'esprit que Magnus peut être charmant s'il le veut et qu'il dispose toujours de beaucoup d'argent. Mais il ne se gagnera pas Bolsover par les cajoleries ou en lui graissant la patte. Ni même par la force, Bolsover est un ancien boxeur.

Sir Harald n'avait rien contre la boxe, convenablement préparée et arbitrée. Pendant son séjour à l'armée il avait lui-même organisé des combats. Ils offraient des distractions peu coûteuses, sur place et, souvent, réglaient des différends qui, autrement, auraient pu dégénérer. Mais il réprouvait ces rencontres où deux brutes étaient engagées pour s'entretuer ou s'estropier, sous l'œil d'une foule assoiffée de sang. Magistrat, il avait souvent interdit ce genre de combat. Geste futile, les organisateurs se contentant de passer dans une région ne dépendant pas de sa juridiction. Mais chacun, ainsi, connaissait son opinion.

— Je ne pense pas que ce serait ce qu'il faut.

— Tu ferais mieux de le voir avant de te prononcer.

— Où est-il ?

— Là. Celui qui porte une auge.

Précédant son frère, elle sortit, fit le tour de la maison. Plusieurs échelles s'y trouvaient, au pied de l'une d'elles, était couché un gros chien de race indéterminée, bâtard de lévrier et de chien de berger.

— Elle ne bouge jamais, expliqua Bertie. Tiens voilà Bolsover. La chienne se leva.

— ... Inutile de te décider tout de suite. Examine-le, parle-lui et réfléchis.

L'homme descendit avec agilité de son échelle. Mince, musclé, il avait la silhouette plus jeune que le visage dur et marqué mais qui, chose curieuse ne gardait pas trace de son ancienne profession. Pas de nez cassé, de menton affaissé, d'oreilles en choux-fleur, de sourcils déformés. Il caressa au passage la tête de sa chienne et partait pour remplir son auge lorsque Bertie l'appela.

— Oui, madame ?

Sa voix aussi surprenait.

— Voici mon frère, Sir Harald Copsey. Il s'est intéressé à la boxe. Aussi lorsque je lui ai parlé de votre carrière...

— Oh ! oui...

Des trois, Bolsover était le plus à l'aise, bien qu'il eût d'amples raisons de s'inquiéter. C'était le père de ce jeune homme si déplaisant qu'il avait assommé d'un direct bien appliqué. Et, bien sûr, on ne savait jamais avec les femmes, mais Bolsover pensait connaître Mademoiselle Copsey. Il ne travaillait pas depuis longtemps pour elle mais avait appris à la respecter infiniment. Sans doute voulait-elle lui faire comprendre, avec ces présentations parfaitement superflues, qu'il aurait intérêt à disparaître, grimper à l'échelle, atteindre le toit, descendre de l'autre côté et filer, pour éviter d'être accusé de voie de fait, ... et l'autre qui était magistrat avec ça !

Un peu gêné, Sir Harald remarqua :

— J'avoue que vous me paraissez avoir remarquablement réussi à protéger votre visage.

— Oh ! j'ai appris à le faire, monsieur. Je me défends très bien. C'est une pneumonie qui m'a esquinté la soufflerie.

— Vous paraissez être resté actif.

— Oh ! je peux encore tenir huit à neuf rounds. Qui dit mieux ?

— Je vois.

Bertie intervint alors.

— Ce que Bolsover aimerait vraiment c'est un travail de valet de chambre... quelque chose comme ça.

— Vous l'avez déjà été ?

— Pas dernièrement, monsieur. Mais je connais. J'aidais mon père. Il a été au service de Lord Byron, comme valet et partenaire, dans les combats de boxe.

— Ah ! bon. J'y songerai. Bonjour.

La faculté propre à Bolsover, une sorte d'antenne prévoyant un mouvement avant son ébauche, le renseigna. Rien à craindre de ce côté et peut-être même un certain espoir. Il retourna à son travail. Bertie accompagna Harry jusqu'à son cheval.

— Alors ?

— J'ai été favorablement impressionné. Mais, Bertie, s'il attend une place de valet... je n'en ai jamais eu, tu le sais. Et j'aurais beaucoup de mal à lui expliquer la nature exacte de ses fonctions.

Oh, mon Dieu, quelle patience il fallait ! Moi aussi j'aurais parfois envie de te casser quelque chose sur le crâne ! songea Bertie.

— Écoute, Harry, veux-tu que je parle moi-même à Bolsover. Je lui dirai cela de la façon la plus simple qui soit ? Ce me serait plus facile qu'à toi.

— Oh, je t'en serai infiniment reconnaissant. Tu acceptes ?

Et puis, alors qu'il avait déjà le pied à l'étrier et se préparait à enfourcher son cheval, opération de plus en plus pénible, lui qui avait été un si brillant cavalier, il remit pied à terre justifiant l'opinion de sa sœur : il était réellement d'une essence particulière.

— J'oubliais, dit-il. Tu m'as dit avoir quelque chose à me demander. Un service. Et je n'ai fait que parler de moi.

— Ce n'était rien... J'aimerais seulement avoir quelques-unes des pierres de Copsi, des ruines, celles qui sont gravées, pour ma cheminée.

Elles ne manquaient pas. Ce qui restait debout à Copsi ne représentait qu'une faible partie de ce que le château avait été. Il n'était pas une maison dans les villages alentour, voire même une porcherie qui, à une époque ou une autre, n'ait été construite ou réparée avec des pierres du château. Mais il en restait encore, monticules verdis de mousse dans les jardins ou le parc.

— As-tu besoin de me le demander, Bertie ? Évidemment, tu peux prendre ce que tu veux. Et j'aimerais que tu choisisses deux des tapisseries de ta chambre. Tout ce que tu voudras.

— Merci. Ça me fera plaisir d'avoir un peu de Copsi ici.

Il comprit alors qu'elle était aussi attachée à leur maison que lui et il se sentit écœuré, imaginant ce que tout aurait été si Magnus avait été normal. Bertie ne se serait pas sentie obligée de quitter l'endroit qu'elle aimait pour passer le reste de ses jours dans ce coin sinistre. Elle pouvait toujours dire qu'elle avait, de tout temps, songé à faire construire, mais elle n'avait pris sa décision qu'en apprenant qui Magnus avait choisi pour femme.

Il poussa un profond soupir et Bertie lui serra le poignet d'une de ses mains d'aspect si fragile.

— Essaye de ne pas trop te tracasser, Harry. Et prends garde à toi. A ta place, je ne laisserais pas Magnus approcher de Reffolds avant que quelque chose ait été décidé. Il peut tenter... une autre bêtise...

Même l'emploi de ce mot innocent lui fut un léger réconfort.

— Dieu te bénisse, Bertie. Que ferais-je, sans toi ?

TANTE HANNAH attendit avec une certaine impatience le résultat de sa lettre à Lord Hornsby. Il lui en avait accusé réception par retour du courrier, par un mot bref, aimable, un peu évasif, lui répondant que, bien sûr, en souvenir de leur vieille amitié, il tenterait de faire ce qu'il pouvait. Mais l'affaire étant assez difficile, il ne pouvait cependant rien lui promettre de précis. Elle avait déchiffré cette lettre toute seule, avec beaucoup de mal, à l'aide de sa loupe. Elle ne voulait pas qu'Hannah soit au courant de son intervention avant qu'elle porte ses fruits.

A présent, Hannah avait une lettre, très certainement de Copsi et, dans quelques minutes, tante Hannah saurait.

— Oh, c'est terrible !

— Quoi, mon petit ?

— Magnus Copsey veut m'épouser !

Moralement, la vieille femme se congratula. Ce bon vieux Walter avait évidemment de l'influence !

— ... Et je préférerais épouser le diable lui-même !

— Évidemment.

De longue date tante Hannah avait appris que la contradiction ouverte ne menait à rien, pas plus que la curiosité trop visible. Elle concentra son attention sur son petit déjeuner, s'appliquant à manger sans commettre de maladresse. Puis Hannah ajouta :

— Maman me dit que c'est à moi de décider.

— Sauf pour une chose, ta mère est une femme remarquablement raisonnable.

Hannah fit une nouvelle tentative :

— Mais il me fait tellement peur.

— Oui. Tu me l'as dit. Mais Lady Copsey peut le trouver moins intimidant.

— Lady Copsey ? Hannah pensa à la vieille dame qui faisait de si longues promenades, dans les villages, dans les bois. Évidemment, bien que je ne trouve pas que ce soit une consolation suffisante pour me faire épouser un homme que je déteste et qui me déteste.

— Là, ça devient intéressant. En général les hommes ne demandent pas en mariage des jeunes filles qu'ils détestent. A moins, bien sûr, que ce soient des héritières...

— Il ne me l'a pas demandé à moi. C'est Sir Harald qui l'a fait, à maman.

— C'est vraiment compliqué tout ça, dit tante Hannah en riant, de ce petit rire un peu moqueur.

— Vous comprenez très bien ce que je veux dire, ma tante. Il est passé par l'intermédiaire de maman. Et il s'est montré très gentil. Il a envoyé deux hommes pour nettoyer tout, donné du foin et promis de faire venir quelqu'un de Londres pour voir si on peut faire quelque chose pour papa... Oh, ce n'est pas un charmant vieux monsieur que l'on me demande d'épouser, mais un horrible jeune homme.

— Une des petites ironies de la vie. Je n'aime pas être indiscrète, Hannah, mais je me suis souvent demandée... si ton cœur était engagé ailleurs ?

— Vous voulez dire, si j'aime quelqu'un d'autre ? Non. Et quelle différence cela ferait-il ? Je déteste Magnus Copsey et j'ai peur de lui, c'est tout.

Brusquement, devant ses yeux, passa la silhouette fugitive de Jerry Flordon. Gentil, compréhensif, complaisant et tellement sûr.

Elle relut la lettre encore une fois et déclara, bouleversée :

— Je ne comprends pas maman. Elle sait ce que j'éprouve. Elle m'a envoyée ici pour me protéger. Et, maintenant, elle m'écrit ça... comme s'il s'agissait de quelque chose qui mérite qu'on y réfléchisse et que je sois la seule qui puisse décider.

— Tu devrais t'estimer heureuse. Des centaines, des milliers de mères auraient sauté sur l'occasion et décidé pour toi.

— Sans doute considérez-vous cela comme une *chance* ? répliqua Hannah d'un ton un peu méprisant.

— Cela peut être envisagé sous cet angle. Je ne peux pas te donner mon avis. Je ne me suis jamais mariée. Mais je suis sûre que ta mère a eu raison en te laissant prendre cette décision et en disant qu'il faut y réfléchir. D'après Minnie, il fait beau. A ta place, je ferais une bonne promenade.

— Ce qui est curieux c'est qu'à part la promesse de Sir Harald de lui trouver un autre médecin, maman ne parle pas du tout de papa. Peut-être ne veut-elle pas le tourmenter avec tout ça. Une chose est sûre, quand il l'apprendra, il sera de mon côté.

A Copsi, Bolsover s'était installé discrètement dans une situation assez exceptionnelle. Il prenait certains de ses repas avec les domestiques, mais il préférait demander des sandwiches, ou un petit quelque chose sur un plateau. Il couchait dans une chambre voisine de celles de Sir Harald et de M. Magnus. Soi-disant valet, il ne travaillait pas beaucoup. Il se contentait surtout de critiquer la façon dont on entretenait les vêtements de Sir Harald. « J'ai vu une tente mieux réparée », dit-il d'une chemise. Cette remarque avait permis d'échafauder une hypothèse quant à son passé et la raison pour laquelle il bénéficiait maintenant d'une véritable sinécure. Autrefois, il avait fait la guerre avec Sir Harald, lui avait même peut-être sauvé la vie. C'était une explication, mais ça ne changeait rien. On lui reprochait sa chambre, de même que la liberté qu'il avait d'aller et de venir comme bon lui semblait ; la façon qu'il avait de descendre aux écuries et de prendre le cheval qui lui plaisait ; ses façons arrogantes et son horrible chienne qui portait le nom grotesque de Lily. Où qu'aille Bolsover, Lily le suivait comme reliée à lui par un fil invisible de quelques centimètres. A table, Bolsover lui donnait des morceaux — les meilleurs — de son assiette et ensuite la lui faisait lécher. C'était malpropre ! Tout le monde le savait.

La femme de charge, depuis longtemps sur place, et à l'autorité incontestée dans une maison sans maîtresse réelle, protesta :

— Si vous persistez, Monsieur Bolsover, je me plaindrai à Sir Harald.

— Faites-le, répliqua Bolsover et quelque chose dans son ton et le reflet gris acier de ses yeux la prévint qu'elle aurait intérêt à s'en abstenir.

Bolsover était très content de sa nouvelle vie. Il n'avait pas menti en disant que son père avait servi Lord Byron et qu'il l'avait aidé. A une époque où l'on mettait les enfants très tôt au travail, il y avait également beaucoup à observer, à désirer, à copier. Le père de Bolsover était mort alors qu'il avait onze ans. Un peu trop vieux pour intéresser les responsables de l'assistance publique, trop jeune et à l'époque, trop petit, pour trouver un emploi à l'exception de celui de page, ou de ce laquais miniature installé, debout les bras croisés, à l'arrière de la voiture d'un gentilhomme. Mais les demandes affluaient pour ce genre d'emploi que l'on n'obtenait que « pistonné ». Bolsover avait connu quelques périodes très dures. Mais il y avait une façon de se sortir de la misère pour un jeune homme sachant se servir de ses poings. Bolsover aurait peut-être préféré autre chose, mais il était fait pour cela. Doué et intelligent, une froide férocité l'animait, rare, même dans le milieu de la boxe. Contrairement à ce que beaucoup croyaient, le type qui se battait gagnait peu d'argent. Les bénéfices allaient aux organisateurs et à ceux qui misaient sur le bon numéro. L'issue de certains combats était prévue d'avance, mais Bolsover était trop orgueilleux pour se laisser battre, même en touchant cinq ou six livres supplémentaires.

Beaucoup de boxeurs professionnels n'avaient qu'une ambition : faire suffisamment d'économies pour s'acheter un café. Bolsover était différent, il voulait devenir gentleman-farmer. Oh, modestement, une maison, un jardin, quelques prés, une vache, des cochons, de la volaille et, surtout, un bon cheval. Il ne put satisfaire à cette modeste ambition, d'une part parce qu'il avait des goûts extravagants et parce qu'il croyait encore avoir de bonnes années devant lui avant de surveiller ses dépenses. Beaucoup de gens de son milieu, se traînaient de combats en combats, couchaient dans le ruisseau, ou à l'abri d'une meule de foin. Bolsover quant à lui voyageait par chaise de poste ou louait un cheval. D'autres seraient descendus dans de modestes auberges, pour lui c'était la meilleure hôtellerie de l'endroit. La plupart s'encombraient de femmes et d'enfants. Bolsover évitait ce genre de piège bien qu'aimant les femmes et les plus chères. Il aimait également beaucoup la toilette et on l'avait surnommé « Dan le dandy », Daniel étant son nom de baptême.

Malgré tout, il avait mis de côté cinquante livres quand une côte cassée — et ce n'était pas la première — avait provoqué une pneumonie et mis fin à sa carrière. Il avait perdu, et pour toujours, cette valeur incalculable : la résistance. Il avait également perdu et il le découvrit en reprenant conscience à l'hôpital, ses cinquante livres et tout ce qu'il possédait, y compris ses vêtements.

Maintenant, après une autre période de terrible pauvreté, la chance était revenue. Et il se servait de Copsi précisément dans le but pour lequel le château avait été construit ; pour monter la garde. Une promenade d'apparence inoffensive dans ce qui restait du vieux château avait suffi à Bolsover pour repérer quelles fenêtres surplombaient les différentes issues ; lequel, parmi les nombreux escaliers, conduisait le plus rapidement aux écuries. Magnus que Bolsover était chargé de surveiller n'avait aucune chance.

Le jeune homme ne savait trop quoi penser de Bolsover qu'il avait reconnu, de même qu'il avait reconnu Lily. Il crut comprendre que sa tante Bertie l'avait fait entrer dans la maison, sans doute à cause de ce sale chien. Elle devenait folle dès qu'il s'agissait d'un animal. Elle lui avait administré la correction la plus sévère de toute sa vie — pire que toutes celles reçues à Eton — parce qu'il avait maltraité un cheval. Magnus s'en rendait bien compte, il avait suffi que tante Bertie dise : « Pauvre homme, pauvre bête, fais quelque chose pour eux » et son père, mou comme du beurre, sauf en ce qui concernait son propre fils, s'était précipité pour agir. Son père, c'était l'ennemi et, très vite, Magnus se rendit compte que Bolsover était son espion.

Père avait déclaré qu'il vaudrait mieux que Magnus ne retourne plus à Reffolds. Il ignorait qu'il avait mis le feu au foin. S'il l'avait su, il en aurait certainement parlé. Là, Magnus avait été plus malin que lui ! Père lui avait dit qu'il vaudrait mieux qu'il se charge lui-même de parler aux Reeve. Oh, ça paraissait très bien, à première vue ! Mais il n'y avait eu aucune réaction. Encore une autre déception. Tout le monde complotait contre lui.

Et Magnus se mit en route pour Reffolds décidé à employer la cajolerie puisque Mme Reeve dans son entêtement stupide ne tenait même pas compte des menaces. Il en était à mi-chemin quand, au tournant de Markswood qui coupait d'une sorte de langue de haute futaie dans les terres cultivées, Bolsover apparut, à cheval évidemment et avec sa satanée chienne trottant à côté de lui.

Magnus croyait n'avoir peur de personne et, dans une certaine mesure, c'était exact. L'indulgence, les privilèges et persuadé qu'il était de sa propre intelligence, lui donnaient une grande confiance en lui. Mais, au fond de son cœur, il craignait Bolsover qui l'avait déjà assommé et semblait attendre l'occasion de recommencer. C'était évidemment ridicule, qu'il le fasse et il perdrait sa place. Cependant, il l'avait déjà fait et on l'avait quand même engagé. C'était également ridicule de penser qu'il y avait quelque chose de mystérieux dans la façon dont Bolsover semblait toujours savoir où il allait, comme maintenant, lui barrant la route de Reffolds.

— Vous savez que vous n'avez pas le droit d'aller là-bas, dit-il avec un mouvement du menton en direction de la ferme.

— Je n'ai pas d'ordre à recevoir de vous. Otez-vous de mon chemin !

Magnus leva sa cravache se demandant s'il allait frapper cet insolent ou son cheval qui ferait un bond, lui libérant le passage.

— A votre place, je n'essaierais pas, dit Bolsover d'un ton d'autant plus menaçant qu'il était d'un calme parfait. Lily vous mettrait à bas de votre selle avant que vous ayez eu le temps de dire ouf.

C'était exact, la chienne le surveillait, ses yeux ambrés, verts de haine.

— ... Laissez faire votre père. Il fait de son mieux. Dieu sait pourquoi.

— J'avais l'intention de faire une visite amicale, répondit Magnus, cherchant à être digne.

— Hum. En mettant le feu à la maison ?

Comment cet individu pouvait-il dire cela ? Personne ne savait. Qui aurait pu savoir ? Momentanément désarçonné, Magnus fit faire demi-tour à son cheval et s'éloigna.

On complotait contre lui et, le centre de ce complot, c'était son père, mentant, jouant la comédie, prétendant que tout cela demandait du temps. Pourquoi ne pas le tuer ? Mais il lui fallait une arme. Et, maintenant, à Copsi, non seulement les fusils étaient dans un râtelier fermé, mais la porte de l'armurerie était elle-même fermée à clef. Peu importait. Des fusils ça s'achetait ! Magnus quitta Copsi par la route menant à Bressford, bien qu'il eût l'intention d'acheter son arme à Wyck. Il alla jusqu'au croisement qui portait toujours le nom du Gibet bien que l'on n'y pendît plus personne, puis il tourna à gauche. Ça c'était astucieux ! Tellement qu'il réussit à acheter l'arme convoitée et sortait de la boutique quand il se trouva nez à nez avec Bolsover.

— Je vais vous le porter, monsieur.

C'était la première fois qu'il disait « monsieur » à Magnus, mais l'armurier qui avait accompagné son client à la porte et tous les passants — la boutique se trouvait dans un quartier très fréquenté — n'étaient pas forcés de le savoir. Et, pendant que Bolsover tendait la main gauche pour prendre le fusil, sa droite était prête et derrière lui, Lily, prête elle aussi. Magnus donna son fusil.

COMME le disait Bolsover, Sir Harald faisait de son mieux. Orgueilleux, il ne s'était jamais senti humilié. Il avait accepté sa position de cadet. C'était la loi. Qu'il n'ait pas atteint un grade élevé dans l'armée s'expliquait facilement par le manque d'argent. Même son infirmité, aux séquelles si pénibles, ne l'avait pas humilié. Elle était due à une blessure honorable qui l'avait atteint, comme d'autres avaient perdu l'usage d'un membre, ou la vue. Mais il se sentait humilié que les circonstances le contraignent à aller, chapeau à la main, arranger un mariage entre son fils et la fille d'un fermier ! Et Mme Reeve, cette femme revêche, ne faisait rien pour l'aider. Elle n'eut même pas l'air surpris quand il prononça les paroles qui l'étouffaient presque.

— Madame Reeve, mon fils souhaite épouser votre fille. Je suis d'accord. Je suppose que votre époux et vous-même serez également d'accord.

— Ce sera à Hannah de décider.

Il ne put s'empêcher de s'emporter.

— C'est ridicule. Vous savez aussi bien que moi que les mariages sont arrangés, tous les jours, par les parents. Ce serait de l'irresponsabilité de votre part de laisser prendre une telle décision par une jeune fille. Quel âge a-t-elle ?

— Hannah aura seize ans le jour de la Saint-Patrick.

— En âge de se marier.

— En âge de décider qui elle veut épouser. Votre fils la terrifie.

— Timidité de jeune fille, répondit Sir Harald gêné par la sienne. Peut-être s'est-il montré un peu précipité. Mais l'a-t-il blessée, lui a-t-il fait mal, d'une façon ou d'une autre ? L'a-t-il insultée ? Je vous assure que les intentions de mon fils à l'égard de votre fille sont parfaitement sérieuses et honorables.

— Je vais lui écrire et le lui dire. Je le répète, c'est à Hannah de décider.

— Ou peut-être votre mari...

Après tout, le chef de famille, le fermier, le père de la fille avait son mot à dire.

Cette terrible femme se planta alors devant la porte qui donnait sur le couloir, ayant l'air de la défendre, complètement ridicule.

— Non, dit-elle. Je ne veux pas que l'on tracasse John avec une affaire qui peut n'aboutir à rien. Je vais écrire à Hannah et lui dire de réfléchir.

Il ne pouvait tout de même pas la repousser dans sa propre maison.

Soudain un petit rouage se mit à tourner dans son crâne. *Sa* maison ? A qui était-elle ? Il pouvait oublier certaines choses, certains noms, certaines dates, tous les hommes connaissaient ce genre de passage à vide. Mais il aimait Copsi et tout ce qui y touchait avec une telle ferveur que le moindre détail d'un bail, d'une sous-location, d'une dîme lui était plus vite présent à l'esprit que s'il avait dû les chercher dans ses dossiers remarquablement tenus. Reffolds... cinq ans venant à expiration au prochain terme. Si cette gamine... cette menace pouvait servir. L'idée lui déplut et il la repoussa.

Rien n'avait été fait à la hâte. Il s'écoula quelques jours avant que l'un des hommes, qu'il avait envoyés pour remettre Reffolds en état, lui apportât un mot de Mme Reeve.

« Cher Sir Harald

Vous trouverez ci-joint la lettre de ma fille reçue ce matin. Elle se passe de commentaires. »

Tout d'abord, il ne lut pas cette lettre. Il la parcourut d'un coup d'œil, émit un juron, puis la lut, en détail.

« Chère maman, j'ai fait ce que tu m'as dit. J'ai réfléchi longuement. Tante Hannah pense que l'on réfléchit mieux en marchant, mais ça n'a rien changé. J'ai seulement usé une paire de chaussures. Tante Hannah a tellement peur de m'influencer qu'elle ne veut même pas parler de tout ça. Mais elle se trahit de temps en temps et je sens que l'idée lui plaît. J'ai fait le compte des avantages, mais je ne suis pas assez courageuse. Rien que d'y penser j'ai peur. Maintenant, maman, il faut penser à l'avenir. Je ne peux pas rester ici, à ne rien faire. Mlle Drayton m'aidera peut-être à trouver une place. »

Jusque-là, la lettre était tracée d'une écriture nette et ferme. Puis, en bas, une ligne griffonnée comme par quelqu'un d'autre : « Maman, je ne peux pas. Je préférerais être une de ces filles qui vident les harengs et les mettent en barils. Embrasse papa pour moi. »

TROMPER la vigilance de Mme Reeve ne fut pas difficile. Sir Harald mit pied à terre à quelque distance de la maison, s'en approcha furtivement et frappa à la fenêtre du salon. Le temps s'étant amélioré on en avait approché le lit de John, il pouvait donc l'ouvrir et la fermer quand il le voulait. Il lui était également, de la sorte, plus facile de vider une boisson dont il ne voulait pas dans l'un des pots de fleurs. Parfois, il réussissait même à jeter de la nourriture à l'extérieur. Entendant frapper, il ouvrit la fenêtre.

— La porte de devant est fermée, monsieur. Si cela ne vous dérange pas de passer par-derrière...

— Je veux vous parler, seul à seul, Reeve.

John comprit tout de suite. Il s'agissait de ce médecin de Londres qui l'avait examiné dans tous les sens, avait posé un tas de questions, mais dit fort peu de choses. Sir Harald avait de mauvaises nouvelles et ne voulait pas que Martha le sache !

— Ça ne risque rien, elle est dans la laiterie.

Sir Harald se coula dans la maison comme un voleur et rejoignit Reeve. Il le vit et sentit son cœur se serrer. Ce visage décomposé, ces yeux désespérés.

— Il n'a pas laissé d'espoir, hein ?

— Oh ! ce soi-disant spécialiste. Sir Harald oublia un instant ses problèmes personnels. C'est un pessimiste, Reeve. Nous n'en tiendrons pas compte et nous chercherons quelqu'un d'autre. Malheureusement le docteur Fordyke n'est pas très au courant, ni en mesure d'indiquer le meilleur des spécialistes. Mais je voulais vous parler d'autre chose. J'espère que *vous,* au moins, serez content d'apprendre que mon fils souhaite épouser votre fille.

— Épouser !

D'un seul mot John Reeve réussit à exprimer l'essence même de la féodalité. Pendant des siècles les Copsey et les Reeve avaient vécu côte à côte se portant un respect mutuel : un Reeve avait été à Crécy avec un Copsey, bon Seigneur, bon fermier, mais chacun à sa place, génération après génération. Toujours séparés par un énorme gouffre... franchi à présent d'un seul mot.

Cependant quand, après quelques minutes de silence stupéfait, John Reeve parla ce fut pour dire :

— Hannah en a peur.

— Oui. J'ai cru le comprendre. Je vous l'assure, c'est sans raison. Il est jeune, vous savez, et maladroit. En fait, Reeve, je ne l'ai jamais vu s'intéresser à une jeune fille auparavant. Maintenant, il jure que, s'il ne peut pas épouser Hannah, il ne se mariera pas. Que deviendrons-nous ?

Dans le même bateau. Copsi sans un Copsey, comme Reffolds sans un Reeve. Et le seul qui reste, sans ses jambes.

Peut-être tint-il le même raisonnement car Sir Harald ajouta :

— Et, cette question mise à part malgré son importance, il faut penser à Reffolds. Tout se dégrade, vous savez. Et même si l'on parvient à vous guérir, ce que j'espère vivement, il est douteux que vous puissiez travailler comme autrefois.

— Si mes jambes me revenaient, monsieur, je pourrais travailler.

— Ce que j'aimerais faire, Reeve, c'est vous installer dans une petite maison confortable, à Bressford par exemple, et vous servir une pension suffisante pour que vous puissiez avoir un bon domestique à votre disposition.

Cela semblait normal comme suggestion, songea Reeve. Si Hannah épousait le jeune Copsey, ça ferait mauvais effet que son père travaille en bras de chemise et les bottes pleines de boue. Cette pensée fut vite remplacée par une autre : quel merveilleux soulagement d'avoir un domestique mâle pour manipuler bouteille et bassin ! Et puis, Martha serait heureuse de retourner vivre en ville. Il se la représentait, bien habillée, faisant des courses sans hâte, retournant au théâtre, au concert, profitant de la compagnie de gens instruits.

— Et ce ne serait pas par sens du devoir, continua Sir Harald, jovial, mais profitant de son avantage. Vous feriez partie de la famille...

— Si seulement Hannah n'avait pas si peur...

— Un peu de timidité bien naturelle, Reeve. Mon fils est impétueux et manque d'expérience. Je suis sûr qu'une fois tout arrangé, il la traitera avec considération et respect.

— Je l'espère.

— Alors, vous êtes d'accord ?

— Oh, non ! Ce n'est pas à moi de décider, monsieur. Il faut que j'en parle d'abord avec ma femme et avec Hannah.

— Évidemment, répondit Sir Harald étouffant l'irritation qu'il sentait monter. Je pense que le mieux serait qu'Hannah revienne et que vous vous expliquiez franchement. Où est-elle ?

— A Radmouth, chez ma sœur.

— Je peux lui envoyer la voiture. Demain ?

— Peut-être qu'il vaut mieux que j'en touche un mot à Martha d'abord.

Une fois encore, Sir Harald se domina. Pauvre homme qui dépendait totalement de cette femme dure, froide, redoutable dans n'importe quelle circonstance.

— Oui, parlez-lui-en et faites-moi savoir pour la voiture.

DEPUIS vingt ans qu'ils étaient mariés, ils ne s'étaient jamais querellés. Des différences d'opinion et ce grand chagrin, la mort de Johnny, qui aurait pu les rapprocher mais les avait éloignés, de petits reproches secrets laissant tomber des gouttes d'acide qui, cependant, n'entamaient pas les solides fondations de leur mariage. Chacun savait d'instinct que se quereller, échanger des paroles désagréables et même des coups, comme certains, aurait été avouer avoir fait un mauvais choix : le simple fermier choisissant une gouvernante jolie et bien élevée ; la femme instruite épousant un homme pratiquement illettré. Aucun des deux ne l'aurait admis, orgueilleux chacun à sa manière, parfaitement conscient des qualités de l'autre, le respectant. Cela avait très bien marché, jusqu'à ce jour. Et, même alors, il n'y eut ni cris, ni insultes. Seulement quelques mots tranquilles, terribles.

— Ainsi, tu savais que l'on avait demandé Hannah en mariage, dit John à sa femme. Mais tu ne m'as rien dit. Sans doute penses-tu que, parce que j'ai perdu l'usage de mes jambes, je suis devenu idiot.

— Je ne voulais pas t'ennuyer. Sir Harald m'a parlé et j'ai écrit à Hannah simplement pour lui annoncer la demande en mariage et lui dire que c'était à elle de décider. Elle a répondu. Elle a dit non et j'ai envoyé sa lettre à Sir Harald.

— Sans me la faire voir.

— Je voulais t'éviter ce souci.

Enfin, après une longue discussion, Martha dit à son mari :

— Je vois qu'on a réussi à te convaincre. Parfait, faisons-la venir et elle te dira ce qu'elle pense. Mais elle ne viendra pas dans la voiture de Sir Harald. Cela ferait mauvaise impression.

— Alors, comment fera-t-elle ?

— Comme pour partir. Elle prendra la malle-poste. J'irai l'y attendre. Si elle décide de revenir, évidemment.

— Tu lui écriras pour lui dire de ne pas le faire.

— C'est une accusation parfaitement injuste. Tu liras ma lettre et tu la donneras à poster à cet idiot de Sam.

DANS le salon, elle avait parue ferme et sûre de soi. Elle avait écrit la lettre, l'avait donnée à lire à John. Il la lut très lentement, mais il remarqua :

— Très bien. Tu as dit ce qu'il fallait dire.

Puis, Sam l'Idiot avait pris la lettre et était parti avec.

Après coup, seule dans sa cuisine, elle avait eu un de ces moments de dépression qui frappent même les gens sûrs d'eux et calmes d'habitude. Elle se sentit soudain complètement isolée, sans défense, vaincue. Elle s'assit devant la table et se prit la tête à deux mains. Pleurer l'aurait soulagée, mais aucune larme ne vint. La crise du moment était déjà pénible, mais elle se situait sur un fond de ruines. Pas de moisson cette année et comment pourraient-ils subsister avec l'argent de son beurre, malgré tout son travail ? Ils vivaient de façon plus coûteuse puisqu'elle ne pouvait pas faire ses courses comme à l'accoutumée. Le boucher livrait la viande et une voiture passait offrant d'autres marchandises. Mais tout était beaucoup plus cher de la sorte.

Elle ne croyait plus à la vertu de la prière depuis la mort de Johnny. Toutes celles qu'elle avait faites ne l'avaient pas empêché de mourir. Elle ne croyait pas aux miracles, non plus. Et ce fut avec une sorte de désespoir teinté de colère qu'elle pensa :

« Mon Dieu, si seulement quelqu'un venait nous aider ! »

Et la réponse lui fut aussitôt apportée. Jerry Flordon parut à la porte de la cuisine.

— Bonjour, Madame Reeve. Je peux entrer ?

Rarement, elle avait été aussi heureuse de voir quelqu'un, mais sa joie fut tempérée par le fait que, le haut de la porte étant ouvert, il avait dû la voir, prostrée, et qu'il ne faisait peut-être que passer pour se rendre ailleurs. Quoi qu'il en soit, il pourrait peut-être s'occuper de John pour une soirée. La cérémonie de la bouteille et du bassin serait compliquée par leur colère mutuelle.

— Entrez donc ! Quand donc êtes-vous revenu ? Vous êtes plus tôt que prévu, cette année, non ? J'allais faire du thé.

Elle cherchait, en parlant, à effacer l'impression de désespoir qu'elle avait dû donner.

— Je suis revenu hier. Deux semaines plus tôt que prévu. Comment va M. Reeve ?

— Pas mieux. Nous avons vu un spécialiste de Londres, l'autre jour, il n'a pas laissé beaucoup d'espoir.

— Eh bien, je venais voir s'il y avait quelque chose que je pouvais faire.

— Oh, une centaine. Combien de temps pouvez-vous rester ?

— Jusqu'à la nouvelle saison de pêche aux harengs. Et j'ai tout réglé à la maison.

Il était difficile de se représenter un homme aussi indépendant avec une habitation fixe. Mais Jerry avait une mère immobilisée par les rhumatismes et une sœur, veuve, qui s'occupait d'elle, fort mal. Quand elle était revenue vivre à Copsi Minor, elle avait trois petits enfants. A présent, elle en avait six. C'était scandaleux, mais personne n'y pouvait rien. Jerry payait pour tout le monde et le loyer était réglé, ponctuellement. Le bail assurait un toit à la vieille Mme Flordon sa vie durant, et si l'opinion publique ou tout autre pression parvenaient à chasser la souillon et ses rejetons, qui s'occuperait de la pauvre femme ?

— Apportez-lui une tasse de thé, Jerry, s'il vous plaît. Ça lui fera du bien de voir un nouveau visage.

Il resta absent si longtemps qu'elle eut le temps de boire deux tasses de thé et elle se sentait mieux lorsqu'il revint et se mit à parler. Intelligemment, comme toujours.

— J'ai réfléchi, madame Reeve. Il est trop tard maintenant pour les céréales, mais la terre est en bon état. Vous pourriez faire des légumes. Ils se vendraient comme des petits pains, au port. Tout ce qui est vert, frais. C'est l'époque pour les pois, les haricots, les carottes — et les pommes de terre évidemment.

C'était là le genre de culture méprisé généralement par les fermiers. Qu'une ferme ait un bon potager et elle le devait la plupart du temps à la femme de la maison.

— Si vous passez l'été ici, ce serait une excellente idée. Sam ne sait pas labourer, mais il peut bêcher et si vous le surveillez...

Elle s'inquiéta soudain.

— ... Mon mari vous a-t-il parlé d'Hannah ?

— Seulement pour me dire qu'elle revenait bientôt.

Bon. Elle avait eu peur que John se soit confié. Avant que l'affaire soit réglée, dans un sens ou dans l'autre, moins on en parlerait, mieux ce serait. Elle mettrait son mari en garde, à ce sujet.

— Si elle décide de revenir, peut-être pourrez-vous aller la chercher. Elle est à Radmouth.

— Bien sûr. Et si vous êtes d'accord pour les légumes, j'en profiterai pour acheter les semences. Il y a plus de choix à Radmouth qu'à Bressford ou à Wyck.

TANTE HANNAH, toujours d'une parfaite neutralité, dit cependant une chose que la jeune fille jugea sur le moment plutôt crue, mais dont elle se souvint plus tard.

— Je suis à peu près certaine, mon petit, que tu n'as rien à craindre. *On fait toujours très attention à une poulinière pleine.*

C'était justement ce qu'Hannah ne voulait pas devenir. Elle rentrait à la maison pour s'en expliquer avec sa mère qu'elle soupçonnait avoir changé d'avis quand il avait été question de mariage et avec son père — qui serait son allié — ensuite elle irait demander à Mlle Drayton de l'aider à trouver une situation. Si elle en trouvait une, même très mal payée, elle enverrait tout ce qu'elle gagnerait à ses parents, car elle n'aurait besoin de rien comme toilettes pendant des années. Tante Hannah s'était montrée d'une telle générosité, déclarant de sa façon curieuse, un peu brusque, qu'elle ne pourrait jamais plus porter ceci, ou cela et que, si cela arrangeait Hannah... Comme cadeau d'adieu, elle lui avait donné une merveilleuse trousse de toilette de cuir fin garnie de flacons et de boîtes en verre taillé et à bouchons d'argent.

— C'est un compagnon de voyage très utile, avait commenté tante Hannah, mais les voyages sont finis pour moi et cela resterait dans un coin de grenier.

Elle avait également fait présent à sa nièce d'un rang de perles.

— Elles sont vraies, mon petit, pas de ces sales imitations modernes. Mais le fermoir est un peu compliqué. Minnie est trop maladroite. Je ne le porte jamais... Il te servira, en attendant que tu aies quelque chose de mieux.

Ainsi que l'avait écrit la jeune fille, tante Hannah se trahissait de temps en temps. Mais leurs adieux furent affectueux.

— Au revoir, ma tante, merci de m'avoir accueillie. J'ai été très heureuse... et j'ai appris beaucoup de choses.

— Au revoir, mon petit, j'espère que tout se passera bien pour toi. Écris-moi, quand tu en auras le temps.

— Je vous le promets. Et je viendrai également vous voir.

146

ET maintenant, elle était perchée à côté de Jerry dans la vieille voiture familière et rentrait chez elle. Peut-être pour peu de temps. Tout dépendait de Magnus Copsey. Accepterait-il son refus et s'occuperait-il de quelqu'un d'autre ou se montrerait-il encore plus odieux, si c'était possible ? Dans le manège où se bousculaient les idées qu'était devenu son cerveau depuis la demande en mariage, la vague peur d'une vengeance diabolique avait trouvé sa place. Elle avait également pensé que, devenue riche, elle serait en mesure d'aider ses parents. Il lui arrivait de se dire : « entendu, j'accepte ! » Et puis l'horreur reprenait le pas et elle sentait qu'elle en serait incapable. A présent, regardant à la dérobée Jerry Flordon, beaucoup moins beau, bien plus âgé et pas du tout riche, elle n'hésitait plus.

— Comment avez-vous trouvé mon père, Jerry ? Ma mère ne me disait pas grand-chose dans ses lettres.

— A peu près le même. Moins déprimé que quand je suis parti. Mais il a beaucoup maigri.

— Vous aussi vous avez maigri.

Elle était la première à le remarquer. Pour sa famille, ce qui comptait surtout c'était qu'il soit là, de l'argent dans les poches et deux mains solides pour réparer ce qui n'allait pas. Pour Mᵐᵉ Reeve, mince ou gros, c'était seulement quelqu'un avec qui partager ses soucis.

— On a eu du sale temps. Cinq jours où la cambuse elle-même était noyée. L'eau froide et le travail dur ça fait fondre la graisse.

Elle avait fait une remarque sur son aspect. Pouvait-il parler du sien ? Elle avait changé de façon incroyable. Elle était devenue... oui, élégante, c'était le mot. La charmante petite collégienne était devenue une élégante jeune fille.

Ce changement, elle le devait à tante Hannah. De même que l'on ne pouvait rester à côté d'une cheminée sans se noircir plus ou moins, on ne pouvait vivre dans l'intimité d'une femme qui, quoique presque aveugle, savait encore tirer le meilleur parti d'elle — et de tout le monde — sans inconsciemment en arriver à l'imiter. La façon dont tante Hannah tenait la tête droite, combattant double-menton et dos rond ; la façon dont elle se servait de ses mains pour exprimer une impression ; la façon dont elle modifiait sa voix disant d'un ton léger et frivole des choses graves, tout cela elle le lui avait transmis. Jerry ouvrit la bouche pour dire : « Et vous, vous êtes devenue très, très élégante. » Mais il se ravisa. C'eût été trop familier. Aussi parla-t-il de ses projets concernant Reffolds.

— Du chou d'hiver, dit-il avec une exultation gourmande. Il y a des moments où n'importe quel marin donnerait sa peau pour en avoir... J'ai mangé, moi qui vous parle, de l'herbe et des algues à un moment donné. Personne, dans les deux Copsi, ne semble y avoir encore pensé et il y a un marché ouvert, à portée de la main.

Il parlait de ses projets avec un enthousiasme plutôt touchant et les idées tourbillonnaient dans sa tête. Elle se demandait si l'on avait commencé à bavarder à son sujet et celui de Magnus Copsey. Apparemment non car, en réponse à sa question touchant aux nouvelles du village, Jerry lui dit qu'il n'y avait rien de neuf. Deux personnes, âgées toutes les deux, étaient mortes des suites de l'hiver, un enfant était né! Rien d'extraordinaire. Puis elle pensa que ce ne serait pas une mauvaise idée que d'avoir une opinion parfaitement désintéressée et elle dit :

— Jerry, si je vous confiais un secret, vous n'en parleriez à personne, n'est-ce pas?

— Vous le savez bien. Allez-y, dites-le.

— Magnus Copsey veut m'épouser.

— Vous épouser. Vous ne croyez tout de même pas ça? Hannah, il est cinglé. Même son père s'en est rendu compte, enfin. Il a une espèce de gardien maintenant. Un type appelé Bolsover. Il le suit partout. Vous n'allez pas croire une histoire pareille. C'est de la blague.

Quoique la seule perspective de ce mariage la terrifiât, cette façon de réagir, d'en rejeter même l'idée avec mépris, porta atteinte à sa fierté.

— Ce n'est pas de la blague. Ou une lubie de cinglé. Il s'agit d'une proposition sérieuse. Faite à ma mère par Sir Harald. J'ai d'abord refusé. Maintenant, je retourne à la maison pour en parler.

— Seigneur! dit-il en faisant claquer les guides. Vous le feriez?

— Je n'ai pas encore pris de décision.

— Alors, dites non. Vous auriez une vie infernale, Hannah. Ce garçon n'est pas simplement piqué et inoffensif comme Sam l'idiot. Il est méchant. Regardez ce qu'il a fait à Jim Bateman. Et on raconte d'autres histoires très moches. Vos parents, qu'est-ce qu'ils en pensent?

— Je ne sais pas. Maman dit que c'est à moi de décider.

— Là, elle a tort, si je peux me permettre — sans le savoir Jerry était du même avis que Sir Harald — Vous êtes trop jeune pour prendre une décision comme celle-là. C'est pour la vie, Hannah, et il y a plus dans la vie que l'argent, les voitures et les belles robes. Il y a assez de malheur dans ce monde sans courir le chercher. Je ne comprends pas comment vous pouvez hésiter une seule seconde devant une idée aussi ridicule.

— Sir Harald a l'air d'insister.

— Je m'en doute.

Évidemment Sir Harald voulait voir son fils marié et personne de son monde n'aurait accepté de donner sa fille à un fou, aussi il avait fixé son choix sur cette pauvre innocente, tellement éblouie par cette proposition qu'elle n'en voyait pas les pièges. Il ne pouvait évidemment pas le lui dire.

— C'est un homme convenable, mais dérangé, lui aussi, pour tout ce qui concerne son rejeton. S'il lui réclamait la lune, il chercherait à la lui donner. Le louftingue a dû vous voir quelque part et vous trouver jolie. Vous l'êtes, vous savez. Et il s'est précipité chez papa disant qu'il voulait vous épouser et papa a obéi.

— C'est un peu ça.

— Alors, pour l'amour de Dieu, ne le faites pas. Ne vous laissez pas persuader. C'est à l'avenir qu'il faut penser. Reffolds est en piteux état en ce moment, mais on va tout arranger. Nous avons eu une bonne saison. Je me suis fait soixante livres, net. Je les investis, je paye le loyer et les factures s'il y en a. Je vais travailler et remettre tout en ordre et peut-être prendre un travail supplémentaire de droite et de gauche, comme je l'ai toujours fait. On se débrouillera.

— Je peux travailler, moi aussi, répondit Hannah d'une voix qui la trahit.

— Bien sûr que vous le pouvez. Et si on fait pousser plus que n'en veulent les bateaux, on aura un étal à Bressford, légumes, beurre, œufs, volailles. Ce ne sera pas le luxe, mais on vivra.

Pendant une seconde, Hannah partagea son rêve, puis la pensée de Magnus Copsey vint tout obscurcir. Elle songea à ce qu'il pourrait faire, détruire l'étable, incendier la maison comme il l'avait fait du foin. Puis elle se souvint de ce que Jerry avait dit concernant un gardien. Peut-être, après tout, n'y avait-il plus rien à craindre.

— En parler, comme ça, m'a fait beaucoup de bien, dit-elle.

S A mère était dans la cuisine. Elle avait maigri et ses cheveux étaient devenus presque blancs. Elle était plus jolie. Son accueil fut chaleureux, mais agité.

— Nous sommes dans une situation terrible, ma chérie. Et avant que tu ailles là-bas — du menton, elle indiqua le salon — je veux te dire que si tu continues à dire non je serai avec toi. Sir Harald est venu dans mon dos et s'est assuré ton père en lui faisant toutes sortes de promesses. De la corruption, il n'y a pas d'autres mots. Mais c'est à toi de décider.

Exactement l'inverse de ce qu'avait pensé Hannah. Mais elle n'avait pas le temps de poser de questions. Quelles promesses? Car son père avait entendu la voiture et appelait. Elle le rejoignit. La pièce était illuminée par les derniers rayons d'un chaud soleil de printemps. Ils éclairaient le lit, révélant, impitoyables, l'effrayante maigreur du malade. Mais il avait une vitalité qu'elle ne lui avait pas connue quand elle était partie.

— Ah, voilà ma fille, dit-il en l'embrassant avec chaleur. Puis la tenant à bout de bras : — Ma parole, l'air de Radmouth t'a fait du bien. Tu es plus mignonne que jamais. Ça fait plaisir à voir.

L'espace de quelques secondes, elle en revint à sa conviction première. Son père avait toujours été son allié, son meilleur ami. Elle serait entrée dans la cage d'un lion pour adoucir son sort.

Mais avec des lions, on en avait vite terminé, ce n'était pas une condamnation à perpétuité.

Le tourbillon recommença dans sa tête. Et puis, le dîner terminé, la conversation sérieuse commença de façon douce et raisonnable, au début, pour dégénérer en une querelle, la première qu'Hannah eût jamais entendue entre ses parents.

Son père prit la parole. Sa mère reprisait une taie d'oreiller, un homme condamné au lit et bien tenu usait beaucoup de linge.

— Écoute bien, ma chérie, je voudrais que tu comprennes que personne ne cherche à te faire faire quelque chose qui te déplaise. Mais il faut aussi voir l'autre côté de la question.

Il raconta tout, donc beaucoup de choses ignorées d'Hannah, Martha n'en ayant pas parlé dans ses lettres. La jolie petite maison à Bressford, la pension versée régulièrement, le domestique et tout cela allant de soi puisqu'ils feraient partie de la famille.

— D'un autre côté si on refuse à Sir Harald ce qui lui tient tant à cœur, qu'est-ce qu'on deviendra? Le bail prend fin à la Saint Michel. Il ne viendrait à l'idée de personne de laisser un mètre carré de terre à un homme qui n'a plus l'usage de ses jambes. Il n'a plus que l'hospice.

C'est alors que sa mère réagit.

— Et c'est ce que tu appelles une discussion raisonnable! C'est du chantage! L'hospice et puis quoi encore! Oh, je connais le bail. Je l'ai étudié. Mais il y a d'autres endroits que Copsi. Des endroits où je pourrais gagner notre vie. J'y ai réfléchi ces temps derniers. Si nous allions à Bressford ou à Wyck et qu'on prenne une maison plus grande, je pourrais ouvrir une petite école. Cela prendrait peut-être du temps pour trouver suffisamment d'élèves. En attendant je pourrais prendre des pensionnaires. — L'horreur de John ne fut absolument pas feinte.

— Quoi! Un hôtel garni! Comme chez Morley. Un asile de nuit pour vagabonds, terrassiers et trimardeurs. Tu as perdu la tête!

— Tu sais parfaitement que ce n'est pas cela à quoi je pense. Je pense à une maison où des jeunes gens convenables pourraient habiter. Si je leur fournissais le petit déjeuner et un repas, le soir, dans la journée je serais libre de recevoir des élèves ou d'aller chez eux. Hannah pourrait m'aider si nous avions suffisamment d'élèves, de pensionnaires ou les deux. Sinon, elle pourrait trouver un emploi quelque part.

— Et *moi* là-dedans?

— Je m'occuperai de toi, comme je l'ai déjà fait.

— C'est justement ce que je ne veux pas! Et tu le sais.

Sa voix s'étouffa, son visage, pâli par des mois de vie de reclus, vira au pourpre.

— ... Vingt ans qu'on est marié et pas une seconde tu n'as *vraiment* pensé à moi. Oh, oui, j'ai toujours eu des repas à l'heure et du linge propre, mais est-ce que ça compte à côté du reste ? Quand le petit est mort as-tu seulement pensé que ça m'avait fait aussi mal qu'à toi ? T'es-tu jamais dit, pauvre John, et as-tu fait en sorte de m'en donner un autre ? Non, tu as pensé : pauvre Martha et tu t'es refermée sur toi-même avec ta douleur. Et, imbécile que j'étais, je t'ai laissé faire. Mais tu serais surprise de savoir par quoi je suis passé, faisant semblant de ne pas souffrir, parlant d'un des garçons de Frank et me sentant malade à vomir. Il fut obligé de s'interrompre pour retrouver son souffle et reprit d'un ton plus calme, mais plus coupant aussi : — Et ensuite, il a fallu que tu me prennes ma fille, tout ce que j'avais. Je lui apprenais doucement à se débrouiller. Mais ça ne *te* convenait pas. Non, il fallait qu'elle aille à l'école et peu importe qu'elle me manque. Et, malgré tout, je t'aimais, je te donnais tout ce que je pouvais, je t'épargnais tout ce qui pouvait te salir. Et maintenant qu'on a une chance de sortir de la boue tu parles de prendre des pensionnaires ! Tout en t'occupant de moi. Toi qui ne peux pas marcher dans une crotte de poule sans laver tes chaussures !

Il reprit à nouveau son souffle et dit le plus terrible.

— ... Et je sais pourquoi. Chaque fois que tu fais quelque chose de malpropre pour moi, tu te sens mieux. Tu entres ici avec ce sourire triomphant de la bonne épouse que tu n'as jamais été !

Parfois, Miss Allsopp venait à l'aide de Martha Reeve. Elle le fit ce soir-là et reconnut les symptômes de la crise d'hystérie, ce qui pouvait être contagieux et Hannah, si pâle qu'elle en semblait verte, paraissait sur le point d'éclater en sanglots. Dans une situation de ce genre, quelqu'un devait être calme. Miss Allsopp le fut.

— John, dit-elle, ce n'est pas chic pour Hannah. Comment peut-elle réfléchir de façon lucide après une telle explosion ? Peut-être ai-je mérité certains des reproches que tu as éprouvé le besoin de m'assé-ner... dans une crise de colère, mais cela n'a rien à voir avec la question. Hannah doit songer à l'avenir, pas au passé et comment peut-elle le faire alors que tu es visiblement si peu objectif ?

Elle plia la taie d'oreiller avec soin avant d'ajouter, sur un autre ton :

— ... Jerry Flordon a dit qu'il viendrait s'assurer que tu es bien. Hannah il faut aller te coucher. Tu as eu une journée fatigante. L'eau doit encore être chaude dans la bouilloire.

— Bonne nuit, papa.

— Bonne nuit, ma chérie. Et si j'ai dit quelque chose que je n'aurais pas dû dire, ne fais pas attention.

Et comment faire ? Il fallait songer à l'avenir, mais le passé était important aussi.

Autrefois, avant qu'elle aille en pension, son père avait été son seul ami. Il lui avait fait faire une petite fourche — miniature parfaite — pour qu'elle l'accompagne quand on retournait le foin. Il l'avait emmenée avec lui — beaucoup trop tôt — au marché et lui avait acheté du pain d'épice. En revenant à la maison, un jour, elle avait vomi et il l'avait lavée avec l'eau du ruisseau : « On ne dira rien à ta mère, elle s'inquièterait. »

Elle se souvenait d'une nuit où elle s'était réveillée ayant très mal dans une oreille et la main de son père, chaude comme une compresse, dure comme du bois, avait calmé la douleur.

Et le rite de la lanterne les nuits d'hiver. Son père allait et venait, entrait et sortait, s'acquittant de travaux pouvant être faits à sa faible lueur jusqu'au moment tant attendu où il la soufflait. Cela signifiait, pour l'enfant qui regardait, que c'en était terminé. Il enterrait pour de bon, s'assierait à côté du feu, la prendrait sur ses genoux et lui conterait de merveilleuses histoires, lui citerait des dictons où le temps jouait un grand rôle.

> *Si la glace en novembre supporte un canard,*
> *Il y a rien à espérer que la boue et la gadoue.*

Ou encore :

> *S'il fait beau et clair à la Chandeleur,*
> *L'hiver a décidé de revenir.*
> *Mais s'il pleut et vente à la Chandeleur*
> *L'hiver est parti pour ne pas revenir.*

Il en connaissait des centaines et, jusqu'à la fin de ses jours, elle s'en souviendrait encore, persuadée qu'un coucher de soleil rouge présageait le beau temps, un lever de soleil rouge, le mauvais temps. Elle prendrait garde au premier jour de mars, ce mois qui, s'il arrivait comme un lion, repartait comme un agneau.

Il avait été son ami, son premier enseignant, le père qu'elle aimait et avait toutes les raisons d'aimer et, à présent, il voulait qu'elle épouse Magnus Copsey. Elle le comprenait et ne le lui reprochait pas. Il désirait la sécurité et un domestique qui lui rendit les services qu'il détestait accepter de sa femme.

Cette scène dans le salon, si soudaine et si révélatrice — une sorte d'éclair — suscitait forcément quelques réflexions au sujet du mariage en soi. Si deux êtres formant un couple paisible, sinon visiblement heureux pendant vingt ans pouvaient réagir de cette façon... Évidemment, papa avait crié et porté des accusations terribles, mais maman avait été si froide et méprisante. Quel espoir pouvait avoir un couple si mal assorti, dès le départ ?

Reffolds se trouvait à la limite même du domaine de Sir Harald, mais le terrain descendant jusqu'à la rivière pour remonter ensuite, de sa fenêtre, Hannah pouvait voir le sommet du château, une tour, quelques créneaux, le haut d'une cheminée, au-dessus des arbres. Hannah, qui n'avait même pas cherché à se déshabiller, était à sa fenêtre, à regarder, quand Martha entra avec un bol de lait chaud.

— Bois ça, dit-elle de son ton impérieux habituel. Tu as à peine touché à ton dîner. Ton père était épuisé. Il n'a rien à faire de toute la journée que de retourner des idées dans sa tête, les déformant et les exagérant. C'est entièrement la faute de Sir Harald qui a fait miroiter un tas de promesses. Encore un autre docteur! Qu'est-ce que l'autre a fait? Le confort et la sécurité pour la vie? Je ne suis jamais restée inactive et je n'ai pas l'intention de changer. Et, j'en suis sûre, si ton père pouvait oublier ses scrupules ridicules au sujet d'une chose si simple, il serait le dernier à vouloir te voir épouser un fou — et dangereux qui plus est.

— Tante Hannah, tout en se gardant de m'influencer d'aucune façon, semble croire que le mariage peut l'améliorer.

— S'il le fait, ce serait le premier cas dans l'histoire. Bois ce lait pendant qu'il est encore chaud... Moi aussi, je me suis gardée de t'influencer et je t'ai laissé prendre ta décision. Mais ton père en ayant tellement dit... Hannah, je suis sûre que j'ai raison. Dois-je écrire à la première heure demain matin à Sir Harald, en refusant très poliment et en lui donnant congé en même temps? Jusqu'ici il ne s'est livré à aucune menace, mais il ne renouvellera vraisemblablement pas le bail, même si je le souhaitais, ce qui n'est pas le cas. Il serait plus digne de partir de nous-mêmes.

Brusquement, Hannah se souvint des propos enthousiastes de Jerry Flordon.

— Jerry pense qu'il... que nous pourrions gagner notre vie ici.

— Comme bouche-trou, c'est une bonne idée. Mais tout dépendrait du bon vouloir de Sir Harald et de Jerry lui-même. Comme beaucoup d'hommes revenus après un voyage très dur, la terre lui plaît. Puis l'envie passe. Et alors que deviendrions-nous? Il faut penser également à autre chose. Même si Sir Harald, magnanime, nous autorisait à rester, que ferait le fou? Je ne suis jamais passée pour une femme particulièrement nerveuse, mais, ces temps derniers, j'ai vécu dans l'angoisse. Je me réveille la nuit et j'ai l'impression de sentir la fumée. Je me lève, le matin, m'attendant à trouver notre bétail estropié...

Pauvre maman, rien d'étonnant à ce que ses cheveux aient blanchi!

— ... A Bressford, avec des voisins et la police, nous serions plus en sécurité... Mais je ne veux pas t'influencer. Si la perspective de devenir Lady Copsey te plaît, dis-le et cours-en le risque. Mais, pour l'amour de Dieu, Hannah décide-toi et délivre-nous de ce cauchemar.

Le tourbillon cessa. C'était merveilleux que l'on décide pour elle, non pas de la façon excessive de son père. Une sorte de paix descendit. On lui ôtait toute responsabilité.

— Maman, jamais je n'ai été attirée par l'idée de porter un titre. Tu le sais. Si c'était cela, comme tout serait simplifié. Ou si j'étais moins peureuse... Même maintenant... J'en ai une peur folle. Il peut nous faire beaucoup de mal d'ici la Saint Michel.

— Oh! je ne m'attarderai pas ici. Je partirai dès que j'aurais trouvé une maison. Les vaches se vendront plus cher maintenant qu'à la Saint Michel. Maintenant, Hannah couche-toi et dors. Tu as toujours voulu refuser, n'est-ce pas ? Je souhaite que tu le fasses. Et je suis sûre que ton père aura réfléchi après sa petite explosion de ce soir. Bonne nuit, ma chérie.

Maman vive, intelligente. Une vraie mère.

A Copsi, il y avait une vaste pièce que l'on continuait d'appeler la salle d'armes bien que ce qui restât d'armures fût à présent dans le grand hall. Là, le matin, Magnus et Bolsover se livraient à des combats de boxe — avec des gants, naturellement — Sir Harald était parfaitement d'accord. C'était un bon exercice et cela permettait à Magnus d'extérioriser une partie de son antipathie pour son adversaire. Sir Harald remarquait l'habileté avec laquelle Bolsover combattait permettant à Magnus de frapper avec violence, exagérant l'impact, mais toujours, vers la fin, comme il commençait à s'essouffler, il redevenait le professionnel et appliquait le coup de poing précis qui disait : « C'est moi le maître, et ne l'oublie pas ! » Puis, Bolsover commentait brièvement, flatteur :

— Vous faites de nets progrès. Vous ne tarderez pas à m'allonger pour le compte.

Bolsover avait promis de ne jamais blesser le jeune homme, ni de l'atteindre à la tête. Ce qui avait fait penser à l'ancien boxeur : « Comme s'il avait quelque chose dedans ! »

Sir Harald assistait à l'un de ces exercices semi-amicaux lorsqu'on lui apporta la lettre de Martha. Le refus final, décisif et — l'insolence de cette femme ! — donnant son congé. Jamais, au grand jamais, cela ne s'était produit. Les fermiers de Copsi savaient à quel point ils étaient bien traités.

Il sentit le sang monter à sa tête et son cou se gonfler. Ses mains se crispèrent sur cette lettre insultante. Comment osait-elle ? Il lui montrerait ! Mais du calme. Respirer tranquillement, lentement. Garder son calme. Prendre garde aux degrés de pierre usés et traîtres montant de la salle d'armes. Quand il atteignit les écuries sa rage s'était calmée. Sur la route de Reffolds, il éprouva même une certaine pitié pour cette idiote qui avait osé le défier. John Reeve était un traître.

Dans le champ où l'on avait cultivé cette orge merveilleuse, il y avait une certaine activité. Sir Harald ralentit pour voir ce qui se passait. Deux hommes, l'idiot et un autre, qu'il ne reconnut pas sur le moment, avaient retourné une partie du terrain et y traçaient de légers sillons. Pour quoi faire, Seigneur !

Sir Harald appela et le plus vif des deux hommes s'approcha de la haie. Ah ! le fils de la veuve Flordon.

— Bonjour. Que faites-vous donc ?

— Bonjour. On plante des pois.

— Dans un champ ?

— Il est trop tard pour planter autre chose que des légumes, monsieur.

— Effectivement.

Sir Harald, par son ton même, semblait désapprouver une initiative que, dans d'autres circonstances, il aurait approuvée. Quelqu'un qui faisait ce qu'il pouvait pour rattraper le temps perdu. Mais quelque chose chez le jeune Flordon le gênait, tout comme le gênait Martha Reeve. Ces déclassés !

Il poursuivit son chemin, mit pied à terre et actionna le marteau de la porte d'entrée. Martha l'ouvrit et sentit son cœur se tordre. Il n'avait pas, comme elle l'espérait, accepté les termes de sa lettre. Il lui faudrait encore se battre.

— Bonjour, dit-il brusquement en la repoussant et en entrant directement dans le salon. Là, il salua John Reeve de façon plus aimable : — Bonjour, Reeve. Vous avez meilleure mine. Le retour de votre fille vous a fait du bien, n'est-ce pas ? Bon, asseyons-nous et jouons cartes sur table.

— Mais, Sir Harald, je vous ai écrit, remarqua l'abominable femme.

— Oui, vous l'avez fait, madame. C'est l'une des raisons de ma visite. J'espère, ajouta-t-il avec arrogance, n'avoir jamais manqué de respect ou de courtoisie envers une femme, mais je suis obligé de vous faire remarquer qu'en me donnant *votre* congé vous avez fait preuve d'ignorance. Votre mari a signé le bail de cette ferme. C'est à lui d'y mettre un terme, pas à vous.

John Reeve réagit aussitôt :

— Martha ! Tu n'as pas...

Elle avait retrouvé sa force.

— Oui. Je l'ai fait. Hannah a pris sa décision hier soir et j'ai écrit, à la première heure ce matin, pour en informer Sir Harald et donner notre congé.

— Sans m'en dire un mot ! Je suis stupéfait. Je me suis pourtant bien expliqué hier soir et Hannah devait réfléchir. Et voilà que tu...

— J'ai voulu mettre un terme à une situation intolérable. Hannah ne désire pas épouser Monsieur Copsey. Nous ne pouvons plus faire valoir Reffolds comme avant. Hier soir, j'ai compris qu'une nouvelle discussion avec toi mènerait à d'autres scènes pénibles. Aussi, ai-je écrit cette lettre qui aurait dû mettre un terme à toute cette histoire.

Effrontée ! Il n'y avait pas d'autre mot. Pour un peu, elle lui dicterait sa conduite, à lui aussi.

— Bon, eh bien, n'en parlons plus pour le moment et reprenons par le début. Où est votre fille ?

— Je ne désire pas qu'Hannah soit mêlée à d'autres discussions.

Sir Harald aurait beaucoup donné pour lui dire que ses désirs importaient peu. John Reeve régla la question en criant :

— Hannah, viens ici !

Sir Harald ne l'avait pas revue depuis l'enfance et, à présent, il la regarda curieux de voir ce qui avait tellement attiré Magnus. Indiscutablement jolie mais, à cet âge, toutes les filles épargnées par la maladie ont l'éclat de la fraîcheur. De beaux cheveux, des yeux remarquables, mais dure et froide. Pas du tout à son goût — elle se tenait bien — Mais rien pour tourner la tête à un jeune homme. Une petite voix malicieuse souffla alors à son oreille : « Mais ton fils a déjà la tête à l'envers ».

— Maintenant, si nous nous asseyions. Je pense que le mieux est de considérer comme sans importance ce qui a été fait ou dit. Je suis ici, ce matin, pour vous demander, Reeve, la main de votre fille pour mon fils. Qu'en pensez-vous ?

Il s'adressait avec ostentation à l'homme alité, sans tenir compte de la femme et de la fille.

Extrêmement mal à l'aise, John regarda Martha, Hannah, puis son propriétaire.

— Je n'ai rien contre, dit-il lentement. Mais c'est pas ça qui compte, ni ce que pense ma femme, c'est ce que pense Hannah. Et elle ne veut pas.

— Et quelles sont exactement vos objections, mon enfant ?

L'horrible femme intervint, une fois encore.

— C'est là le genre d'épreuve auquel on n'a pas le droit de soumettre une jeune fille. Cette demande aurait-elle été faite à l'une des filles de vos voisins et refusée, vous ne demanderiez pas d'explication. Puisque vous voulez une raison, ne me reprochez pas ensuite de vous l'avoir donnée. Je n'ai nullement envie d'être la grand-mère d'une bande de demeurés.

Cela fit l'effet de l'éclatement d'une bombe dans la pièce si calme. Sir Harald fut médusé. John Reeve parvint à dire : « Martha ! » et regarda sa femme avec haine. Hannah avait du mal à respirer.

— Vous aimez être blessante, madame Reeve, dit enfin Sir Harald.

C'était elle, visiblement, la pierre d'achoppement. Qu'il la détruise et la victoire serait à lui. John Reeve était de son côté, quant à la fille, elle ne comptait pas.

— J'accepte votre congé, madame Reeve. Ce n'était pas à vous de le donner, mais c'est légal — ce que fait une femme étant censé être dicté par son mari — Vous avez, je présume, étudié les clauses du bail. Je suis responsable des réparations. Votre mari quant à lui doit cultiver les terres et les maintenir en bon état. Jetez-y donc un coup d'œil. La terre arable est improductive et, si je n'étais pas intervenu, les pâturages seraient transformés en marécages. Vous devez avoir de sérieuses économies.

Il marqua un temps d'arrêt et John Reeve fit immédiatement son jeu en répondant :

— Cinquante livres grâce à l'assurance.

— Malheureusement, il y en a pour bien davantage, dit Sir Harald, presque aimable. Je serais dans l'obligation de tout vous prendre. Bétail et matériel. Même vos meubles.

— Tu vois ce que tu as fait, dit Reeve.

— Je vois. Mais je peux gagner notre vie.

Le courage était une qualité à admirer, même chez un ennemi ! Cette femme était de granit.

— Puis-je savoir comment ?

— Non.

— Oh, Martha est timbrée. Une école, des pensionnaires...

Alors sans s'adresser à personne en particulier, comme s'il se parlait à lui-même, Sir Harald déclara :

— Je ne suis pas très riche. Mais déçu dans un espoir sincère... insulté. Je me vengerai par tous les moyens. Je vous poursuivrai où que vous cherchiez à aller vous installer. Même à Londres. J'ai des amis... J'ai de l'influence... Je... Je...

La vague de colère aveugle monta à nouveau, pire cette fois-ci parce qu'il était furieux contre lui-même. Il était inconcevable qu'il pût menacer de la sorte un infirme, une femme sans défense, une jeune fille à peine sortie de l'enfance. Mais il parlait et, par-dessus le marché, se sentait au bord de l'attaque. John Reeve était de la couleur du suif, l'horrible femme blanche comme un linge et la fille très pâle. Il lui semblait que leur sang à tous trois était passé en lui, lui martelant la tête.

Ce fut Hannah qui rompit le silence effroyable, d'une voix froide, légère, fausse, modulée comme celle de tante Hannah.

— Rien de tout cela ne sera nécessaire, Sir Harald, dit-elle. Peut-être ai-je hésité... mais c'est la première fois que l'on me demande en mariage. J'ai changé d'avis, au cours de la nuit, après avoir parlé avec mes parents...

Elle le savait, Sir Harald trouverait cette explication un peu difficile à avaler et penserait que ses menaces l'avaient fait réfléchir.

— ... De mes fenêtres, expliqua-t-elle, on aperçoit Copsi par-dessus les arbres. Je l'ai vu d'un œil nouveau. Une demeure si belle dans laquelle on me fait l'honneur de demander de vivre. J'accepte.

Même dans cette atmosphère, le seul fait de parler de la beauté de Copsi agit sur Sir Harald.

Et c'est, parfaitement sincère, qu'il répondit :

— Mon enfant, vous ne le regretterez jamais.

— Idiote ! fit Martha.

— Tu es ma fille ! Je le savais, dit John Reeve.

ET s'ensuivit le déroulement d'une pièce de grand style, un ballet dont chaque pas, chaque geste étaient réglés avec soin. Sir Harald avait retenu la remarque de Martha concernant la fille d'un voisin. Il était déterminé à ce que tout soit fait, dans la mesure où il le pouvait, comme si Magnus devait épouser une des jeunes filles de bonne famille auxquelles il avait vainement tenté de le voir s'intéresser. Son propre changement d'attitude s'était opéré facilement. Il avait été horrifié, avait combattu cette horreur, prévu que le pire pourrait arriver, aussi en disant qu'il était ravi, il ne mentait pas. Et, maintenant que les dés étaient jetés, il pourrait retrouver sa fierté de Copsey. Celle qu'un Copsey choisissait d'épouser était automatiquement élevée à son rang. Mais il fallait tout faire correctement.

Informé de la décision d'Hannah, Magnus déclara :

— J'y vais tout de suite.

— Tu n'en feras rien ! Tu t'assieds et tu écris pour demander l'autorisation de venir la voir, le jour qui lui convient. Et à sa mère.

— Je déteste cette femme.

Il était facile de penser avec amabilité d'un ennemi vaincu.

— Tu feras en sorte de ne pas le faire remarquer. C'est une femme brave qui a subi beaucoup d'épreuves. Tu te comporteras avec elle, comme tu l'aurais fait dans des circonstances similaires avec Mme O'Brien ou Lady Collins. Que ce soit bien entendu. Fais seulement un faux pas et les résultats seraient très désagréables pour toi.

Il employait, un peu tard hélas, des méthodes judicieuses et elles réussirent. Sa victoire, l'espoir que tout pourrait aller bien à présent le mettaient dans un état d'euphorie qui ajoutait à sa confiance en soi et renforçait son autorité sur son fils. Une autorité que ne sapaient plus une trop grande affection et un aveuglement sans borne. Et lorsque les fiançailles furent annoncées officiellement, si l'on ne se priva pas de commentaires déplaisants dans l'intimité, du moins accepta-t-on le fait et l'approuva-t-on même dans certains cas. M. O'Brien quant à lui trouva ce choix très judicieux.

— C'est un vieux renard astucieux. Une solide fille de ferme, dépourvue de nerfs, c'était le seul espoir. Imaginez ce garçon violent et indiscipliné marié à notre fille au caractère si fougueux. Ils auraient engendrés de vrais démons.

Magnus alla prendre le thé à Reffolds et se comporta impeccablement. Il dit fort peu de chose, se contentant de dévorer Hannah des yeux. John, surveillant tout le monde de son lit, fut heureux de constater que cette peur dont il avait tellement entendu parler semblait s'être éteinte, Hannah semblait calme. C'était Martha la plus nerveuse.

Le désir intense qu'avait Sir Harald de faire tout paraître normal et correct, à sa façon un peu démodée, dans ce modeste salon-chambre-de-malade agissait peu.

— Maintenant que nous devons nous marier, dit Magnus — déclaration démontrant bien l'anomalie du tout : pas de cour, pas de demande en mariage, sauf par personne interposée — il faut que vous ayez une bague. Vous pouvez en avoir une neuve si vous voulez, ou une ancienne. On en a un tas, au château.

— J'en préférerai une ancienne.

— C'est parfait, alors. Venez... je veux dire, pouvez-vous venir prendre le thé, demain ? Avec madame Reeve, bien sûr. Alors vous pourrez choisir. Il y en a des douzaines. La voiture viendra vous chercher. C'est d'accord. Oui ?

Ensuite John remarqua :

— Je ne comprends pas toute l'histoire qu'on a faite. Il s'est très bien tenu. Un peu timide, mais pas plus que le Peter de Frank, ou moi quand je te courtisais.

« Si tu ne peux pas voir la différence, quoi dire ? » songea Martha. Aussi ne répondit-elle rien à son mari, mais fit une nouvelle tentative auprès d'Hannah.

— Ma chérie, tu ne peux pas continuer comme ça... avec cette mascarade. Même quand il se tient bien, c'est un garçon impossible. Et Hannah, il te regardait comme si tu étais quelque chose à manger.

— Maman, s'il te plaît. J'ai pris ma décision. J'ai donné ma parole. N'en parlons plus.

L A famille — toujours la dernière informée évidemment, elle avait ignoré que Bolsover servait de garde avant de prendre le thé avec Mᵐᵉ Barrington — savait à présent et était sens dessus dessous.

Lady Copsey, dont le règne avait été si court et jamais contesté jusqu'au retour de sa belle-fille, déclara : « Une fille de ferme ! Ah, les temps changent ! » Et cela permit à Mᵐᵉ le Beaune de répliquer : « Oui, mais comme c'est romanesque ! » Elle employait à dessein ce mot dans son sens péjoratif. Dans sa jeunesse, elle adorait aller au théâtre et continuait de lire des romans. La vieille histoire de Cendrillon ! « Oui, un vrai roman ».

— Quelle que soit votre opinion, déclara Sir Harald, je tiens à ce que l'on traite Mademoiselle Reeve avec la courtoisie dont on aurait fait preuve à l'égard de tout autre jeune fille que Magnus aurait désiré épouser. J'espère m'être fait comprendre.

On l'avait compris et les deux femmes se préparèrent à être polies, mais condescendantes. Le cousin William, qui se piquait de perspicacité dit, quant à lui :

— Mon cher Harald, je pense qu'il faut vous féliciter. Et, dans un an, j'espère pouvoir vous féliciter cette fois d'être grand-père.

Cela frisait l'indécence et Sir Harald décida de rendre le coup reçu.

— Nous ne rajeunissons pas, mon cher William, il faut bien que quelques-uns d'entre nous songent à l'avenir.

— Une fille de fermier ! s'écria Jonathan. Mais c'est merveilleux. Si elle est fraîche et suffisamment plantureuse je pourrai la faire figurer parmi mes grâces.

— Tout ce que je vous demande, coupa Sir Harald, est de vous trouver dans la grande galerie à quatre heures pour les présentations.

Tout le monde, Magnus y compris, se comporta très bien.

Lady Copsey, s'en tenant à sa désapprobation, trouva la mère et la fille maniérées et la façon d'être de la mère très désagréable. Madame le Beaune quant à elle estima qu'Hannah était un personnage de conte de fées, avec ces merveilleux cheveux. Pour le cousin William ce n'était qu'un joli petit être, n'ayant rien à dire. Jonathan fut déçu : la prendre comme modèle et son tableau perdrait son sens initial.

Après le thé, la famille se dispersa et Sir Harald fit les honneurs de sa galerie de peintures, s'arrêtant de temps à autre pour citer une anecdote ou donner une explication. La mère semblait connaître peinture et histoire et apprécier. En d'autres circonstances, se trouvant là où jamais encore un fermier n'avait mis le pied, Martha aurait été contente. De temps à autre, Sir Harald regardait derrière lui, surveillant le jeune couple et, par deux fois, un homme — pas un membre de la famille sans quoi on l'aurait présenté, ni un domestique à en juger par ses vêtements et son aspect — entra dans la galerie, s'y promena quelques minutes et repartit.

Ils arrivèrent enfin à la grande fenêtre en encorbellement qui se trouvait à l'extrémité de la galerie.

— A présent, ma chère enfant, Magnus a quelques jolis objets à vous montrer. J'espère que vous trouverez quelque chose à votre goût. Asseyons-nous.

Magnus n'avait pas exagéré en parlant de douzaines de bagues, une collection d'une extrême variété quant à l'âge et à la valeur. Toutes les bagues apportées par une jeune mariée ou données à une épouse ou à une mère n'étaient pas là, certaines étaient revenues à des filles ou avaient fait l'objet de legs. Celles qui restaient figuraient à présent au rang des bijoux de famille.

Hannah prit son temps. Martha luttait pour ne pas lui répéter : « Ne fais pas cela ». Mais, elle le savait, sa fille avait pris une décision sur laquelle elle ne reviendrait pas. De toutes les bagues, elle choisit celle qui avait le moins de valeur, un œil-de-chat, une pierre brun doré avec une strie plus foncée, changeant selon la lumière. Elle était joliment montée sur un filigrane d'argent serti de petites perles, dont certaines étaient mortes et ternes.

Sir Harald fut déçu. Il aurait aimé que cette petite si sûre d'elle ait choisi un joyau de prix, la grande émeraude, par exemple. Il l'aurait emmenée sous un portrait et dit : « Tenez, voyez, ma grand-mère la portait. »

— C'est joli, concéda-t-il, et cela va avec vos yeux.

Là, il lui fallut encourager Magnus.

— ... Viens, maintenant, mon garçon.

Hannah avait tendu une main raide, l'anneau glissa à sa place.

— Voilà ! déclara Sir Harald feignant la jovialité. Vous êtes fiancés officiellement. Je réclame mon privilège. Il lui déposa sur le front un léger baiser de futur beau-père : — Je vous souhaite tout le bonheur possible.

Il aurait souhaité l'aimer davantage ; il aurait souhaité que le mariage se fît sans attendre. Mais là encore, la prudence s'imposait. Une union précipitée aurait suscité des bavardages. Trois mois de fiançailles, c'était le minimum. Trois mois de vigilance constante, car Magnus, ayant reçu l'ordre de se tenir correctement, agissait comme un zombie. Ou comme le robot de Frankenstein. On aurait dit que la nécessité d'agir normalement lui liait la langue, le paralysait. Seuls ses yeux paraissaient vivre et restaient fixés sur la jeune fille, laquelle, il fallait le reconnaître, ne paraissait pas s'en préoccuper.

JERRY FLORDON bêchant, plantant et, comme il n'avait pas plu, arrosant ses précieuses semences, avait vu Sir Harald aller et venir. Puis, le cinglé était venu et reparti lui aussi, son gardien le suivant discrètement. Ensuite ça avait été la voiture. Tout cela aurait rendu la situation déjà claire, sans la soudaine satisfaction de John Reeve et ses allusions à toutes les bonnes choses qui allaient lui arriver. Hannah avait choisi la richesse et un titre... et devenir la femme d'un fou. Et qu'est-ce que ça pouvait bien lui faire ? Rien. Jamais lui-même n'avait songé au mariage. D'abord, il avait eu l'exemple de ses parents toujours à se quereller et, plus tard en circulant, il avait compris que c'était le cas chez la plupart des couples. Un mariage heureux, c'était une rareté. Les enfants de sa sœur ne lui inspiraient aucune envie d'être père et il entendait bien garder sa liberté. Donc, normalement, peu devait lui importer qu'Hannah Reeve se marie, et avec qui. Et pourtant ce n'était pas le cas. Il s'expliqua cela en se disant que c'était une mignonne petite qui aurait mérité mieux qu'un fou furieux. En fait il aurait eu de la peine pour n'importe quelle fille destinée à devenir la femme de Magnus Copsey.

Quand sa femme et sa fille entrèrent dans la maison, John Reeve appela. Martha n'en tint aucun compte et monta dans sa chambre pour se changer. Hannah ouvrit la porte et réussit à sourire, se souvenant que sa mère entrait toujours en souriant dans le salon, même s'il l'avait mal interprété.

— T'es-tu amusée ?

— Oui. C'était merveilleux. Et regarde.

Elle tendit sa main. Son père regarda la bague, désapprobateur. Il ne savait pas ce qu'était cette drôle de pierre mais il savait faire la différence entre l'or et l'argent et il savait que toute bague de fiançailles devait comporter au moins un diamant, si petit fût-il. Il s'était saigné aux quatre veines pour donner la sienne à Martha ! Voyant son expression, Hannah s'empressa d'expliquer :

— C'est moi qui l'ai choisie. Il y en avait une quantité. On se serait cru chez un joaillier. Mais il n'y avait que cet œil-de-chat et ça porte bonheur. Alice Wentworth en avait un, beaucoup plus petit. Nous le lui empruntions quand on voulait avoir de la chance.

— Bon, puisque ça te plaît... Où est ta mère ?

Il avait remarqué que depuis le soir où il s'était emporté, Martha l'évitait. Jerry s'occupait de lui et, le plus souvent, Hannah venait avec un plateau pour deux et une excuse de Martha expliquant pourquoi elle ne déjeunait pas avec eux. Le soir venu, elle s'absentait également. Il y avait tellement de choses à trier : « Même les affaires de ta mère ».

— Elle est montée se changer, répondit Hannah. Je vais en faire autant. Je te raconterai tout, je te parlerai des tableaux et du reste, pendant le dîner.

Avec un autre sourire, elle se glissa hors de la pièce et la solitude s'installa de nouveau.

A YANT mis une robe simple et des chaussures solides, Hannah sortit, gagna le champ.

— Quel bac, Jerry ? demanda-t-elle.

Il en avait placé deux, juste à côté de la barrière, l'un contenant de l'eau pure, l'autre de l'engrais fait d'un mélange d'eau et de crottin.

— L'eau.

Pour arroser il se servait d'un récipient en métal avec un long manche et un bec. Hannah utilisait une vieille théière qui fuyait.

Elle provoquait délibérément une confrontation qui lui faisait un peu peur. Non que Jerry Flordon ou son opinion aient une grande importance, mais il avait été très gentil et compréhensif assis à côté d'elle, en la ramenant de Radmouth. A présent, il devait se demander ce qui se passait. Elle lui devait une explication. Elle n'aurait su s'expliquer pourquoi, mais elle n'aurait pas voulu que Jerry pense qu'elle avait hésité ou été éblouie par tout ce que représentait le mariage avec Magnus Copsey.

— Je vois que vous avez changé d'avis, dit-il quand ils eurent travaillé en silence pendant quelque temps.

— Non, Jerry.

En disant cela, elle réalisa brusquement qu'elle serait forcée d'abandonner l'attitude qui lui avait fait choisir, parmi tant d'autres, la bague ayant le moins de valeur et d'accepter le baiser de Sir Harald sans sourire.

— ... Je n'avais pas le choix. C'était la ruine totale, pour nous tous.

Elle lui raconta les menaces... et les promesses. Il écouta, ses traits durs se faisant plus durs encore, ses yeux verts glacés par la haine.

— Ça ne devrait pas être permis d'avoir tant de pouvoir, dit-il quand il eut tout entendu. Ça ne devrait être permis à personne... même à un type apparemment bien comme lui.

Même si tout le système était à revoir, Sir Harald n'avait fait qu'agir selon ses droits. Personne n'y pouvait rien.

— Je regrette bigrement, Hannah... Quand c'est le mariage ?

— En juin. J'ai entendu Sir Harald dire à ma mère que juin était le mois idéal pour les « jolis mariages ».

Quelle ironie !

— Bon, je serai dans la région pendant quelque temps. Ecoutez, si cette petite brute vous touche... à part... Enfin je veux dire, s'il ne se montre pas doux et aimable, vous me le faites savoir, j'arrive et je lui fais son affaire. Je vous le jure.

Deux mots : « à part »... Quelle horrible perspective !

Une peur atroce la secoua à nouveau. Et, à nouveau, elle se demanda si elle n'aurait pas mieux fait de céder, ce soir-là, chez les Wentworth. Un viol et tout aurait été terminé, à présent, elle en aurait pour des années. Avec certaines compensations, évidemment.

— Cela facilitera la vie de mon père, dit-elle.

— Il n'avait peut-être pas le choix. Mais, Bon Dieu, il pourrait au moins avoir honte.

— Il n'a rien fait dont il puisse avoir honte, Jerry.

— Admettons, je veux dire l'air un peu moins satisfait. On dirait à le voir qu'il a fait quelque chose de sensationnel. J'aurais préféré, moi, pourrir à l'hospice.

— Il faut que je rentre à présent. Bonsoir, Jerry.

— Je rentrerai tout à l'heure.

QUAND elle fut partie, si petite et si fragile d'aspect — pourquoi diable ce cinglé n'avait-il pas choisi une vraie fille de ferme capable de se défendre toute seule ? — Jerry s'empara d'une houe et, avec méthode, détruisit tout ce qui ne donnerait rien de bon avant l'été. Et chacun de ses coups assenés avec force, il le destinait à Magnus Copsey. Puis, il retourna à la ferme pour s'occuper de John Reeve avant la nuit. Celui-ci avait passé une soirée décevante. Martha n'était pas venue dîner et Hannah, bien qu'elle ait bavardé lui décrivant la famille Copsey de façon vivante et drôle, n'avait pas dit ce qu'il avait tellement envie d'entendre : Papa tu avais raison.

Puis Jerry Flordon arriva et, lui aussi, eut une attitude décevante.

— Maintenant, je peux te le dire, Jerry. Je vais être en mesure de payer un homme pour s'occuper de moi. A Bressford. Qu'en dis-tu ? Ça te plairait ?

— Ça me dégoûterait.

— Pourquoi ?

— Je ne serais plus libre.

— Mais oui, tu le serais. Je n'ai pas besoin qu'on soit toujours à côté de moi. Tu aurais beaucoup de temps libre.

— Tout mon temps m'appartient, monsieur Reeve. Et je n'ai pas envie de le passer claquemuré à Bressford.

— Qu'est-ce que tu reproches à Bressford ?

— Tout, à y bien regarder.

— Tant pis. Il faudra que je cherche quelqu'un d'autre. Un étranger.

— Vous n'aurez pas de mal à trouver. Tournez-vous que je m'occupe de votre dos.

Ajoutée à la bouteille haïe et au bassin encore plus haï, il y avait ce massage humiliant pour éviter les escarres, fait avec une sorte de saumure. Les ramoneurs en enduisaient, paraît-il, les enfants qu'ils faisaient grimper dans les cheminées. Cela durcissait la peau. Martha le sachant avait fait tellement attention que John, très lourd au début, puis devenu fort maigre, n'avait souffert d'aucune escarre depuis six mois qu'il gardait le lit.

I L y avait beaucoup à faire. Sir Harald, après une promenade méditative dans son immense demeure, décida que le meilleur endroit pour loger une jeune épousée c'était encore au bout de l'aile où se trouvaient sa propre chambre, celle de Magnus et celle de Bolsover. Elles regardaient presque toutes le sud par des fenêtres relativement modernes. Des pièces qui avaient été les nurseries de jour et de nuit, la salle d'études et les chambres des gouvernantes ou précepteurs, on ferait un charmant appartement pour Hannah : salon, chambre à coucher, salle de bains. Si tout allait bien, Magnus pourrait se servir de sa propre chambre comme cabinet de toilette.

Hannah fut consultée en tout. Sir Harald voulait tellement lui plaire, qu'eût-elle eu des goûts du dernier moderne et désiré voir remplacer les lambris centenaires par du papier mural qu'il l'aurait accepté. Mais elle ne demanda rien d'aussi absurde. Honnêtement, il fut forcé d'admettre qu'il était facile de lui faire plaisir. Mais elle ne semblait jamais être contente ! Elle avait examiné des échantillons de chintz et de velours et dit : « J'aime ça ! » Et, sa décision prise, n'en changeait pas comme tant de femmes l'auraient fait. Mais jamais elle ne paraissait se rendre compte que Sir Harald n'en aurait pas fait davantage s'il avait préparé les appartements d'une princesse. A présent que la bataille était terminée et que tout semblait se passer normalement, il aurait aimé repartir à zéro et oublier toutes les choses déplaisantes passées. Il aurait été ravi de satisfaire à ses caprices et enregistrer une manifestation de contentement, un sourire de temps en temps, une aimable taquinerie. Mais Hannah était, pour son goût, trop prosaïque, trop peu féminine. Il ignorait que souvent, quand il répétait qu'elle devait avoir ce qui se faisait de mieux, ou lui demandait si elle aimait *vraiment* ceci ou cela, elle pensait à la remarque de sa tante. Oh, la poulinière aurait certainement une belle écurie !

John et Martha devaient être bien logés, eux aussi. Sir Harald avait acheté une jolie petite maison, Pump Lane, à Bressford, un endroit tranquille, à proximité des commerçants. Comme elle était très sombre ce qui était dû en grande partie à de petites fenêtres et de la peinture brune, Sir Harald déclara qu'il était facile d'y remédier : des portes-fenêtres dans la pièce qu'occuperait John, des fenêtres plus larges ailleurs, la peinture brune grattée et remplacée par de la blanche. Il envoya des gens du domaine pour exécuter ce travail et un jardinier pour mettre le jardin en état. John Reeve se montra intéressé, reconnaissant et ému. Il n'en fut pas de même de Martha. Invitée à choisir du papier mural, elle répondit :

— Que John décide. Ça lui donnera quelque chose à faire.

— Mais, madame Reeve, vous devez avoir vos préférences... par exemple entre les roses et les pois de senteur.

— J'aime les deux.

Sous un certain rapport les trois mois stipulés semblèrent trop courts pour mener à bien tout ce qu'il y avait à faire. Sous un autre, ils parurent interminables. Sir Harald était décidé à ce que jamais Magnus et Hannah ne soient seuls parce que, même maintenant que le marché était conclu, il craignait que son fils dise ou commette quelque chose d'insultant qui fasse reculer Martha et, de ce fait, Hannah, malgré toutes ses menaces. Plus il voyait la mère et la fille, plus il sentait en elles une force de caractère, une indépendance fondamentale, incompatible avec le rôle qu'elles avaient à jouer. Une erreur et tout pouvait s'écrouler. Et penser au scandale que cela provoquerait !

Cependant, dans l'ensemble, Magnus se tenait bien. Bolsover était merveilleux et, chose curieuse, les vieilles dames également. Hannah n'était jamais en peine de chaperon. Leurs attitudes différaient évidemment. Lady Copsey considérait Hannah comme une petite jeune fille ignorante et souple qu'il fallait initier doucement. Mme le Beaune voyait toujours en elle un personnage de conte de fées. Mais quand il fut question du mariage, chose extraordinaire, elles eurent la même réaction.

— Ce cher Harry veut que tout soit parfait, dit Lady Copsey, mais comment un fermier qui a toujours été pauvre et qui est infirme de surcroît peut-il se permettre d'acheter du satin blanc ?

— La mousseline conviendrait mieux, déclara Mme le Beaune se souvenant de l'engouement pour la simplicité qui avait marqué les dernières années de l'ancien régime. Marie-Antoinette elle-même avait porté de la mousseline.

— Mais ce cher Harry tient à un grand mariage. Je sais ce que je vais faire. Offrir ma propre robe de mariée. Elle est enveloppée de papier bleu... Elle a à peine jauni et avec quelques retouches faites par une bonne couturière, elle lui ira parfaitement.

Là, elle marqua un point, car sa belle-fille, fuyant la France avec ce qu'elle pouvait porter, avait jugé que sa robe de mariée prendrait trop de place. Mais elle fut en mesure de renvoyer immédiatement la balle. Fille de la maison, elle put répondre :

— Je crois pouvoir mettre la main sur le voile de ma grand-mère. On me l'a montré en m'interdisant d'y toucher à cause de sa fragilité. De la dentelle de Venise, très vieille.

John Reeve réduisit à néant toutes ces bonnes intentions.

— Tu es ma fille. Et je ne veux pas que tu te maries dans une toilette empruntée. Je t'habillerai comme je l'aurais fait si tu t'étais mariée normalement. Je ne peux pas payer comptant tant que les vaches ne sont pas vendues, mais j'ai du crédit sur la place. Aucun Reeve n'a jamais dû un sou à personne. Tu vas à Bressford et tu commandes ce que tu veux.

Sir Harald qui la croyait dure et insensible aurait été surpris par sa réaction à ce moment. Elle embrassa son père avec chaleur.

— Oh, merci, papa.

Mais qu'aurait-il pensé de la brève conversation qui s'ensuivit entre la mère et la fille quelques minutes plus tard.

— Pourquoi irait-il gaspiller son argent alors qu'il y a tant de choses dont personne ne se sert là-bas ?

— Et il ne le saura jamais, ajouta Martha songeant que John n'assisterait pas au mariage.

Elle faillit ajouter : « Pauvre homme. » Mais elle se retint. Elle lui en voulait encore d'avoir si vite capitulé forçant Hannah à prendre cette décision catastrophique. Elle restait persuadée que s'ils avaient fait front, en commun, tout aurait pu être différent. Sir Harald était puissant partout autour d'eux, à Bressford aussi peut-être et à Wyck. Mais il y avait d'autres endroits... Ils se seraient débrouillés d'une façon ou d'une autre. Et, bien qu'elle ne le dise pas à sa fille, Martha avait décidé de ne pas assister non plus au mariage. Dans une certaine mesure elle avait été comme son homonyme de la Bible. Correctement habillée, s'exprimant bien, elle avait donné à Hannah tout l'appui en son pouvoir, mais elle ne voulait pas jouer de rôle dans la comédie hypocrite finale. Et personne ne pourra séparer ceux que Dieu a unis ! Il lui serait facile de prévoir le déménagement pour le jour du mariage. John, à présent, ne songeait plus qu'à s'éloigner d'une terre qu'il ne pouvait plus travailler, d'animaux dont il ne pouvait plus s'occuper et Sir Harald avait promis de faire le maximum pour lui procurer un domestique. Martha, elle-même, aspirait à partir et elle faisait déjà des projets. Elle avait bien l'intention de trouver du travail et de ne pas vivre de l'argent de Sir Harald, le prix du malheur d'Hannah.

Ainsi que l'avait souligné Lady Copsey, ce cher Harald voulait un grand mariage. Mais il le voulait également conforme à la tradition. Il revenait à la fiancée la prérogative de choisir ses demoiselles d'honneur. Hannah choisit Alice Wentworth et Doreen Adam.

— Deux seulement ? s'étonna Sir Harald qui en avait prévu six, à tout le moins quatre.

Sagement, elle lui répondit :

— Alice et Doreen étaient mes meilleures amies. Désigner de simples relations susciterait la jalousie.

Et puis se posa la question de savoir qui conduirait la jeune fille à l'autel. La règle voulait que ce fût son plus proche parent mâle. Son père ne pouvait quitter son lit et elle n'avait pas de frère. Mais il y avait les Reeve du Norfolk. Dans son désir intense d'être correct, Sir Harald préférait la présence de simples fermiers, empruntés dans leur costume des grands jours, à l'idée qu'on pût le soupçonner d'avoir honte de la famille de sa future belle-fille. Rien, dans ce mariage, ne devait laisser croire qu'il n'était pas comme les autres.

Les Reeve, du Norfolk, cependant, se sentirent très intimidés. Timidité mêlée de ressentiment. On n'en avait jamais parlé, mais cela allait presque de soi, un jour — on avait le temps d'y penser et les Reeve ne prenaient jamais de décisions rapides — un de leurs fils cadets aurait épousé Hannah et pris la succession à la ferme de Reffolds.

Chassant une poule particulièrement effrontée de la table, Hester Reeve déclara :

— Je parie que Martha la pimbêche s'en croit plus maintenant, même si le garçon n'a pas la tête à l'endroit.

Frank Reeve et le fils ayant à peu près l'âge d'Hannah étaient venus à Reffolds à l'occasion d'un concours agricole, ou d'une vente de bovins. L'une de ces visites avait coïncidé avec le coup de feu sur Jim Bateman et les langues allaient bon train.

— Dommage. J'aimais bien la jeune Hannah, dit l'oncle qui avait trois fils, mais pas de fille. Est-ce qu'on y va ?

— Non. Il faudrait des tas d'affaires neuves. Et juste en pleine fenaison. Tu écris, tu dis qu'on regrette mais qu'on a trop de travail.

— Puisqu'on est invités, il faut envoyer un cadeau.

A sa façon, Frank Reeve était aussi correct que Sir Harald. Sa femme réfléchit. La poule sauta de nouveau sur la table et elle lui donna un coup de louche.

— Ta mère, dit-elle enfin, m'a donné du linge de maison. Des nappes. Je ne m'en suis jamais servie.

Déçu dans cet espoir, Sir Harald tenta de demander son aide à Martha quant à la composition de la liste des invités. Il n'y avait, dit-elle, personne qu'elle souhaitât inviter. Qui plus est, elle ne pouvait suggérer aucun nom pour mener sa fille à l'autel.

Et cet honneur revint au cousin William. Il parut satisfait d'avoir été choisi et s'acheta même, pour l'occasion, un nouveau chapeau haut de forme. Jonathan, bien sûr, serait le témoin de Magnus.

Il ne resta plus qu'un détail à régler. Où la future mariée passerait-elle la nuit précédant son mariage, son horrible mère ayant décidé de partir la veille de la cérémonie! Les protestations n'y firent rien.

— J'ai déjà retenu les déménageurs.

— Mais, madame Reeve, vous savez pourtant que j'ai toutes les voitures qu'il faut et à votre disposition quand vous le voulez!

A cela, Martha ne répondit pas.

Lady Copsey vint à la rescousse.

— Pauvre petite fille! Penser qu'une mère puisse agir de cette façon! C'est incroyable! Cependant, elle peut rester avec moi. Peu importe que ce soit sous le même toit, n'est-ce pas? Je sais que les fiancés ne doivent pas se voir avant de se retrouver à l'église. Je ferai très attention.

De la sorte, tout le monde se montrant aimable et serviable, à l'exception de Martha, tout fut arrangé et il resta encore à attendre dix jours. Sir Harald était merveilleusement inconscient du fait que ses dépenses, ses attentions, ses prévenances à l'égard de la fiancée faisaient se demander aux gens alentour, et même à ses amis les plus proches, pourquoi diable il ne l'épousait pas lui-même!

Jerry Flordon avait toujours été un buveur très modéré. Du rhum en mer pour réchauffer, à terre quelques chopes de bière. A présent, le rythme de sa vie avait changé. Il était attaché à un endroit déterminé : Reffolds. Il soignait John Reeve, cueillait les légumes à point et les descendait au port où, comme il l'avait prévu, ils se vendaient bien. Les choses eussent-elles été autrement, qu'il serait remonté, qu'il aurait bêché d'autres terres, planté davantage, mais, en ce qui le concernait, Reffolds n'avait aucun avenir. Aussi, ayant disposé de ses oignons, laitues, radis, pois et haricots de printemps, il n'avait plus rien à faire jusqu'à midi où il devait de nouveau s'occuper de John Reeve. Il prit l'habitude de vider quelques verres de rhum, par-ci, par-là, à « La Péniche ». Puis, il avalait ce que la patronne avait à lui proposer. De temps en temps, il parlait avec quelqu'un mais jamais, s'il pouvait l'éviter, avec un habitant de la localité car, tôt ou tard, la conversation en venait à ce maudit mariage. Il bavardait avec les pénichiers dont la vie n'était pas centrée autour de Copsi. John Reeve, soigné, il lui restait un après-midi à ne rien faire, à lui qui avait travaillé toute sa vie et ne savait comment tuer le temps. L'ennui ajoutait à son inaction et il fut heureux que Martha lui demande de l'aider à préparer son déménagement et déclara, en passant, que la grande armoire qui se trouvait dans ce qui avait été la chambre de John devrait sans doute rester sur place ses dimensions l'empêchant de passer par la porte ou la fenêtre.

— Alors, comment l'a-t-on rentrée ?

— Je ne sais pas. Sans doute l'a-t-on assemblée dans la chambre.

— Alors, il faut la démonter. Je peux jeter un coup d'œil ?

Le meuble était tellement ancien qu'il ne comportait aucun clou, aucune pièce de métal. Même les portes de la partie supérieure s'ouvraient sur des charnières de bois. Démonté, cela représentait deux vastes placards et deux commodes. Martha colla des étiquettes à l'intention des déménageurs. Jerry remarqua qu'avec lui elle était la seule à ne pas parler du mariage. John Reeve, quant à lui, en parlait sans cesse. Heureux comme un roi. Il espérait que le beau temps persisterait. Jerry savait-il que vingt-quatre petites filles du village, habillées de mousseline, formeraient la haie entre le porche de l'église et la porte du cimetière et jetteraient des pétales de roses ?

— Je ne le verrai pas, bien sûr. Mais je verrai Hannah dans sa robe de mariée.

Impossible de penser en même temps : Pauvre homme et, Mon Dieu, ce que j'ai envie de t'écraser cette bouteille sur le crâne. Et je le ferai, si ça pouvait la sauver !

— **P**EUT-ÊTRE est-ce la lumière, remarqua son père en plissant les yeux. Mais ça ne me fait pas l'effet d'être blanc. Plutôt jaune, je dirais.

— Ivoire, précisa Hannah. C'est la dernière mode. Mais ne la trouves-tu pas jolie ?

— Oui, elle est jolie. Très jolie, même. C'était seulement la couleur... Ivoire, tu dis. Ah oui, comme des touches de piano... Et ce voile. Ma chérie, ce n'est pas pour critiquer, mais ce qu'il est léger. Je t'avais dit d'acheter ce qu'il y avait de mieux !

— C'est justement ce qu'il y a de mieux. Quand il s'agit de dentelle, plus elle est fine, plus elle est belle.

— Alors ça va. Oui, tu es très jolie.

— Et ça qu'en dis-tu, pour maintenir le voile à sa place.

Elle installa par-dessus le voile, un petit diadème, en forme de fer à cheval où alternaient diamants et perles.

— Aah... John émit un long soupir appréciateur. Comme une reine, dit-il.

Il répéta le compliment et voulut savoir : « Ta mère t'a-t-elle vue ? » Car sûrement de voir sa fille portant un truc d'une telle valeur réussirait à convaincre Martha qu'il avait eu raison.

— Pas encore.

— Je vais l'appeler.

Il voulait voir le visage de sa femme face à tant de splendeur.

Hannah portant ce qu'aucun travail, aucune économie, n'auraient pu lui donner en mille ans.

— Non. Ce n'est pas la peine. Elle est occupée. Je vais la trouver, intervint Hannah.

Sauf pour se montrer d'accord avec sa fille estimant ridicule de dépenser l'argent que représenterait la vente des vaches, alors que le nécessaire était à portée de main, Martha ne s'était pas intéressée à la robe de mariée et Hannah n'avait nullement l'intention de la lui faire voir. Cependant, dans l'espoir que sa femme entrerait dans la pièce, John tenta de retenir sa fille.

— Tourne-toi que je voie le dos. Une traîne. Tu te rends compte !

Puis il demanda comment seraient habillées les demoiselles d'honneur.

— En rose très pâle, avec une couronne de boutons de roses. Artificiels, parce que les vrais se faneraient et que le fait d'acheter des fleurs artificielles rend service aux pauvres femmes qui les fabriquent d'après Mme le Beaune.

Cette dernière, dans sa candeur naïve, ignorait que ces femmes étaient encore plus durement exploitées que les couturières et les modistes.

— Alice va avoir l'air d'une vache avec une guirlande sur ses cornes !

Cette remarque étant destinée à la faire sourire, Hannah sourit.

— Maintenant, il faut que je l'ôte sans quoi je risque de la froisser.

. A contrecœur, il la laissa partir et, dans le couloir, elle se heurta à Jerry venu rendre son dernier service de la journée. Il écarquilla les yeux, si visiblement abasourdi qu'elle lui dit avec une légèreté feinte :

— Ce n'est pas un fantôme. Ce n'est que moi.

— Il faut que je vous parle, répondit-il avec un effort visible. Pouvez-vous être dans le jardin dans une dizaine de minutes ?

Hannah acquiesça d'un signe de tête, ramassa sa traîne et gravit l'escalier.

Le jardin, comme celui de beaucoup de fermes, était un heureux mélange d'arbres fruitiers, d'herbe que l'on fauchait généralement une fois par an, mais qui ne l'avait pas été cette année, de bosquets et de quelques fleurs. En cette chaude soirée de juin, l'air embaumait du parfum des roses, du chèvrefeuille et du seringat.

Jerry y fut avant Hannah. Il lui avait fallu plier la robe avec soin et, John Reeve l'avait remarqué non sans aigreur, Jerry, quoique consciencieux dans ses soins, s'en acquittait avec une certaine brusquerie depuis quelque temps et ne s'attardait plus à bavarder avec lui.

Ils s'assirent sur un banc de bois, sous un vieux pêcher.

Maintenant que le moment était venu, l'assurance et les projets soutenus par le rhum l'abandonnèrent presque. Il n'aurait jamais voulu l'admettre, mais la vue d'Hannah en grande toilette l'avait profondément intimidé, lui faisant paraître ses projets ridicules et irrévérencieux. Mais quand elle demanda :

— Alors, Jerry, qu'y a-t-il ? Il fit appel à ce qui lui restait de courage.

— Hannah, j'ai réfléchi. Jour et nuit. Vous pouvez encore vous en tirer, même maintenant. *Si vous le voulez.*

— Comment ? Sans tout détruire ?

Elle savait poser une question stupide à laquelle il lui ferait une réponse tout aussi stupide. Il n'y avait plus moyen de s'échapper à présent. Mais au fur et à mesure que le jour — et l'inévitable nuit — approchaient, la peur et l'horreur la balayaient par vagues successives, comme la marée montante à Radmouth. Et elle n'avait eu personne à qui parler. Son père ici, et tout le monde là-haut au château faisant semblant de trouver que tout était merveilleux. Sa mère, son désaccord exprimé, s'était retranchée dans le silence.

— Personne, dit Jerry, ne peut avoir deux maris en même temps. Admettons que vous m'épousiez...

Voilà, il avait parlé et la terre ne s'était pas ouverte pour l'engloutir, le ciel ne lui était pas tombé sur la tête.

— ... Je pourrais obtenir une licence spéciale. Je sais que je n'ai rien à offrir. — à part moi — Mais je travaillerai. Je m'occuperai de vous tous... Hannah, je ne peux pas vous laisser faire ça. Je... vous aime trop. Je vous aime.

Terrible, merveilleux et terrible. Et tellement gênant. Une situation nouvelle pour tous les deux. L'expérience de l'homme se limitait à des femmes faciles, dont c'était le métier ou poussées par la faim. Jamais il n'en avait aimé une seule. Hannah était encore plus perdue, son expérience personnelle n'avait pas dépassé le cadre de quelques poèmes ou histoires romantiques jusqu'au jour où, dans la grange des Wentworth, Magnus Copsey l'avait distinguée, avec sa brutalité coutumière. Aucun homme ne lui avait offert son amour. Et voilà que Jerry Flordon lui disait qu'il l'aimait et lui demandait de l'épouser. Comme il aurait été facile — beaucoup trop facile, de dire : « Je vous aime aussi, fuyons ensemble », comme cette jeune fille arrachée à un sort terrible par le beau chevalier venu de l'ouest...

Mais, malheureusement, c'était impossible ! Il n'y avait qu'à se souvenir de la façon dont Sir Harald avait menacé de les chasser de partout, à une époque où rien encore ne se savait. Quelle serait sa vengeance maintenant, s'il était ridiculisé ? Elle ne sentait plus ses membres. Dieu merci, elle était encore capable de penser, de calculer les risques. Pas de toit et un homme sans défense, paralysé. Impossible de prendre la fuite avec son beau chevalier.

Là, cette jeune fille à la tête froide commit une erreur — la pire de sa vie, pire que la décision soudaine dans le salon.

Ce qu'elle dit eut cependant l'accent de la raison :

— Jerry, je ne peux pas... S'il ne s'agissait que de nous deux. Mais il y a mon père... Et Sir Harald nous traquerait partout. J'ai donné ma parole. Il y a la maison, à Bressford, et... et tout... Je ne peux pas. Si seulement je pouvais... Pour adoucir son refus, elle posa sa main sur son bras.

Et ils se retrouvèrent dans les bras l'un de l'autre, bouche contre bouche, les battements de leurs cœurs confondus. Rien d'effrayant à cela, rien d'inconvenant. Seulement un moment de passion faisant partie de la gloire du coucher de soleil, du parfum des fleurs.

Puis, elle se libéra et d'une voix effrayante, pire que si elle avait pleuré.

— Oh! Jerry. C'était déjà terrible. Maintenant ça l'est encore davantage.

— Et, vous n'avez pas changé d'avis?

— Je ne peux pas.

Elle s'éloigna, disparut dans l'ombre de la maison.

Et le dernier jour arriva et s'écoula. Et chacun s'accorda pour dire que ce fut un très beau mariage...

Sir harald n'avait pas fermé l'œil. Tout au long de ce qui lui parut une nuit interminable, il avait erré de droite et de gauche, entrant chez Bolsover.

— Il va bien?

— Il dort à poings fermés. Regardez vous-même.

Bolsover avait appliqué à Magnus un coup de poing qui en aurait endormi de plus endurcis. Il avait démêlé le filet, l'avait ôté, mis le jeune forcené dans son lit et l'avait surveillé jusqu'à ce que l'inconscience due au choc se soit transformée en sommeil. Sir Harald constata. Puis il écouta. Aucun bruit du côté de l'appartement de la jeune mariée.

— Allez vous coucher, monsieur, conseilla Bolsover. Vous avez eu une dure journée.

Bolsover lui-même se préparait à se mettre au lit. Il avait verrouillé la porte entre les deux chambres, s'apprêtait à verrouiller celle de Magnus donnant accès au couloir. Comme cela, Lily elle-même pourrait dormir. Mais, au bout de quelques minutes à peine, Sir Harald reparaissait.

— Tout va bien, Bolsover?

— Tout va bien. Que diriez-vous d'un peu de whisky pour vous retaper?

Le whisky ne joua pas le rôle escompté. Les nuits de juin sont courtes et les oiseaux chantèrent en chœur avant l'aube. La cloche des écuries sonna quatre heures. Et après les oiseaux, Sir Harald recommença. Pauvre vieux!

— Voulez-vous une tasse de thé ? demanda Bolsover sentant qu'il en boirait volontiers une lui-même. A tant que faire de ne pas dormir, autant être à son aise.

— Si vous pouviez...

Brusquement, Sir Harald prit conscience que, de toute sa vie, il n'avait jamais fait une tasse de thé.

Bolsover s'éloigna, sans bruit, et resta absent longtemps.

— Le feu était éteint, expliqua-t-il.

Son thé était bon, fort et chaud.

— J'ai peur pour demain, dit Sir Harald. — Le thé lui avait éclairci les idées et il se représentait la journée à venir. Demain ! Aujourd'hui !

— ... J'avais eu tellement d'espoir, Bolsover. Maintenant, je suis complètement perdu. Comment pourrai-je jamais la regarder en face ?

— Le fait est, déclara Bolsover, allant droit au but, qu'il ne faut pas qu'il l'approche tant qu'il n'aura pas appris à se tenir. J'ai un petit espoir, avec Lily.

— Lily ? Oh, oui, évidemment votre chienne. Mais, excusez-moi, Bolsover, je ne suis pas au mieux de ma forme sans doute, mais je ne vois pas le rapport... s'il y en a un.

— Il existe. Il s'est attaqué à Lily et il a payé. Jamais plus il ne l'a touchée. Ce ne sont pourtant pas les occasions qui lui ont manquées depuis que nous vivons sous le même toit. Il s'en est pris à la petite, mais je peux lui faire comprendre qu'il ne faut pas la maltraiter.

— Comment ?

— En le laissant enfermé dans sa chambre, sans rien à manger. Il paraît que la faim ça rend même un lion docile.

— Mais comment pourra-t-on faire sans provoquer les bavardages ?

— Facile. Vous emmenez la pe... Madame Copsey pour la journée. C'est normal, ses parents n'ont pas pu venir assister au mariage. Plus tard, je m'arrangerai pour faire croire qu'il est parti vous rejoindre. Ça facilitera les choses pour le déjeuner. Ensuite... — l'ombre d'un sourire passa sur les traits de Bolsover. Un jeune couple, pas de lune de miel, a droit à un peu d'intimité... un petit dîner à deux que je me chargerai de servir. Après ça, le lit de bonne heure pour tout le monde et on a fait le tour du cadran. Je vous donne ma parole que ça marchera. Mais donnez-moi encore vingt-quatre heures.

Et je te la dresserai cette jeune brute !

— Eh bien, sans doute faut-il essayer... Il s'était tellement bien conduit. Croyez-vous que je doive dire qu'il était ivre ? Mais cela n'expliquerait pas ma propre grossièreté. J'étais si furieux et désappointé à un tel point que je ne savais même plus ce que je disais.

— Faites-lui confiance. Il y a plus de caractère dans cette peti... dans Mme Copsey que vous ne le croyez.

Il fallait réellement qu'il perde cette habitude de dire la « petite », en parlant d'elle.

HANNAH ouvrit les yeux, après son sommeil dû à la drogue, eut un moment de confusion, puis se souvint de tout, revécut cette nuit affreuse. Son seul réconfort, elle le trouva dans la rapidité de l'intervention de Sir Harald et de Bolsover, dès qu'elle avait crié. Elle éprouvait une honte intense, bien que n'ayant rien à se reprocher. Elle songea à Jerry et à sa menace. Il ne fallait pas qu'il sache. Personne ne devait savoir. Elle alla se mettre devant sa glace pour examiner les dégâts. D'instinct, elle avait cherché à protéger son visage et celui-ci ne portait qu'une seule marque, une zébrure sur le front. Elle rabaissa ses cheveux pour la cacher. D'autres coups de fouet lui avaient lacéré les bras, le cou. Elle porterait une robe à manches longues et à col montant.

Bertie entra et là naquit cet embarras qui devait gêner leurs relations pendant quelque temps.

— Bonjour. Comment allez-vous ?

— Très bien, merci.

— Avez-vous dormi ?

— Oh, oui, merci.

— Je vais seulement jeter un coup d'œil à... Peut-être faut-il changer le pansement. Non. Une belle chair fraîche. Je ne pense pas qu'il reste même de marques.

Bertie se dirigea vers la fenêtre.

— ... Il fait très beau. Il est enfermé, aussi vous n'avez rien à craindre. Je sais que c'est plus facile à dire qu'à faire, mais essayez d'oublier tout ça. Il faut que je parte... nous commençons la tonte, aujourd'hui.

Presque aussitôt la jolie petite femme de chambre au nom charmant que l'on avait attribué à Hannah, Mélissa, arriva lui apportant le thé. Sir Harald l'avait choisie avec un soin particulier. Jeune et timide, elle venait du Norfolk. Aucun parent dans les villages alentour, donc moins de danger de commérages. Mélissa avait un certain style déjà car elle était restée deux ans comme deuxième femme de chambre d'une grande dame. Elle était très fière de sa nouvelle situation et satisfaite de trouver que sa maîtresse était jeune et semblait aimable. Les vieilles dames avaient tendance à se montrer capricieuses et à avoir une quantité de faux cheveux difficiles à coiffer. Que Madame désirait-elle pour son petit déjeuner ? Que Madame désirait-elle mettre comme robe, ce matin ?

Hannah se proposait d'aller à Bressford. Après tout la voiture avait toujours été à sa disposition alors qu'elle n'était que fiancée. Elle voulait s'éloigner de Copsi et désirait se rendre compte si la vision qu'elle avait eue correspondait à la réalité. Le bonheur régnait-il maintenant dans la nouvelle maison ? A présent que tout était fini, son père et sa mère s'étaient-ils réconciliés ?

Elle réfléchissait lorsque Sir Harald entra, honteux, plein d'appréhension, préparé à des larmes, des reproches, un air lugubre. Il avait atteint un âge où une nuit sans sommeil laissait des traces et il avait l'air aussi hargneux que honteux. Hannah, sans lui pardonner, pensa : Pauvre homme ! Il s'est montré impitoyable pour atteindre son but, mais cette nuit il a eu quelque chose à quoi il ne s'attendait pas.

Lui aussi, lui demanda comment elle allait, comment elle avait dormi et, ayant reçu des réponses satisfaisantes, se rasséréna un peu et suggéra exactement ce à quoi elle pensait.

— J'ai un rendez-vous à Bressford, ce matin. Cela vous plairait-il de venir avec moi et de voir vos parents ?

— Rien ne me plairait davantage. J'aimerais emporter quelques fleurs. Elles sont si belles.

— Excellente idée. Nous allons prendre un peu de tout ce dont ils n'ont pas profité.

I L prit le cabriolet. Les calèches étaient réservées aux dames, aux vieillards ou aux infirmes. Elles avaient aussi un autre inconvénient, la présence du cocher rendait toute conversation impossible. Il espérait qu'Hannah allait lui tendre la perche, mais mis à part un commentaire sur le beau temps et sur la fraîcheur qu'avaient conservée les fleurs, elle resta silencieuse et, à la fin, il fut obligé de parler.

— Je ne sais comment vous demander de m'excuser pour la nuit dernière. Non seulement pour l'attaque brutale dont vous avez été la victime, mais pour ma propre attitude. Je vous ai dit des choses impardonnables.

— Ce n'était que la vérité. Je l'ai souvent pensé aussi moi-même. Si j'avais été plus facile cela nous aurait évité bien des ennuis à tous.

Quelle réponse extraordinaire dans la bouche d'une jeune fille ! Il en resta stupéfait quelques secondes. Puis il fit une nouvelle tentative.

— Pour Magnus, on peut trouver quelques légères excuses. Il a toujours été de caractère très emporté et il avait bu. Sans doute ne savait-il pas ce qu'il faisait...

— Au contraire. Il m'a détestée depuis que je l'ai repoussé lors de notre première rencontre.

Sir Harald n'avait pas un caractère à accepter cette affirmation.

— Non. Vous vous trompez, j'en suis sûr. Vous lui plaisiez réellement.

— Je crois que vous faites erreur. Il est incapable de sentiments humains normaux. Jamais je ne me suis fait d'illusions. Vous, oui, et ce qui s'est passé cette nuit a dû être un choc terrible pour vous. La seule chose qui importe à présent, pour nous deux, c'est l'avenir. Je sais ce qu'il vous faut, Sir Harald : un héritier pour Copsi. Et c'est là que réside la difficulté. J'ai entendu raconter beaucoup de choses étranges, mais jamais que l'on pouvait engendrer un enfant à coups de cravache.

Jamais, même avec des hommes, des vétérans endurcis, Sir Harald n'avait entendu langage aussi direct.

Deux mouches volaient autour des oreilles du cheval. Il les chassa d'un coup de fouet, le coup d'œil précis, la main ferme. Mais ses idées tourbillonnaient dans sa tête. Puis, il regarda sa belle-fille, petite silhouette nette, habillée comme il convenait pour une course en cabriolet. Pas de fanfreluches, des dessins jaunes et bruns sur fond crème, sévère, col montant, manches longues. Elle portait un chapeau de paille assuré par un ruban brun, des gants couleur crème, les mains jointes sur les genoux.

Mon alliée !

La nuit précédente il avait été totalement démoralisé, désespéré. A présent, l'ombre d'un espoir reprenait vie.

— Je vous certifie que ce qui s'est passé ne se reproduira jamais, dit-il. Pour le moment, il est puni. Il ne sera pas autorisé à vous approcher, tant qu'il n'aura pas appris à se tenir. Vous avez raison évidemment, en ce qui concerne la nécessité d'avoir un héritier. C'est dur, après huit siècles... J'ai été contraint, bien malgré moi, mais contraint...

— Moi aussi.

— Oui, reconnut-il, honteux de nouveau. Je suis désolé. Je ferai tout ce que je peux pour compenser tout cela. Je peux vous promettre qu'il ne vous brutalisera plus jamais... Mais je garde un léger espoir. — Il marqua un temps d'arrêt avant d'ajouter avec une sorte de violence contenue : — Une fois qu'il y aura un héritier, ou la perspective d'en avoir un, je le ferai interner.

— Vous pouvez compter sur moi pour m'en tenir à nos conventions, dans la mesure où je le pourrai.

— Vous ne le regretterez jamais.

L E cabriolet s'était à peine arrêté que la porte s'ouvrait livrant passage à un homme puissant, entre deux âges, vêtu d'un costume sombre.

— Oh, Wilson ! Bien installé ?

— Oui, monsieur. Puis-je prendre ce panier ?

— Oui. Faites attention. Il y a une bouteille de champagne...

— A servir maintenant, monsieur ?

— Pourquoi pas ? Inutile d'attendre qu'il soit chaud.

Si les affaires qu'il avait à traiter, ce matin-là, à Bressford avaient été sérieuses, Sir Harald n'eût rien bu. Mais il devait seulement assister à une réunion du comité d'administration de l'Hospice avant le déjeuner et à la réunion du Comité de l'Assistance Publique dans l'après-midi. Il avait négligé ces réunions, ennuyeuses, mais nécessaires, au cours des mois passés à s'occuper d'Hannah. Il éprouvait l'impression agréable de reprendre ses habitudes.

La porte-fenêtre, à présent ouverte sur le jardin, et le papier mural imprimé de roses changeaient beaucoup la pièce qui avait parue triste. Mais comme Hannah y pénétrait, les bras pleins de fleurs, elle eut conscience que quelque chose n'allait pas. Peut-être son père n'aimait-il pas Wilson, tellement stylé. Dans ce cas, elle le ferait remplacer. Dans ce domaine, elle pouvait faire ce qu'elle voulait, à présent.

— Ma chérie ! Je ne m'attendais pas à te voir aujourd'hui.

— Puisque vous n'avez pas pu assister au mariage, Hannah et moi nous avons pensé vous en apporter un peu, Reeve.

— C'est très aimable à vous, monsieur.

Hannah posa ses fleurs sur une table nue, contre le mur, et s'approcha du lit pour embrasser son père.

— Tu as bonne mine. J'ai pensé à toi. As-tu eu un beau mariage ?

— Très beau. Où est maman ?

— Sortie.

— Pour ma part, dit Sir Harald, j'ai assisté à de nombreux mariages. Mais je n'en ai jamais vu de plus beau avec une mariée plus jolie.

« Chère Juliet, où que tu sois, pardonne-moi. Nous avons eu un pauvre mariage et ce n'est pas pour ta beauté que je t'ai aimée. »

Le lit était près de la fenêtre. Une table, recouverte d'une nappe blanche, était poussée à côté ainsi que deux chaises. Sir Harald déplaça la plus légère et l'offrit, avec courtoisie, à Hannah. Puis il s'assit sur l'autre, d'apparence plus solide.

— Wilson s'en tire bien ?

— On ne peut mieux. Je n'en espérais pas tant.

Wilson, qui comprenait parfaitement la situation et n'avait entendu rien d'autre que : mariage, mariage, mariage, apporta le champagne et des tranches de cake.

— Peut-être devrions-nous attendre madame Reeve, suggéra Sir Harald.

— Inutile. Elle ne rentrera pas de sitôt. Tom, prenez un verre pour vous. C'est l'occasion ou jamais. Nous allons boire à la santé de la mariée.

Le vin bu, les paroles d'usage prononcées, Sir Harald consulta sa montre et dit qu'il devait partir. Il reviendrait chercher Hannah à quatre heures.

— Passez une bonne journée, mon enfant.

Ce ne fut pas le cas. Dès qu'il entendit Sir Harald partir, de lui-même Wilson apporta un bac d'eau et plusieurs vases.

— Madame désire arranger les fleurs elle-même ?

— Oui, merci.

— Maintenant, dit John Reeve, tu t'installes là que je te voie.

Il indiquait la chaise faisant face à la fenêtre. Là elle serait en pleine lumière. Elle se composa ce qu'elle espérait être une expression heureuse.

— Tout s'est bien passé ?

— Oh ! oui. C'était un merveilleux mariage.

— Ah ! non, pas de ça, hein. Tu sais parfaitement ce que je veux dire. Lui et toi, ça a été bien ? Es-tu *heureuse* ?

— Mais bien sûr, papa.

Était-ce cela qui le tracassait ? Elle sourit et lui offrit son sourire.

Le résultat fut inattendu. D'une main, il claqua le couvre-pieds.

— Voilà ! Je l'avais bien dit ! Mais il a fallu toutes ces discussions... Je l'ai suppliée de changer d'avis, d'aller là-bas et de montrer que tu n'étais pas une orpheline et de me raconter tout, ensuite. Mais elle n'a pas voulu. Pourquoi ? Parce que je le désirais. Je ne compte plus, sauf pour me dire non.

— Papa, ne dis pas ça.

— Et pourquoi pas ? C'est la vérité. Regarde autour de toi. Rappelle-toi notre petit salon, sa commode avec son travail dedans ; son bureau où elle écrivait ; ses livres sur les étagères ; tu les vois ici maintenant ?

— Non, mais l'ancien salon était surchargé, difficile à nettoyer.

— Ce n'est pas la question. Cette pièce est deux fois plus grande. Et la seule chose qui lui appartienne ici, c'est cette pendule et, elle le sait, je la déteste. Toutes ses affaires sont en haut. Je l'entends remuer quand elle a jeté un coup d'œil ici pour se rendre compte si je ne suis pas encore mort. Si je veux quelque chose, il faut que j'appelle Wilson. Il est bien, fort, capable et poli, mais elle, c'est ma *femme*. Et juste au moment où on aurait pu être si heureux, elle sans travail dur à faire. Sais-tu où elle est maintenant ? Elle cherche une place d'institutrice !

— Mais c'est compréhensible, papa, — garder son calme, son équilibre dans un monde de fous — maman était une très bonne institutrice... Je n'avais pas tellement envie d'apprendre, mais Mlle Drayton elle-même a déclaré qu'elle n'avait jamais eu une élève de mon âge ayant de telles connaissances, et là, sans la laiterie et avec Wilson, elle n'a pas voulu se sentir inutile.

— Ce n'est pas ça. Elle me punit d'avoir fait ce qui était le mieux pour nous tous.

Hannah eut l'impression qu'ils étaient nombreux à être punis.

MAGNUS était puni. Il se réveilla la tête lourde et douloureuse. Trop bu. Quand ? Où ? Et en quoi le fait d'avoir trop bu justifiait-il cette enflure entre la mâchoire et l'oreille ? Il l'explora doucement, avec précaution, du bout des doigts et peu à peu, comme des objets émergeant du brouillard, il se souvint. Il voulut du café et tira sur la sonnette. Personne ne répondit parce que Bolsover avait pris la précaution de la débrancher. Une secousse plus violente n'eut pour résultat que de laisser un fil pendant le long du mur. Parfait, alors je vais crier et faire se remuer cette bande de fainéants ! Les deux portes fermées ? Il était enfermé !

En attendant, Bolsover avait mené son projet avec précision. Il avait été aux écuries.

— Le jeune marié a éprouvé le besoin de faire un peu de marche à pied, ce matin ! dit-il avec un petit sourire. Il faut que je le rattrape avec son cheval. Puis, nous allons à Bressford.

Le mariage avait été somptueux et personne ne se sentait très en forme ce matin. Personne ne manifesta la moindre curiosité ou même de l'intérêt. Monté sur son cheval favori et menant celui de Magnus à la longe, Bolsover pénétra sous les arbres de Monkswood, y attacha les deux animaux et revint vivement monter la garde. Lorsque Magnus avait compris sa situation, il avait eu une crise de rage démentielle et commencé à tout casser autour de lui. Bolsover ne s'en préoccupa pas. Cette aile, quoique la plus proche des cuisines, était cependant isolée. Mélissa avait fait la chambre d'Hannah et Bolsover avait eu la précaution de dire qu'il s'était chargé de celle de Magnus, ainsi personne ne viendrait et ne s'étonnerait de trouver la porte fermée. Il s'était seulement assuré que le pot à eau était plein, mais, en voyant un filet d'eau passer sous la porte et gagner le couloir, Bolsover, sardonique, pensa : « Et maintenant tu auras soif par-dessus le marché ! Il n'y a aucune chance qu'il s'échappe par une fenêtre car, de même que dans la chambre de Sir Harald et de Bolsover, les fenêtres n'avaient pas été modifiées, trois ouvertures étroites en lancettes séparées par de lourds menaux de pierre.

Copsi connut une journée calme. Malgré la bourriche pleine emportée par Sir Harald, il restait beaucoup de mets froids et seuls le cousin William et les deux vieilles dames parurent dans la salle à manger. Jonathan avait vaincu son indolence et son peu de goût pour l'équitation pour se rendre à Axworth à la recherche d'Alice Wentworth en laquelle il avait trouvé exactement le modèle qu'Hannah ne lui avait pas apporté. Une jeune paysanne dodue, sans grâce qui, dans sa robe rose de demoiselle d'honneur, ressemblait à un petit cochon effarouché. Exactement ce qu'il voulait. En tant que témoin, il avait dû s'occuper des demoiselles d'honneur, mais les attentions qu'il avait manifestées à Alice avaient été telles que Mme Wentworth avait senti naître en elle des espoirs insensés. Si une fille aussi fade qu'Hannah Reeve pouvait faire un aussi beau mariage, pourquoi pas Alice ?

Le cousin William risqua une mise en garde. Même en tenant compte des excentricités propres à un tempérament d'artiste, il jugeait Jonathan un peu précipité.

— Des gens simples peuvent se méprendre, se faire des idées.

— Je me moque de leurs idées. J'ai la mienne.

Lady Copsey était également tourmentée par une idée.

Debout dans l'église à assister au mariage de Magnus, elle avait eu un mauvais pressentiment. Ce cher Harry n'était pas éternel et, lorsqu'il mourrait, il y aurait une nouvelle Lady Copsey. Ce titre comptait pour elle, d'autant plus qu'il lui avait servi d'arme dans l'éternelle bataille avec sa belle-fille. Par deux fois, elle avait été reléguée au rang de douairière, mais peu de temps. Cela se répéterait-il une troisième fois ? Vraisemblablement pas. Pour la première fois, elle songeait à la maison du douaire qui, si souvent, avait servi de menace et qui, à présent, semblait le paradis. Elle décida de s'y rendre pour la voir, mais réellement la voir, l'après-midi même.

A Bressford, Hannah et son père déjeunèrent des restes du repas de fête. Il mangea de bon appétit, mais sans cesser de regarder la pendule, de plus en plus nerveux. Elle fut heureuse de pouvoir s'occuper des fleurs. La chambre de Martha, juste au-dessus du salon, était d'une simplicité spartiate. Rien de neuf ici, rien que ne possédât déjà sa mère. Une chambre éloquente à sa façon. Hannah posa un vase d'œillets — ils dureraient plus longtemps que des lys ou des roses — sur la table de toilette et puis se dirigea vers le secrétaire pour y écrire un mot :

« *Chère maman,*
Pour le cas où je serais partie avant ton retour, je voudrais que tu saches que tout va très bien. Nos craintes étaient sans fondement. »

— Ah, pendant qu'elle y était autant mettre le paquet ! —

« *Je suis très heureuse. Je suis désolée de t'avoir manquée mais je reviendrai souvent. Sir Harald m'a promis de me donner une voiture et un poney pour mon seul usage. J'espère que les fleurs te plaisent.* »

Elle songea à laisser sa lettre contre le vase puis pensa qu'il serait mieux de charger son père de la remettre à sa mère qui la lirait, la croirait peut-être et ils se réconcilieraient. Oh ! mon Dieu, que quelqu'un au moins sorte heureux de cette pagaille !

MARTHA avait procédé méthodiquement pour trouver à travailler. La famille Wheeler était dispersée, mais elle se souvenait de plusieurs de ses amies et leur avait écrit avant de quitter Reffolds. Une seule personne lui répondit, Mme Bettison, qui lui dit être certaine que l'on pouvait faire quelque chose et invitant Martha à déjeuner dès qu'elle serait à Bressford et installée.

Mme Bettison avait peu changé et rappelait la jeune matrone grasse et bavarde qu'elle avait connue, mère d'enfants de l'âge des Wheeler. Elle ne cherchait pas à cacher sa curiosité au sujet du mariage d'Hannah qui avait fait parler tout le monde tant à la campagne qu'en ville. La presque grossièreté de certaines de ses questions lui valut des réponses de la même veine et fort peu révélatrices. Vraiment, un déjeuner gâché ! Un repas en tête à tête avec la mère de la jeune mariée aurait dû lui en apprendre davantage. Cependant Mme Bettison aimait jouer les mouches du coche et avait, selon son expression, des plans.

— Je connais beaucoup de gens qui aimeraient avoir une gouvernante à demeure mais qui n'ont pas la place nécessaire. Aucune des nouvelles maisons des avenues ne peut être considérée comme une maison de famille. Aussi, ai-je pensé à la vieille Mme Walpole dans cette grande baraque du Square Sainte Marie. Elle est très gênée à présent, le saviez-vous ? On pourrait dire pauvre et encombrée de cette maison qu'elle ne peut pas vendre. Elle a loué quelques-unes de ses chambres, mais la salle de bal est si grande. Personne ne pourrait y vivre. J'en suis certaine, elle serait heureuse de vous la louer pour cinq livres environ par an. Il faudrait que vous y jetiez un coup d'œil pour vous rendre compte, bien sûr.

— Comme salle de classe ?

— C'était mon idée. Y allons-nous, maintenant ?

La salle de bal était vaste et construite dans un but déterminé, avec des fenêtres placées si haut qu'aucun indiscret ne pouvait voir de l'extérieur. Le premier aspect n'était pas très encourageant. Avec tant d'autres toits à faire entretenir, Mme Walpole avait visiblement négligé celui-ci et la pluie qui s'était infiltrée avait taché les murs blancs et or. Tout donnait une impression de froid, malgré la chaleur de l'après-midi de juin. Il y avait une cheminée, au centre de l'un des longs murs. Sans doute avait-on pensé que la danse réchauffait. L'idée d'avoir une classe ici, au lieu de quelques enfants dans une confortable salle d'étude, désempara un peu Martha. Mais Mlle Allsopp vint à son aide et en vit les avantages. C'était assez vaste pour servir en même temps de salle d'étude et de salle de jeux — utile en hiver. Elle disposait d'une entrée séparée, à l'usage des fleuristes, des musiciens et des traiteurs à l'époque où Mme Walpole, régnant ici, établissait une nette distinction entre les citadins et les campagnards. Mme Bettison éprouvait une certaine satisfaction à jouer un bon tour à cette snob. Elle pensait également que Mme Reeve pourrait faire preuve d'un peu plus d'enthousiasme mais quand une femme dont la fille venait de faire un mariage si extraordinaire ne trouvait rien à en dire !... L'espace de quelques minutes, Mme Bettison se demanda si elle avait bien fait d'aider la Mlle Allsopp dont elle se souvenait à mettre une école sur pied.

Mlle Allsopp réfléchissait : un écran devant la cheminée, en hiver ; les fenêtres sont si hautes que l'on pourra même jouer à la balle en prenant quelques précautions. Et les toilettes ?

— Eh bien pensez-vous que c'est faisable ? dit Mme Bettison, la voix légèrement grinçante.

— Oui, je crois, répondit Mlle Allsopp.

— Alors, nous allons de ce pas aller voir ma jeune amie, Victoria Avenue. Elle a des jumeaux et ils ont beaucoup de camarades.

Mlle Allsopp la suivit et rencontra non seulement la mère des jumeaux, mais beaucoup d'autres mères que l'on avait certainement priées de venir. Toutes ces jeunes femmes avaient, à l'égard de Mme Bettison, les rapports que celle-ci avait eu autrefois avec Mme Walpole. Et, pour la plupart, il importait peu que Martha fût compétente ou non, sympathique ou pas. Elles n'avaient qu'une idée en tête, se débarrasser pendant quelques heures chaque jour de Charlie ou d'Algie et qu'on s'occupe de lui, bien, si c'était possible.

L IS ça, dit John en tendant la lettre d'Hannah qu'il avait relue à deux reprises, très lentement. Il avait eu raison ! Martha la lut à son tour. Rien que des mensonges ! Il ne pouvait en être autrement.

B OLSOVER alla rechercher les deux chevaux, les ramena à la porte des écuries, leur appliqua une claque amicale et les laissa retrouver leur chemin tout seuls. Et puis, Lily à quelques centimètres derrière lui, soupçonneuse et aux aguets, il entra dans la chambre de Magnus, enregistra la casse et le désordre et déclara :

— Pas mal du tout !

La chambre était un véritable champ de bataille. La veille, il avait enlevé tout ce qui aurait pu servir d'arme au jeune homme, même une paire de petits ciseaux à ongles. Cependant les oreillers et l'édredon avaient été déchirés. Sans doute l'avait-il fait avec ses dents !

— ... Maintenant vous pouvez nettoyer tout ça et vous aurez peut-être quelque chose à manger avant de vous coucher. Je reviendrai voir.

Là-dessus, Bolsover fit semblant de servir à dîner chez Hannah. Les plats montés étaient placés sur une table roulante, juste devant la porte. Tout le monde, dans les cuisines, pensa que ça ne lui faisait pas de mal de travailler un peu, pour changer.

Magnus, pour la première fois de sa vie, rangea son propre désordre, ramassant les débris de vaisselle et les plumes éparses pour les mettre dans les taies d'oreiller déchirées. Impossible de ramasser tous les duvets ! Une de ses côtes le faisait souffrir quand il se penchait, sa mâchoire enflée provoquait un élancement douloureux. Il avait faim et soif. Et il sentait une délicieuse odeur de nourriture qui lui faisait venir l'eau à la bouche. Mais quand Bolsover reparut enfin, ce fut avec une carafe d'eau et un simple morceau de pain.

— Vous appelez ça du travail ? fit-il, méprisant. Moi pas ! Ramassez ces plumes avec la langue si vous ne pouvez faire autrement.

Et Bolsover repartit avec la misérable pitance laissant Magnus au bord des larmes.

Sir Harald estima devoir juste jeter un coup d'œil sur son fils. Bolsover l'en dissuada.

— Il va très bien. Il s'adapte. Et il vous faut une bonne nuit de repos.

Profitant des dernières lueurs d'une longue journée d'été, Bolsover parcourut le château à la recherche des objets nécessaires à la chambre de Magnus pour ne pas éveiller la curiosité d'une femme de chambre, le lendemain. C'était une chose facile, avec tant de pièces jamais occupées et dans lesquelles on entrait rarement.

Cette tâche achevée, Bolsover était, lui aussi, prêt à se coucher, mais encore assez vigoureux et scandalisé pour parler avec une extrême sévérité.

— Aujourd'hui, vous n'avez eu qu'un échantillon de ce qui vous attend si vous attaquez de nouveau votre femme. Je n'ai jamais supporté que l'on maltraite des femmes ou des enfants. Je vous réduirai en bouillie et vous mettrai au pain et à l'eau pendant une semaine. Mettez-vous ça dans votre crâne obtus.

Magnus se contenta de murmurer qu'il ne voulait plus voir cette garce.

A première vue, la vie se poursuivit, comme à l'accoutumée. L'indifférence de Magnus à l'égard d'Hannah, aussi totale que l'avait été son envie de la posséder autrefois, facilitait les choses, la vigilance n'étant plus nécessaire. Mais elle était, cependant, très ennuyeuse. Sir Harald s'assura du degré de cette indifférence de diverses façons, notamment en laissant Hannah se rendre seule à Bressford dans la voiture à poney promise et en envoyant ensuite Magnus dans la même direction, faire une course. Magnus ne pouvait deviner que Bolsover le suivait discrètement, par mesure de précaution, mais il croisa sa femme sur la route isolée, à l'ombre des arbres, sans même avoir l'air de la reconnaître.

Tant d'histoires, tant d'actes incompatibles avec sa vraie nature — et pour rien ! —

— AUX grands maux les grands moyens, déclara Bolsover, en août, le mariage datant de deux mois et n'étant toujours pas consommé.

— Les aphrodisiaques, fit Sir Harald avec répugnance. C'est très dangereux.

— Parce que ce sont les vieux types qui les utilisent surtout. Une tasse de thé les achève.

— Vous pensez que c'est sans risque ?

— Pris avec modération, oui.

— Alors, vous voulez bien vous en occuper ? Je n'y connais strictement rien.

— Mais il faudra que j'aille à Londres.

Bolsover doutait qu'un pharmacien de campagne eût jamais entendu parler de ce genre de produit et il ne voulait pas l'acheter dans un endroit où on le connaissait. Bien qu'il l'eût suggérée, cette course n'enthousiasmait pas Bolsover. La conversation ayant atteint un tel degré d'intimité, il se décida à poser la question qu'il se posait lui-même depuis plusieurs mois.

— Il y a un autre moyen. Et je me suis souvent étonné. Pourquoi ne vous mariez-vous pas vous-même, pour avoir un garçon normal ?

Aucune raison d'avoir honte. Une blessure honorable reçue au service de la patrie !

— La balle que j'ai reçue, Bolsover, ne s'est pas arrêtée dans ma cuisse.

Il avait répondu d'une telle façon que Bolsover comprit qu'il l'avait offensé. Il se sentit navré pour le pauvre vieux. Mais, cependant, il ne s'excusa, ni ne compatit.

— Personne ne pourrait s'en douter, monsieur.

Réponse habile. Mais en y pensant, plus tard, Bolsover comprit que ce n'était pas totalement exact. Il s'était souvent dit qu'il y avait de la vieille fille chez Sir Harald, une tendance à s'attacher à des détails ; son amour de l'ordre et de la propreté — et, bien sûr cela expliquait son manque de sévérité à l'égard de son fils. Un fils de veuve !

— Espérons-le, rétorqua Sir Harald avec raideur. Puis il se radoucit : — A en juger par les efforts faits depuis des années pour me remarier, on peut l'affirmer, n'est-ce pas ?

— Oui. Eh bien, nous allons tirer le meilleur parti de ce que nous avons. J'irai à Londres, demain.

Un demi-sourire aux lèvres, Bolsover se souvint que la boutique à laquelle il pensait vendait beaucoup d'autres choses...

Il projetait de séduire Mélissa et ce genre d'affaire devait être mené avec un certain doigté. Passe encore pour installer un coucou dans le nid d'un autre, mais Bolsover s'arrangeait toujours pour éviter des ennuis à une jeune fille.

L A, comme ailleurs, impossible de savoir avec Magnus Copsey. La consommation du mariage fut-elle due aux petites doses de poudre faite d'insectes séchés ou au très violent orage qui marqua la fin d'un mois très lourd ? Magnus avait toujours eu peur de l'orage. Sir Harald se souvenait l'avoir pris dans ses bras, tout petit enfant, pour le rassurer : « ce n'est rien, mon garçon, juste une tempête. » Et sous sa main caressante, les cheveux de l'enfant semblaient craquer, tout son corps vibrait.

Toujours est-il que ce fut fait. Il n'y avait plus qu'à attendre.

Si ridicule que cela puisse paraître, après cet acte, pendant tout les mois de septembre et d'octobre, Magnus se comporta de façon presque normale. Et la jeune femme fut magnifique. A les voir ensemble, on n'aurait pu croire que leur nuit de noces n'avait été qu'un cauchemar.

Jerry Flordon, contrairement à ses habitudes, à la grande joie de sa mère et à la fureur de la sœur, passa l'été à errer dans les environs. Il travaillait, par-ci par-là, dans l'un ou l'autre Copsi, ou sur le port, mais rentrait chez lui, pratiquement chaque soir, critiquant la façon de se tenir des enfants et la qualité de la nourriture servie à sa mère. Il était difficile à sa sœur de protester, c'était lui qui payait tout. Mais jamais la maison ne semblait si encombrée et les enfants si turbulents, la vieille si peu satisfaite, que lorsqu'il était là.

Il traînait, alentour, pour le cas où... Il gagnait moins et dépensait davantage que d'habitude. Effectuer un travail dans un coin perdu rapportait davantage que près de chez soi. Et son argent, il le dépensait à « La Péniche ». Il tendait l'oreille à tous les racontars et, à première vue, tout allait bien. Hannah, en tout cas, semblait être en forme ! Il l'avait vue, sans se montrer, en voiture avec Sir Harald, seule, ou avec le fou qu'elle avait épousé. Elle *avait l'air* en forme. Alors, qu'est-ce qu'il faisait à rester à traîner dans le coin ? Attendant une chose qui, si elle avait dû se produire, se serait produite les premiers jours. Dieu lui était témoin qu'il ne le souhaitait pas... Il voulait qu'elle soit heureuse. Il avait un peu trop bu, le soir, dans le jardin, à Reffolds.

Et tu es encore un peu saoul, Jerry Flordon. D'ailleurs tu n'as pas cessé de l'être depuis que tu as été chercher Hannah à Radmouth. Et tu joues les débiles à te ronger les sangs. Si tu ne te décides pas à temps, il sera trop tard pour t'embarquer. Te rends-tu compte, un hiver à Copsi, sans presque rien à faire ? Pouah ! Pour chasser une perspective aussi accablante, rien de tel que du rhum !

Lorsque Bolsover entra dans l'établissement, Jerry avait déjà son compte. Jamais encore il ne l'avait vu de près tout en sachant qui il était et impossible de s'y tromper avec son chien. Depuis peu, Bolsover pouvait disposer d'un moment dans la soirée, mais pas longtemps. Cependant, il était déjà devenu l'un des clients favoris de la patronne, de ceux qu'elle voyait rarement, poli, bien habillé et buvant de l'eau de vie.

La façon la plus simple de faire connaissance avec un homme aimant les chiens, c'était par l'intermédiaire du sien. Jerry tendit la main.

— Bonjour, mon vieux. Tu es beau, dit-il.

Lily, d'ordinaire si peu sensible à ce genre de familiarité, hésita à peine. Elle s'approcha et toucha du museau la main tendue. Bolsover la suivit et s'assit à côté de Jerry, sur la petite banquette.

— Curieux, constata-t-il. Elle n'aime pas les étrangers.

— Je sens le mouton.

— Fermier ?

— Toucheur.

Cela intéressa Bolsover. D'habitude les meneurs de bestiaux étaient des êtres grossiers, de langage, de manière, dans leur façon de s'habiller et, chacun le savait, brutaux avec les animaux qu'ils menaient. Bolsover le déplorait, éprouvant à peu près les mêmes sentiments pour les bêtes que pour les femmes et les enfants. Le monde était dur pour ceux qui ne pouvaient se servir de leurs poings...

La conversation aurait pu s'arrêter là, ni l'un, ni l'autre n'étant bavard, mais Jerry, imbibé de rhum, vit dans cet homme une source de renseignements possible. Mais il valait mieux prendre ses précautions.

— Oh, juste une journée de travail, expliqua-t-il. Mademoiselle Copsey, à Sheppey Lea, avait trois brebis primées à mener au bélier, de l'autre côté de Wyck. Il fallait faire attention à elles, alors elle m'a demandé.

— C'est une femme bien. J'ai travaillé pour elle. C'est quelqu'un.

— Vous êtes au château à présent ?

— Oui.

— Alors, vous pouvez peut-être me renseigner... ? (pas si saoul que ça après tout). Les Reeve, ils sont partis pour Bressford, hein ? Est-ce qu'ils y sont bien ?

— Oh, ça oui. Joyeux comme des pinsons... d'après ce que m'en a dit Madame Copsey.

— C'est la fille ?

Un peu trop prudent l'ami. Bolsover savait à quoi s'en tenir, à présent. Encore un pauvre bougre.

— Exactement. Elle va les voir deux ou trois fois par semaine. Et elle revient toujours heureuse de les avoir vus. Sa mère a ouvert une petite école et son père a exactement le domestique qu'il voulait.

— Ça doit lui faire plaisir.

— Évidemment.

Il ne restait plus qu'à administrer le coup de grâce, le mettre au tapis pour le compte.

Sans se hâter, Bolsover but une gorgée d'eau de vie que la patronne lui avait apportée sans qu'il le demande.

— ... Pour autant que je peux m'en rendre compte, ils ont tous l'air parfaitement heureux. Elle a un mari attentionné et un beau-père aux petits soins, ses parents ne manquent de rien. Elle n'a qu'à lever le petit doigt pour avoir ce qu'elle veut.

« Qu'est-ce qu'une fil... une jeune dame peut espérer de plus dans un monde pourri ?

— Ça fait plaisir à entendre. J'ai travaillé, de temps à autre, à Reffolds, autrefois. J'aimais bien les Reeve et j'ai toujours trouvé Hannah...

La gaffe ! Il était tellement parti qu'il ne pouvait même pas prononcer son nom d'une façon normale.

— ... Une gentille petite — allons, mon garçon, reprends-toi. « Et l'accident de son père, ça a été un sacré coup de malchance. J'étais là quand c'est arrivé.

j'étais là. Je suis ici, maintenant. Demain...

Pouvait-on faire confiance à cet homme, un type qu'on payait ? Ne disait-il pas simplement ce qu'on lui avait ordonné de dire ? Avec la solennité de l'ivresse, Jerry étudia le visage de Bolsover. Des yeux, une bouche durs, mais l'homme, cependant, donnait l'impression d'être honnête. Au début de chacun de ses voyages, Jerry avait l'habitude de juger ses compagnons. Honnête ? Pouvait-on lui faire confiance en cas d'urgence ?

Bolsover fit semblant d'ignorer ce qu'il savait et de ne pas remarquer l'examen auquel il était soumis. Il était en mesure de rassurer sans trahir. Sa première rencontre avec Magnus Copsey avait eu lieu chez « Peppo », mi-taverne, mi-maison de tolérance. Au moins une dizaine de personnes avaient vu Magnus donner un coup de pied à Lily et assisté à la punition immédiate. Ce qu'il dit n'était donc pas nouveau, sauf dans la façon dont il le présenta :

— Monsieur Copsey et moi, fit-il d'un ton négligent, on a plutôt mal débuté ensemble. Il a donné un coup de pied à Lily. Je l'ai assommé. Mais il s'est amélioré depuis. La tête un peu dure, mais il apprend.

Compris ? Tu as la tête dure, toi aussi.

La patronne s'approcha, une bouteille d'eau de vie dans une main, de rhum dans l'autre.

— Pas pour moi, merci, Sylvie. Je vais à Radmouth et la route est longue.

Il se leva pensant que, s'il n'y trouvait pas un embarquement, la route serait encore plus longue. Lowertoft ou Yarmouth. Il se couvrit d'insultes pour ne pas avoir fait comme d'habitude et signé pour une nouvelle campagne de pêche à la fin de la première. Il voulait rester à Reffolds et rendre service ! Et voilà comment ça s'était terminé !

Il fut obligé de retourner chez lui pour prendre ses affaires et cela l'amena en vue du château, masse sombre, impressionnante. On pouvait être heureux là-dedans ? Hannah mariée avec un fou ? Avec Sir Harald qui était peut-être un charmant beau-père, mais se montrait impitoyable dans l'exercice du pouvoir? A présent qu'il n'avait plus Bolsover à côté de lui, l'impression qu'on pouvait lui faire confiance commença à se dissiper. Lui faire confiance, dans quel sens? D'être loyal vis-à-vis de son maître?

Le bon sens et l'esprit d'aventure le poussaient à faire ses paquets et à partir. Rien, jusqu'ici, n'était arrivé à Hannah. Qu'il reste sur place avait été inutile. Mais il avait promis de rester à portée...

A la première heure, le lendemain il retournerait à Sheppey Lea et demanderait à Mlle Bertie de lui donner du travail. N'importe quoi.

C<small>E</small> qu'avait dit Bolsover n'était pas entièrement faux. Dans une certaine mesure, Martha était heureuse avec ses élèves dont le nombre augmenta très vite quand on sut que les garçons aimaient réellement aller à l'école. La sinistre salle de bal avait été transformée. Le père d'un des élèves étant entrepreneur et décorateur envoya des ouvriers pour réparer les fuites de la toiture et repeindre en blanc les murs salis. Un autre père, marchand de charbon celui-là, promit une tonne de sa houille la meilleure. On avait donné chaises et tables reléguées dans des greniers. Martha avait ressorti Mlle Allsopp de la naphtaline, comme neuve.

Cinq jours par semaine, Martha Reeve se levait, mangeait un petit déjeuner préparé par Wilson, échangeait quelques mots avec lui quant au programme du jour, allait voir son mari et sortait dans l'air revigorant d'automne. Quelque part, entre Pump Lane et le Square Sainte Marie, elle devenait Mlle Allsopp, si extraordinaire avec les enfants, si pleine d'idées. Martha Reeve avait été une mère si cruellement frappée qu'elle s'était demandée si elle serait capable de supporter encore la vue d'un petit garçon. Pour Mlle Allsopp, il en allait autrement, ce n'était pas la même femme.

Elle pouvait laisser John en toute sécurité avec Wilson. Jamais Martha ne pardonnerait à Sir Harald, mais l'honnêteté la forçait à reconnaître qu'il avait choisi l'homme qu'il fallait. Il était parfait.

Wilson ne voyait pas pourquoi John Reeve — et lui-même — seraient condamnés à rester enfermés. Il s'était procuré une chaise roulante; installé dedans, une couverture autour des jambes, poussé par Wilson, John pouvait aller partout, au marché où on le reconnaissait et le saluait cordialement, faire le tour des boutiques, au théâtre et même au Club des joueurs d'échecs. Wilson avait déclaré que quelqu'un sachant jouer aux dames, pouvait parfaitement jouer aux échecs pour peu qu'il le veuille. Et John s'y appliqua. Hannah venait et repartait. Tout avait l'air d'aller bien. Elle était toujours de bonne humeur. Martha elle-même se détendait. Elle les rejoignait et bavardait avec eux, un peu comme autrefois. Elle parlait de sa classe et surtout d'un nouvel élève, un petit garçon appelé Édouard. Édouard

Fordham, qui avait six ans, débarquait des Indes et avait été confié à sa grand-mère qui l'avait envoyé à l'école sans même un mouchoir, ce pauvre petit. Il était habillé de façon beaucoup trop légère aussi. Si personne ne songeait à recomposer sa garde-robe, Martha y veillerait. Évidemment, les moments que Martha passait avec John étaient irréguliers et brefs, davantage ceux d'un ami que d'une épouse, mais l'amertume qui avait envenimé leurs relations n'existait plus et John était aussi heureux qu'un infirme peut l'être. Beaucoup plus heureux qu'il ne l'avait été depuis son accident.

A Copsi, tout semblait aller bien également. Pour être totalement heureux, Sir Harald n'attendait que de savoir si Hannah était enceinte. Mais il était encore un peu tôt. Personne n'aurait pu se douter que ce serait Lady Copsey qui gâcherait tout. Elle, ce fut en mourant.

Elle s'en était tenue à son idée d'occuper la maison du douaire et les travaux y avaient commencé. Aussi, chaque jour, quel que fût le temps, elle traversait le parc pour voir où ils en étaient, critiquant souvent, félicitant beaucoup plus rarement. La maison, inoccupée depuis si longtemps, restait glacée. Mais elle n'était pas femme à se laisser immobiliser par un simple rhume.

Le meilleur remède c'était encore l'air frais, déclara-t-elle en se mettant en route un matin brumeux de novembre et respirant aussi profondément que son nez bouché le lui permettait. Une légère douleur dans la poitrine ? Inutile d'en tenir compte. Une simple indigestion. Entendu, elle ne se sentait pas en forme, mais un rhume affaiblit toujours. Faire demander le docteur Fordyke ? Pour un rhume !

Elle mourut d'une pneumonie.

Elle n'avait jamais été riche. Sa dot avait été de peu d'importance. Mais elle avait reçu, de temps en temps, de petits héritages, et elle s'était montrée très économe. Prévoyante aussi. Elle avait fait son testament léguant toute sa fortune à Magnus qui pourrait en disposer à sa majorité. Cette fortune s'élevait à un peu plus de quatre mille livres et elle avait rédigé son testament lorsqu'il était encore bébé.

Quatre mille livres. Avec ça dans sa poche, on pouvait se payer du bon temps à Naples ! Magnus avait gardé un souvenir enchanteur de cette ville aux mœurs corrompues. C'était là un endroit où il s'était réellement senti heureux avec ce type... ? Comment s'appelait-il déjà ? Oui, c'est ça, Garnet ! Garnet qui s'occupait de tous les détails déplaisants. Avec quatre mille livres on pouvait s'assurer des services, sinon de Garnet lui-même, du moins, d'un type comme lui...

En vain, Sir Harald tenta de lui expliquer, ainsi que Me Fullerton qui avait enregistré le testament et était l'un des curateurs de la succession, qu'il ne pourrait disposer immédiatement de l'argent. Il lui faudrait attendre d'avoir vingt et un ans. C'était très long à attendre pour un garçon ayant épuisé toutes les possibilités de plaisir offertes dans les environs immédiats et qui s'ennuyait. Tout pouvait être ennuyeux, même une femme soumise, trop soumise, trop semblable aux autres femmes.

S'il ne pouvait pas toucher son argent et partir immédiatement pour Naples, c'était la faute de son père. Son père, c'était l'ennemi. Il s'était toujours opposé à tout ce que Magnus voulait. Il employait Bolsover pour l'espionner. Maintenant, son père le volait, décidé à se servir de son argent pour Copsi évidemment.

La brève période de bonheur relatif était terminée.

— Je me demande, dit Bolsover, si le mieux ne serait pas de lui donner un peu d'argent maintenant et de le laisser partir pour Naples. . Il s'est mis cette idée dans la tête, exactement comme pour Madame Copsey, l'année dernière.

Bolsover n'avait jamais été à Naples, mais il connaissait bien Londres et quelques autres grandes villes. Un garçon faible d'esprit, lâché avec seulement cinquante livres en poche était bon pour se faire matraquer. Et c'était en Angleterre. Qu'est-ce que ça devait être à l'étranger.

Sir Harald pensait la même chose, à ceci près qu'il se préoccupait du sort de Magnus.

— Il a passé quelques jours à Bristol, seul. Il est revenu sans un sou, sans son cheval, sans sa voiture. Il m'a dit avoir perdu le tout aux cartes, mais l'aubergiste, chez lequel j'ai envoyé un homme récupérer cheval et cabriolet, a raconté une tout autre histoire. Magnus aurait été attaqué et volé. Sans doute l'a-t-on frappé sur la tête. Vous vous souvenez, Bolsover, que je vous ai demandé quand vous vous exercez ensemble d'éviter de le toucher à la tête. Je me trompe peut-être, mais après tout le crâne renferme le cerveau et cet enfant a eu une naissance terrible. On a dû employer les forceps et sa tête...

Le sujet était réellement trop pénible.

— Il est né groggy quoi ?

— Peut-être. Une chose est certaine, cependant, c'est qu'après son séjour à Bristol, j'ai remarqué une nette altération de son comportement.

— Ça se peut.

Mais Bolsover avait entendu parler du coup de feu destiné à Jim Bateman.

— Si j'étais vous, monsieur, je n'irai plus à la chasse avec lui. Pas tant qu'il est dans cet état d'esprit.

Sir Harald aurait beaucoup donné pour pouvoir répondre : « C'est ridicule ! ». Mais il se souvint du flacon destiné à l'assommer...

— Peut-être serait-ce plus sage, répondit-il à contrecœur. Mais ce ne sera pas très facile.

Et dur pour un homme qui, ne pouvant plus participer aux chasses à courre, trouvait dans la chasse à pied sa seule distraction, l'hiver. Et comment dire à ses amis : « Je ne viendrai chasser chez vous qu'à la condition que mon fils ne soit pas invité. » Ou bien : « Venez donc chasser à Copsi, mais je ne me joindrai pas à vous. » Enfin, cela valait mieux que de risquer un autre accident. Et sa jambe raide lui serait une bonne excuse.

Un hôte digne de ce nom avait toujours un fusil ou deux à la disposition de ses invités. Il fallait les compter avec soin. Bolsover s'en chargeait et, au début de décembre, force fut de constater qu'il en manquait un. Non pas celui de Magnus, mais un de ceux en réserve.

Pendant que Sir Harald, la famille et trois ou quatre personnes invitées à rester dînaient, Bolsover entreprit ses recherches. Autant chercher une aiguille dans une meule de foin. Les cachettes possibles étaient innombrables. D'abord les plus vraisemblables : la chambre de Magnus, l'appartement d'Hannah, la salle d'armes. Bolsover ne prêtait pas beaucoup d'imagination à Magnus, mais il était rusé. Les chambres inhabitées dont, à présent, celles de Mlle Bertie et de Lady Copsey ne manquaient pas. Et la lueur diffuse d'une simple lanterne ne facilitait rien.

Mais Bolsover faisait confiance à Lily qui avait plus de bon sens que beaucoup de gens et du flair.

— Fusil, Lily. Je cherche un fusil.

Elle semblait comprendre, reniflait dans les coins sombres, sous les lits.

Le chercher à l'intérieur était pratiquement impossible, que dire de l'extérieur ! Un immense jardin, un parc, des haies épaisses, des taillis conservés pour les oiseaux, les abords de Monkswood. Bolsover connaissait l'endroit où l'on avait chassé dans la journée. Si ce n'était que sur une faible partie du domaine, cela représentait quand même une vaste étendue. Il remit ses recherches au lendemain matin, regagna sa chambre et commençait à retirer ses bottes lorsque Lily démontra que Magnus, sa bête noire, était dans les parages. Bolsover courut à sa porte. Magnus entra dans sa chambre pour en ressortir, la seconde d'après, en enfilant un manteau. Il se précipita dans l'escalier et disparut par la porte du petit couloir qui desservait cette partie de la maison. Il fallut une demi-minute à Bolsover pour remettre les bottes qu'il venait d'ôter. Toutefois, peu importait, si vite et si loin qu'aille monsieur Copsey, il lui suffisait de dire à sa chienne : « Trouve-le ! ».

La lune, pleine, était cachée de temps à autre par un nuage chassé par un vent d'est assez fort. La lumière jouait un rôle négligeable. Bolsover était même obligé de freiner sa chienne. Il n'était pas dans ses intentions de rattraper Magnus avant d'avoir retrouvé le fusil.

Cette petite crapule avait laissé l'arme le long d'un jeune pin, dissimulée par les basses branches. Il eut à peine le temps de la reprendre que ce type infernal et son chien infernal étaient là !

— Donnez-moi ça ! dit Bolsover.

Ils tinrent le même raisonnement en même temps. Dans une lutte pour s'emparer d'un fusil, celui-ci pouvait partir. Un accident. Et bon débarras !

Bolsover, quoique de plus petite taille, était plus vigoureux et la lutte fut brève. Il n'y eut pas d'accident...

Plus tard, Bolsover se dit qu'il aurait dû prendre cela plus sérieusement, être préparé pour la nouvelle tentative. Peut-être n'accordait-il pas à Sir Harald et à Copsi toute son attention. Après tout, il n'était pas un eunuque et il avait séduit Mélissa. Et dans quel décor ! La plupart des relations illicites étaient freinées par l'éternelle question : où ? Une bonne meule pouvait être un luxe. Mais, pour Bolsover, l'endroit le plus discret de Copsi c'était encore la chambre que l'on avait, autrefois, prévue pour un roi. Même là cependant, il ne pouvait chasser certains problèmes totalement de son esprit. Et ce fut par Mélissa qu'il apprit que la vie d'Hannah était toujours gouvernée par le cycle de la lune. Comme celle de la petite femme de chambre. Elle aurait cependant souhaité qu'il en fût autrement. Elle appréciait énormément Bolsover comme amant et ne doutait pas une seconde que, si elle était enceinte, il l'épouserait sans hésiter. C'était un homme si gentil, si bon. Il ne laisserait pas une jeune fille dans l'embarras.

Cette nuit-là cependant, Bolsover ne lui avait pas donné le signal convenu et tout le monde dormait à Copsi, lorsque Lily grattant les couvertures de son maître, se mit à gémir. C'était un animal très bien dressé, très propre.

Allumant sa bougie, enfilant sa robe de chambre et cherchant ses pantoufles, Bolsover lui dit : « Une seconde, ma vieille », en pensant qu'il faudrait veiller à lui donner un peu moins du gibier trop faisandé qu'elle adorait. C'était mauvais pour le ventre. Il ouvrit sa porte et Lily se précipita dans l'escalier, mais au lieu de se diriger vers la porte donnant sur l'extérieur, elle tourna, s'arrêta devant la bibliothèque et leva la tête vers son maître. Là, il sentit ce qui l'avait alertée. Il chercha à ouvrir la porte. Fermée à clef. Vite, dehors, faire le tour de la maison, regarder par la fenêtre. Un peu comme Londres en pleine purée de pois, les lampes n'éclairaient rien. La fenêtre, à deux battants, était fermée de l'intérieur, mais il fallut quelques secondes à Bolsover pour casser un carreau, passer le bras, ouvrir et enjamber la fenêtre. A travers l'écran de fumée, Bolsover aperçut Sir Harald recroquevillé par terre à côté de la porte et, à côté, le canapé en feu.

Bolsover ne perdit pas la tête. Pour sortir de cet enfer, le plus court aurait été de passer par la porte. Mais la clef n'y était plus. A demi étouffé, mais les muscles fonctionnant bien, il traîna l'homme inconscient et beaucoup plus lourd que lui, à travers la pièce et le fit passer par la fenêtre. La claque de l'air frais nocturne, la manipulation brutale firent revenir Sir Harald à lui. Un peu étourdi, pas très sûr de l'endroit où il se trouvait et de ce qui s'était passé, mais trouvant juste ce qu'il fallait dire :

— Je vais bien...

— Respirez à fond, dit Bolsover avant de se précipiter à nouveau dans la maison. Il traversa le hall, atteignit les cuisines, grimpa jusqu'aux chambres de service. Le temps qu'il mit à alerter les domestiques et à organiser une chaîne à partir de la pompe, au-dessus de l'évier, et du puits de l'écurie, Sir Harald avait inventé une histoire et, bien qu'elle fût incroyable et le faisait passer pour un vieillard gâteux, il s'y accrocha. Il s'était assoupi, s'était réveillé pour voir le canapé en feu et dans sa hâte, sa panique, il s'était enfermé dans la pièce dont il avait perdu la clef. Aveu bien léger chez un homme qui se vantait de garder la tête froide et qui n'expliquait pas tout. Une étincelle partie du feu ? Le canapé, fort laid, parfaitement inconfortable, rarement employé, mais faisant partie de Copsi et, de ce fait, respecté, se trouvait juste à côté de la porte c'est-à-dire à près de six mètres de la cheminée autour de laquelle, en hiver, tout était centré dans la pièce, un autre canapé, deux grands fauteuils à oreillettes, deux plus petits et une table. Curieuse étincelle pensa Bolsover capable de sauter par-dessus de tels obstacles, faire un demi tour à droite et rester en mesure de mettre le feu à une telle masse de velours et de rembourrage de crin. Mais il garda pour lui ce qu'il pensait. Quant aux autres, ils étaient trop occupés à éteindre l'incendie qu'ils ne réfléchissaient même pas. Une fois bien parti, le feu faisait rage, s'attaquant aux lambris à côté de la porte. Mais Copsi était si solidement construit qu'Hannah, dans la même aile, mais à l'autre extrémité, dormait sans se douter de rien. A côté, Magnus rêvait, fait rare chez lui. Dans son rêve, quelqu'un venait et l'appelait ; « Sir Magnus ». C'était suffisant. A l'autre bout de la maison, Madame le Beaune, le cousin William et Jonathan n'entendirent rien. Quand il l'apprit, William se fâcha.

— Bon sang, Harry ! J'aurais été de force à porter un seau d'eau !

Les dommages furent importants, mais concentrés à une extrémité de la pièce et Sir Harald les prit avec philosophie à une exception : la destruction d'une très ancienne carte de Copsi. Elle avait été dressée en 1660 et dessinée de telle façon que l'on semblait voir le domaine d'en haut. Tous les champs, les pâturages et un peu de forêt, avaient leurs noms — beaucoup écrits différemment. « Reffolds » était « Revves Folds » — d'autres n'existaient plus, une terre que l'on appelait à présent les « Dix Acres » était désignée sur la carte sous le nom de « La Bosse à Luc ». La carte elle-même était restée, pendant des années, roulée sur une étagère, les coins rongés et jaunis. Sir Harald l'avait sauvée, fait encadrer et suspendue au-dessus du vieux canapé. Le feu l'avait totalement détruite.

— C'est une perte irréparable, confia-t-il à Bolsover.

Rendu vulnérable par le choc subi, cela aussi lui semblait symbolique. Magnus avait détruit ce qui représentait Copsi aussi sûrement qu'il le détruirait s'il le possédait.

— ... Il est entré ici, l'insulte aux lèvres, au sujet de son argent bien sûr. J'ai été net. Je lui ai dit qu'il en aurait et serait libre d'aller à Naples dès qu'il y aurait un héritier en perspective. Cela n'a fait qu'ajouter à sa colère. Il m'a accusé — peut-être n'a-t-il pas tort — de ne m'intéresser qu'à une chose : Copsi. Il s'est ensuite rapproché de la porte. Comme vous le savez, quand je suis seul avec lui, je fais en sorte de m'asseoir toujours le dos au mur. Mais l'oreillette de mon fauteuil m'empêchait de voir. Cependant, il fumait un cigare... Il s'est arrêté devant la carte pour dire « C'est Copsi », comme s'il ne l'avait encore jamais vue. Puis, il est parti et au bout d'un moment j'ai senti une odeur de brûlé. Le canapé brûlait. J'ai cru pouvoir éteindre le feu. Mais je n'avais pas d'eau. C'est alors que je me suis rendu compte que la porte était fermée à clef. Je ne me souviens pas de ce qui s'est passé ensuite.

— Sans Lily vous seriez mort.

— Vous avez réagi très vite, vous aussi. Je ne vous oublierai pas. Tous ceux qui ont fait en sorte de prévenir des dommages plus importants seront également récompensés.

Bolsover repoussa le sujet comme hors de propos.

La question est de savoir maintenant ce que nous devons faire ? L'enfermer ?

Un instant, en gardant le silence, Sir Harald parut donner son accord.

— Cela nous faciliterait la tâche à tous, dit-il enfin. Mais cela annulerait mes efforts. Il est mauvais et dangereux, mais rusé également. Que l'on entrave sa liberté d'une façon ou d'une autre, il se vengera en refusant d'accomplir son devoir. J'ai constaté que l'intérêt qu'il manifestait à sa femme a beaucoup diminué ces dernières semaines.

— Depuis qu'il s'est fourré Naples dans la tête.

— Exactement. Ça peut passer. Il faut être patient, ne pas perdre espoir. Et, bien sûr, nous montrer prudents. J'ai toujours cru qu'il agissait de manière impulsive, sous l'emprise de la rage, mais là, c'était préparé, de sang-froid, délibérément. C'est démoralisant.

Une idée germa alors dans le cerveau de Bolsover. Pour agir, il lui fallait un allié — une alliée — et quoi de mieux que la mère de la petite ?

— Il faut que j'aille à Bressford, dit-il. Mais vous ne risquerez rien avec tous ces ouvriers sur place. Restez avec eux. Ayez toujours quelqu'un avec vous. Je ne serai pas long.

Il avait l'intention de prendre les chemins les plus rapides, à cheval, et cela l'obligeait à laisser Lily. Il fallait voir les choses en face, elle ne rajeunissait pas. Elle était encore capable de se mesurer avec un cheval pendant quelques kilomètres, mais ensuite elle tirait la langue. Comme toujours, quand il était obligé de la laisser, il emplit une assiette d'eau, chipa un morceau de pain d'épice qu'elle adorait et laissa la porte de sa chambre ouverte. Si elle avait envie de sortir elle était assez maligne pour descendre jusqu'à la cuisine où il y aurait toujours quelqu'un pour lui ouvrir une porte.

— Tu te couches, dit-il. Je ne serai pas long.

En fait, il n'avait aucune idée du temps qu'il lui faudrait. Mme Reeve serait peut-être longue à se laisser persuader. Il marcha vite, mais il dut demander la direction de Brook House, Square Sainte Marie, ne connaissant pas le quartier résidentiel de Bressford. Ayant trouvé, il commit l'erreur de sonner à la porte principale où on lui dit d'un ton sec de passer par derrière. Il y avait une vaste cour que personne n'utilisait plus. Des pieds avaient cependant tracé deux pistes dans l'herbe et la mousse. L'une menait à la porte de service de la maison, l'autre à ce qui devait être la salle de classe. Le corridor et le petit couloir, qui n'avaient pas été inclus dans la redécoration, étaient sinistres ce matin de décembre, confirmant tout ce que Bolsover avait entendu dire des écoles et le rendant heureux de n'avoir été contraint par personne d'en fréquenter une. Cependant, la salle de classe était différente, très grande. Bolsover avait combattu dans des endroits moins grands mais plus clairs. Un feu ardent brûlait dans la cheminée, des paravents entouraient celle-ci à l'intérieur desquels se groupaient vingt petits garçons animés par les jeux et les chants par lesquels Martha commençait chaque classe, les matins d'hiver.

L'homme et la femme, outre leurs noms respectifs, en savaient beaucoup l'un sur l'autre, mais ils ne s'étaient jamais rencontrés. Martha crut que cet homme bien habillé, sûr de soi, était encore un père encombrant et s'apprêtait à dire, avec fermeté, que vingt élèves était un maximum.

— Je viens de Copsi, madame, dit Bolsover.

Le morceau de craie que Martha avait entre les doigts se cassa.

— Ma fille ?

— Aucune raison de s'alarmer, *jusqu'à présent*. Mais j'aimerais vous parler. Je m'appelle Bolsover.

— Oh ! oui.

Elle donna quelques instructions, chargeant les grands de s'occuper des plus petits et surveilla les changements de place. Puis, elle reparut par une ouverture entre la cloison formée par les paravents.

— De quoi s'agit-il ? demanda-t-elle d'un ton qui rendit ce qu'il avait à dire, non seulement outrageant mais pire, absolument ridicule.

Il ne perdait pas facilement son sang-froid, mais il avait affaire à une femme impressionnante. Il fallait commencer par l'adoucir. Pour cela, il n'avait besoin des leçons de personne.

Martha s'était opposée à ce mariage et n'avait pas, au début, été trompée par l'apparente gaieté et la satisfaction de sa fille. Mais le temps s'était écoulé, rien jusqu'ici ne s'était passé. Les bavardages se frayaient toujours un chemin malgré les précautions prises par les gens. Et, pour beaucoup, la vie étant terne, on se précipitait sur le plus petit drame que l'on exagérait avant de le rapporter alentour. Des gens de Copsi venaient au marché. John et Wilson se rendaient dans des tavernes. Elle était à peu près certaine que si Magnus avait dit ou fait quelque chose de choquant, elle en aurait entendu parler. John Reeve ne s'était jamais rendu compte que les visites amicales de sa femme étaient une forme d'espionnage, les jours de marché le plus souvent, où lorsque l'on avait attendu Hannah. Martha aurait tout de suite compris à sa façon d'agir que quelque chose s'était passé. Il avait voulu ce mariage et n'en aurait été que plus désemparé s'il tournait mal.

A présent, elle écoutait avec horreur les révélations de Bolsover, bien calculées pour susciter une telle émotion chez n'importe quelle femme convenable, même si sa fille ne jouait aucun rôle dans l'histoire.

— Il l'aurait battue à mort si, Sir Harald et moi... Sans ma vieille chienne, nous serions tous morts brûlés dans notre lit.

Il la regardait en parlant et vit soudain sa pâleur habituelle tourner au gris. Elle allait tourner de l'œil !

— Que l'un de vous apporte une chaise ! cria-t-il.

Une diversion bienvenue dans la routine habituelle. Des traînements de pieds. Quatre enfants apportèrent des chaises.

— Deux suffiront.

Le petit Edouard était parmi ceux qui s'étaient approchés. Les yeux dilatés, il regarda Martha et se mit à pleurer quand elle se laissa choir sur le siège.

— Oh, Madame Reeve, ne mourrez pas ! Ne mourrez pas ! Je vous en supplie !

Il avait vu la mort de près et en avait souffert.

— Bien sûr que non, Edouard. Je ne vais pas mourir alors que je n'ai même pas fini ton écharpe. Allez, partez, maintenant...

L'effort l'avait, en partie, remise d'aplomb et quand elle se tourna vers Bolsover, elle lui parla d'une voix nette pour lui dire justement, ce qu'il voulait.

— J'ai toujours déclaré que Magnus Copsey était fou et qu'il fallait l'enfermer.

— Tout à fait d'accord. Et Sir Harald en est convenu enfin. Mais, il y a un hic.

Chose curieuse, à présent qu'il lui fallait dire le plus choquant, il le fit sans aucune difficulté.

— ... Il attendra que Mme Copsey soit enceinte. Et il y a peu de chances vu la tournure que prennent les événements. Ça ne s'est pas produit tant que cette petite brute était intéressée, comment cela peut-il se faire, quand il n'a qu'une chose en tête : Naples et son argent ?... Et tuer les gens qui le gênent. Mais il y a un moyen, madame. Ils sont nombreux les enfants conçus hors du lit conjugal, mais légitimes aux yeux de la loi.

Elle enregistra cela sans ciller. Encouragé, il insista :

— Quand on y pense, ça présenterait beaucoup d'avantages. Moi, pour ma part, je n'attendrais pas grand-chose d'un enfant conçu par ce fou. Aussi, s'il y avait quelqu'un que Mme Copsey aime bien, ça faciliterait les choses. On dit aussi que les gosses qui ont deux pères sont souvent des garçons. C'est, évidemment, une suggestion grotesque, mais l'histoire tout entière ressemble à un cauchemar.

Elle se redressa, détachant son dos de la chaise.

— ... Je suppose que vous voulez que j'en parle à ma fille ?

— Ça serait mieux, venant de vous.

— Très bien. Je ferai de mon mieux. Vous rentrez maintenant ?

— Oui. Je n'aime pas m'absenter longtemps.

— Cela ne vous retarderait pas beaucoup de passer par Pump Lane et de laisser un message chez moi. Là, ou si vous la rencontrez sur la route, ou si elle est restée à Copsi dites-lui que je souhaite la voir le plus vite possible.

Il eut un peu de mal à trouver Pump Lane et il dut y refuser une invitation très cordiale de prendre une goutte de quelque chose contre le froid. Il manqua Hannah parce qu'il coupa à travers bois par un sentier trop étroit pour laisser passer une voiture. Elle se hâtait pour rassurer ses parents avant qu'ils apprennent qu'il y avait eu le feu au château. Elle savait à quel point ce genre de nouvelles se répand vite et ne voulait pas que son père et sa mère s'imaginent que Copsi était réduit en cendres.

B OLSOVER entra par la porte dont il se servait toujours. Une activité intense régnait dans la bibliothèque et dans le hall où l'on avait transporté, livres, bustes et petits meubles que l'on débarrassait de la couche de suie laissée par la fumée. Le menuisier du domaine avait démonté la porte et l'avait placée sur une table, pour la raboter plus facilement. Avec une patience infinie, il enlevait les couches de bois brûlé. D'autres nettoyaient les murs, réparaient la vitre cassée. Sir Harald s'affairait, lui aussi, à enlever des livres des étagères. Il y avait beaucoup de bruit, mais cela n'expliquait nullement l'attitude de Lily.

Jamais encore, Bolsover parti sans sa chienne, n'était revenu sans qu'elle le sache. L'entendait-elle, le sentait-elle ? Il n'aurait su le dire, mais toujours, avant même qu'il soit arrivé au pied de l'escalier, elle se précipitait à sa rencontre. Et là, gémissant de joie, remuant la queue, elle se comportait comme si elle avait été abandonnée par son maître pendant quinze jours. Ce matin, rien de tout cela. Était-ce l'odeur de brûlé venant de la bibliothèque et, tout ce bruit — et la pauvre bête vieillissait. En montant l'escalier, Bolsover se dit qu'il l'emmènerait faire une petite promenade jusqu'à « La Péniche ». Elle aimait les bois et Sir Harald ne risquait rien.

La porte de sa chambre était plus largement ouverte que lorsqu'il était parti et, juste à l'entrée, se trouvait un tire-bottes qui ne lui appartenait pas. Il ne prononça pas les paroles qu'il avait sur la langue : « Alors, ma vieille, on boude ! ». Il se précipita à l'intérieur pour trouver Lily, pendue aux montants de son lit. Bolsover, poussant un hurlement qui n'avait rien d'humain, bondit, son couteau de poche à la main.

Elle n'était pas morte. Elle n'était même pas inconsciente. Quand il coupa la corde et que la chienne lui tomba dans les bras, elle tenta de remuer la queue et pointa un bout de langue.

Elle n'était pas morte étouffée parce que le nœud fait par l'idiot appuyait surtout sur l'épais collier clouté. Elle n'était pas morte, les vertèbres disjointes, parce que l'idiot avait sous-estimé sa taille. Il l'avait assommée avec le tire-bottes et pendue. Reprenant conscience, d'instinct, la chienne avait cherché appui sur le dessus de lit. Mais elle était endolorie et raidie par une position si peu naturelle maintenue si longtemps et elle avait une bosse de la grosseur d'un œuf sur le front.

Bolsover connaissait les bienfaits d'un massage, ce qu'il appelait une bonne friction. Il ne se rendait pas compte qu'il pleurait en massant sa chienne, en la caressant et en jurant de se venger.

— Il le paiera, mon vieux. Par Dieu, il le paiera.

Lily but un peu d'eau, mâcha du pain d'épice et se vit accorder le privilège, jusqu'ici refusé, de coucher sur le lit de son maître. Il l'aida à y grimper, remarquant qu'elle était encore engourdie. « Mais, ce n'est rien à côté de ce qu'il sentira, lui. Dieu m'aidera ! »

N'avoir l'air de rien surtout.

— On a un peu négligé notre entraînement ces temps derniers, monsieur Copsey, hein ?

Les ouvriers venaient de suspendre leur travail pour déjeuner quand Bolsover, une petite valise à la main et suivi par Lily, revint dans la bibliothèque et dit d'une façon qui fit immédiatement dresser l'oreille à Sir Harald. Aurait-il bu ?

— Je m'en vais.

Il ne manquait plus que cela !

— Vous ne pouvez pas.

— Je ne vois pas ce qui m'en empêcherait. C'en est trop. Mes nerfs ne peuvent pas tenir le coup.

— Bolsover, j'aurais juré que vous n'aviez pas de nerfs.

— Il arrive un moment où tout craque. Si vous vous décidez à l'enfermer une fois pour toutes et à me laisser m'en occuper, faites-le-moi savoir. Je serai à « La Péniche ». Et si vous le voulez, lui, il est dans la salle d'armes. Et pas beau à voir.

Copsi étant bâti sur une pente, la salle d'armes, quoique au-dessous du niveau du rez-de-chaussée et du reste du bâtiment, n'était pas vraiment en sous-sol. On y accédait par un escalier de pierre très usé et trois hautes fenêtres l'éclairaient. Sur les dalles du sol, dans la lumière crue de l'hiver, Magnus était étendu sur le dos. Il offrait un spectacle peu engageant. Sir Harald, bien sûr, avait vu pire et sa première idée, quand il se fut assuré qu'il vivait, fut de cacher la vérité. Presque brutalement, il traîna son fils au pied des marches, étalé sur le ventre, pour donner l'impression qu'il était tombé. Puis, très calme, sûr de lui, il remonta et déclara :

— Mon fils a eu un accident. Que l'on prenne cette porte. Elle servira de brancard.

Le menuisier, son fils et un autre homme portèrent la porte épaisse de près de dix centimètres jusqu'en haut de l'escalier menant à la salle d'armes. Et le menuisier, d'un coup d'œil, évalua la largeur.

— Monsieur, on ne peut la descendre qu'en biais et la remonter de la même façon. Une couverture ferait mieux l'affaire.

— Bon. Alors qu'on prenne une couverture.

Affaissé dans la couverture et à une allure rappelant terriblement la marche lente des funérailles militaires, on monta Magnus dans sa chambre et on le coucha sur son lit. Sir Harald jugea plus sage de rester seul pour chercher d'autres blessures que celles visibles sur son visage dont, vraisemblablement, une fracture du nez. Il renvoya tout le monde et déshabilla Magnus lui-même.

Il ne s'était pas trompé. De nombreuses marques rouges qui vireraient au bleu. Mais une chemise de nuit les dissimulerait. Luttant avec le corps lourd et inerte, Sir Harald voua Bolsover au diable. Ce déserteur ! Il s'enfuyait au moment où on avait le plus besoin de lui. Non seulement, il avait fui, mais il lui avait manqué de respect. Jamais aucun membre de sa domesticité n'était parti de lui-même. Jim Bateman et les autres jeunes idiots, c'était autre chose.

Il reporta son attention sur les blessures du visage. Le nez était indiscutablement cassé. (Bolsover, regardant Magnus à terre, pour le compte, avait pensé, haineux : « Jamais plus tu n'auras ta belle petite gueule, petit salaud ! ») Une chute, la tête la première dans cet escalier dangereux, expliquerait-elle un nez cassé, deux yeux qui seraient bientôt au beurre noir et une oreille aussi enflée ?

Bolsover, ce misérable, aurait su vraisemblablement comment remettre ce nez en état. Sir Harald, malgré son expérience militaire, l'ignorait. Il devait, bien malgré lui, envoyer chercher le docteur Fordyke.

Et Sir Harald commençait à se tourmenter de la durée de l'évanouissement de Magnus. Un choc, comme celui qu'il avait reçu sur le nez et qui semblait le pire, pouvait laisser un homme inconscient quelque temps. Mais cette inconscience durait depuis plus d'une heure. Une femme se serait-elle évanouie en sa présence que Sir Harald aurait suggéré de lui faire respirer des sels, des plumes brûlées. Mais il ne croyait pas en ce genre de remèdes qu'il pensait tout juste bon à faire s'agiter les autres femmes et les empêcher de perdre connaissance à leur tour, ou de piquer des crises de nerfs. Un verre d'eau-de-vie, remarquable autrement, ne servait à rien si l'intéressé ne pouvait déglutir. Cela pouvait même présenter un danger et menacer d'étouffer le blessé.

Il tira la sonnette. Gordon répondit.

— Envoyez quelqu'un à Bressford chercher le docteur Fordyke en précisant que c'est urgent. Et puis prévenez Fincham que je suis prêt à déjeuner. Ensuite vous reviendrez ici et veillerez monsieur Magnus, pendant mon absence.

En fait il n'avait pas faim, mais là, comme ailleurs, la discipline primait. Un homme qui avait vécu ce qu'il avait vécu depuis la veille avait besoin de garder ses forces.

Ce fut Fincham lui-même qui parut et Sir Harald eut le temps de penser : « Brave type loyal ! » avant que l'autre, au garde-à-vous, ne déclare :

— Monsieur, sans vouloir le moins du monde paraître désobligeants nous estimons tous — c'est-à-dire Thomas, Gordon, moi-même et Jacky — que nous ne sommes pas là pour jouer les infirmiers.

Les yeux de Sir Harald se dilatèrent.

— Prétendez-vous que vous refusez d'obéir à un ordre ?

— Nous espérons, monsieur, ne pas recevoir d'ordre de cette nature.

Fincham, d'une dignité d'archevêque, tant dans sa tenue que dans sa façon de parler, son message délivré, retrouva celle-ci.

— Une demande, alors ?

— Je suis navré, monsieur, mais je ne suis pas prêt, aucun d'entre nous du reste, à accepter cette responsabilité.

Sir Harald songea qu'en sortant, raide comme il l'était, il faudrait quelqu'un pour l'aider à aller aux toilettes. Il en éprouvait lui-même le plus pressant besoin.

— Alors, qui le fera ?

— Si monsieur me permet une suggestion, on peut engager des gens dont c'est le métier.

— Comme des maîtres d'hôtel, des valets de pied et de la valetaille de tous les niveaux !

— Monsieur a parfaitement raison.

Que diable leur prenait-il à tous ? Si actifs et pleins de bonne volonté la nuit dernière, si récalcitrants aujourd'hui.

— Je serais navré, monsieur, de quitter Copsi où j'ai servi pendant trente ans...

— Foutez le camp !

Jamais encore Sir Harald n'avait parlé avec une telle brutalité à un domestique, ou à un soldat.

— ... Non, attendez ! Faites-moi envoyer quelque chose sur un plateau.

— Voilà, monsieur.

Thomas et Gordon portaient des plateaux lourdement chargés, chaque plat couvert et dans des dessous de plats creux emplis d'eau chaude. Derrière les deux valets de pied, Jacky suivait avec du combustible pour le feu. Ils étaient venus en nombre, par précaution !

Sir Harald remarqua qu'ils évitaient avec soin de regarder vers le lit. Mais pourquoi diable ?

Des détails. Comment une étincelle avait-elle pu voler si loin et faire un tel détour ? Et où donc était la clef de la porte ? On l'avait cherchée la veille parce que, si la porte avait été ouverte, il aurait été inutile d'emplir les seaux dans la maison, de les en ressortir, de leur faire tourner le coin avant de les passer par la fenêtre. On ne l'avait pas trouvée le matin et le menuisier — personnage qui faisait autorité en la matière — avait assuré qu'elle n'avait pas pu fondre. Il faut une chaleur beaucoup plus intense pour faire fondre du fer. Et, en admettant qu'elle ait fondu, on l'aurait retrouvée, tordue. Puis, il y avait eu l'homme qui avait aidé à transporter Magnus. Il était assez vieux pour se souvenir de l'époque où Sir Harald avait interdit les combats payés. Et, selon lui, monsieur Magnus avait l'air d'avoir pris un sérieux passage à tabac. Et il y avait Bolsover, trop furieux pour être discret. Jacky, le garçon de courses, l'homme à tout faire, était descendu sur le quai pour acheter du poisson frais. En revenant, il avait rencontré Bolsover qui marchait lentement pour rester à hauteur de sa chienne qui boitait un peu. Magnus Copsey avait pendu Lily, alors il l'avait assommée.

Rares étaient ceux qui à Copsi, ou à l'extérieur, auraient hésité à donner un coup de pied ou une claque à un chien. Mais là, c'était autre chose, en pendre un pour le faire mourir lentement, c'était de la torture et tout le monde était contre. Le menuisier alla même jusqu'à dire que, s'il avait su cela plus tôt, il se serait arrangé en montant cette jeune brute pour lui cogner la tête un bon coup. Tout ça restait un peu mystérieux et d'autant plus effrayant. Tout le monde était navré pour Sir Harald, mais pas au point de vouloir le relever dans la garde de son fils.

Seul, Sir Harald s'assura que la langue de Magnus était à sa place normale. Avec quelqu'un d'inconscient, il y avait toujours à craindre qu'elle se retourne et l'étouffe. Puis, il fit usage du seau de toilette et s'assit pour déjeuner. C'est alors qu'il vit une clef sur la table de toilette de Magnus, entre une brosse à dos d'argent et une bouteille d'huile de Macassar. Il avait reconnu cette clef, mais l'habitude adoptée depuis si longtemps de se montrer juste, de ne pas sauter aux conclusions même quand il avait acquis une certitude, le força à se lever pour regarder de plus près.

Il y avait beaucoup de portes à Copsi et la plupart d'entre elles étaient munies de clef, toutes marquées d'un sceau spécial. Quelque ancêtre de Sir Harald, doué du même goût du détail, s'était fatigué des étiquettes faites à l'encre. Le papier se déchirait ou l'encre déteignait. Il avait donc fait faire des plaques de cuivre gravées. Celle-ci était celle de la bibliothèque. Personne, sauf un idiot, un total imbécile, n'aurait fait ce que Magnus avait fait et jeté la clef sur sa table.

L'habitude prise fut la plus forte et, souhaitant de tout son cœur, que personne d'autre ne l'ait vu, Sir Harald la mit dans sa poche et termina son repas.

Dehors, le brouillard fit son apparition. Venu de la mer, il suivit le cours de la rivière et s'étala. Sir Harald songea avec une ironie inhabituelle chez lui au cousin William qui, ayant protesté par ce qu'on ne l'avait pas réveillé pour faire la chaîne avec les autres, était parti chasser à Fowlmere et cette demi-portion de Jonathan à Axworth encore occupé à peindre cette grosse fille. Puis il se souvint que le docteur Fordyke devait quitter Bressford à l'heure qu'il était.

A Bressford, plus loin à l'intérieur des terres, il n'y avait encore que de la brume, mais le médecin savait la rapidité avec laquelle elle pouvait s'épaissir et, outre sa trousse, il jeta dans sa voiture un sac avec ses vêtements de nuit, un rasoir et prévint sa femme qu'il serait peut-être obligé de rester à Copsi. Par courtoisie, car elle n'était pas de nature à s'inquiéter.

Le palefrenier qui avait apporté le message paraissait ne pas savoir grand-chose. Monsieur Magnus était tombé dans l'escalier et le menuisier, qui s'y connaissait, disait qu'il n'avait rien de cassé. Le médecin ne tint pas compte de ce détail. Les ignorants n'admettaient qu'il y avait fracture que lorsqu'un os brisé sortait d'une blessure. Au pont qui marquait la limite entre la ville et la campagne, le brouillard s'épaissit et le palefrenier cria :

— Je passe devant, monsieur. Le cheval saura trouver le chemin de l'écurie.

— IL souffre d'une forte commotion, Sir Harald. Le nez cassé, ce n'est pas grand-chose... ah, oui...

Les doigts sensibles trouvèrent ce qu'ils cherchaient, une bosse, une coupure, légères toutes deux, à la base du crâne de Magnus. Il était fréquent que les gens tombent dans les escaliers, en général les ivrognes ou les vieillards, ces derniers se blessant souvent gravement, les ivrognes s'en tirant la plupart du temps avec quelques contusions. Mais, au cours de sa longue vie de praticien, jamais encore le médecin n'avait vu quelqu'un tombant dans un escalier et souffrant de blessures d'une telle variété, à des endroits aussi divers. Un acrobate se livrant à un saut périlleux n'aurait pas pu se casser le nez, se marquer les deux yeux, se blesser à l'oreille et se fêler la base du crâne. Ces blessures correspondaient bien davantage à une attaque. Cependant le docteur Fordyke n'était ni policier, ni commissaire de police. Autant profiter de l'inconscience du blessé pour lui remettre le nez en place. Cette inconscience ressemblait fort au coma. Et à cela, rien à faire, sauf donner des conseils : ne pas chercher à le faire revenir à lui, ne pas tenter de lui administrer quelque liquide que ce soit, le veiller constamment...

Le docteur Fordyke savait fort peu de chose de Magnus Copsey. Accablé de travail, il n'avait ni le temps, ni l'envie de bavarder avec ses malades tentés de le faire, surtout les plus pauvres. Quant à ses autres malades, il ne leur serait pas venu à l'idée de discuter des excentricités de quelqu'un de leur monde. Et, comme chacun aux environs, le médecin respectait Sir Harald, fidèle Ami des Hôpitaux, curateur de l'asile des vieillards, membre du Comité de l'Assistance Publique et, sur un plan plus personnel, qui s'était montré tellement remarquable avec John Reeve. Mais il se souvenait avoir été consulté, bien des années auparavant, au sujet de soi-disant crises d'épilepsie refoulée dont le principal symptôme semblait des crises de rage sans raison. A présent, à voir le jeune homme sur son lit, le médecin se demandait si, au cours d'une de ces crises de rage, il n'était pas tombé sur quelqu'un de plus enragé que lui. Sagement il se garda de tout commentaire.

— Combien de temps va-t-il rester dans cet état ?

— Impossible à préciser. La blessure visible est sans gravité, sans doute grâce à l'épaisseur de ses cheveux. Malheureusement, nous n'avons aucun moyen de nous rendre compte des dommages internes.

— Il me faudrait un infirmier. En connaissez-vous un ?

— J'en connais trois. Pas un seul de recommandable et tous engagés pour le moment.

Le médecin regarda alors Sir Harald et lui trouva l'air très fatigué, vieilli depuis qu'il l'avait vu au comité d'administration de l'Hôpital.

— ... Mais, ajouta-t-il, voulant le rassurer, il n'y a pratiquement aucun soin à donner. Il faut quelqu'un pour le veiller, c'est tout. Un domestique...

Sir Harald, pour rien au monde, n'aurait avoué que ses domestiques s'étaient pratiquement mutinés.

— Bien sûr, dit-il en pensant : « il faudra que William et Jonathan m'aident. Bon Dieu, je les ai nourris et hébergés depuis des années ! »

— Ne vous affolez pas, prévint le médecin, si, quand il reprendra conscience, il paraît un peu incohérent.

Incohérent ! Seigneur, il l'a été toute sa vie !

Le brouillard, à l'extérieur, était devenu si épais que la pièce était presque obscure. Mais, pour une fois, Sir Harald ne songea même pas à la courtoisie la plus élémentaire consistant à offrir l'hospitalité. Tant pis, pensa le docteur Fordyke résigné, il faudra que son cheval retrouve son chemin tout seul. Il y avait peu de chance d'entrer en collision avec quoi que ce soit. Personne, ayant un grain de bon sens, ne serait dehors *là-dedans*.

Les mutins consentaient à répondre aux coups de sonnette. Ils apportaient ce qu'on leur demandait, mais agissaient comme si Sir Harald se trouvait dans la cage d'un tigre, ce dernier feignant de dormir. Gordon, bien sûr, avait vu la clef de la bibliothèque et en avait parlé.

— Oui, j'en suis sûr ! Je sais lire. J'ai été deux ans dans une foutue école.

Sir Harald fit dire au cousin William de venir le voir immédiatement. Et cousin William répondit par un refus poli, mais ferme. Il était extrêmement occupé avec Jonathan qui était rentré dans un état terrible. Sir Harald ne prit même pas la peine de s'enquérir de la nature de cet état terrible. Il se prépara à monter la garde de la façon la plus confortable possible. Il fit apporter son fauteuil personnel, sa robe de chambre, ses pantoufles, ses cigares, son whisky et son dîner.

L E brouillard n'avait pas encore atteint Axworth quand Jonathan annonça :

— Ce sera tout pour aujourd'hui, Alice. Merci beaucoup.

Il avait tout d'abord, au cours de l'été, fait d'étranges esquisses, pour aboutir à un tableau que, jusque-là, seul, le cousin William avait vu. Une parodie sardonique des Trois Grâces. Mme Wentworth n'était pas contente. Elle voulait, écrivit-elle, un portrait d'Alice dans sa robe de demoiselle d'honneur. Jonathan se dit qu'il devait bien ça à la famille. Aussi fit-il un tableau, ravissant comme un pommier en fleurs contre un ciel d'azur. Lui, qui avait la joliesse en horreur, pensa que ça valait tout juste la peine d'être signé. Même M. Wentworth, homme dur au sens pratique très développé, le trouva très beau. Les voisins également. Beaucoup d'entre eux se dirent que celui qui avait réussi à rendre Alice aussi jolie ferait encore mieux avec leur fille. Et, pour peu qu'il l'ait désiré ou ait eu besoin d'argent, Jonathan en aurait gagné beaucoup. Mais il était logé confortablement, bien nourri et nullement prêt à peindre sur commande. Il refusa toutes les propositions et oublia Alice Wentworth jusqu'au jour où il conçut l'idée d'une parodie des muses avec Alice, fille sans grâce, comme Terpsichore et comme Euterpe la jeune aveugle qui vendait des almanachs.

Ce renouveau d'intérêt trompa Mme Wentworth et Alice. M. Wentworth garda la tête froide. Il raisonnait simplement. Un homme animé d'intentions sérieuses se déclare. Il ne traîne pas.

— Je lui poserai la question directement, déclara-t-il tout net.

Sa femme le pria de n'en rien faire. Les gens de la haute n'agissent pas comme tout le monde.

— Peut-être, rétorqua son mari. Mais ce n'est pas parce qu'il se paye votre tête à toutes les deux qu'il s'offrira la mienne. Personne ne l'a encore fait.

Cependant, l'explication qu'il eut avec Jonathan fut due au hasard. Le jeune homme retournait à Copsi préoccupé d'y arriver avant la tombée de la nuit et M. Wentworth, ayant remarqué que le temps changeait, rentrait chez lui après avoir, en une heure de chasse, tué ce qu'il fallait pour sa table : deux faisans et un lièvre. A mi-chemin du sentier qui reliait la ferme des Wentworth à la grand-route, M. Wentworth émergea par une ouverture dans les buissons et le cheval de Jonathan se cabra. L'entente instinctive qui aurait dû exister entre cavalier et monture était nulle. Jonathan se tenait en selle comme s'il s'était agi d'un fauteuil à bascule particulièrement instable et dangereux et lorsque apparut brusquement M. Wentworth, puissant, vigoureux, le cheval effrayé ne trouva pas le réconfort de la main, de la voix ou du genou nécessaire à un cheval apeuré.

— J'aimerais vous dire un mot, monsieur Winthrop.

Jonathan, qui avait failli être désarçonné, reprit son assise et s'enquit d'un ton désagréable.

— Oui ? De quoi s'agit-il ?

— Il est temps que je sache quelles sont vos intentions à l'égard d'Alice.

— J'ai l'intention de la rendre immortelle.

Cela paraissait désinvolte, mais il était sincère. Regardez un peu ce qu'ont fait les artistes de femmes très ordinaires. Cette grosse épouse de boulanger avec son sourire désagréable : La Joconde ; Emma Hamilton. La conviction que Jonathan avait de son propre génie — si peu reconnu jusqu'ici — était sans limites.

— Vous lui bourrez le crâne avec des tas d'idées ridicules. Et sa mère aussi. Moi, je parle net — Ou bien vous vous tenez comme il faut avec ma fille, ou vous vous tirez d'ici.

M. Wentworth tenait son fusil sur la hanche droite, le canon en était, comme il se doit, pointé vers le sol. Cela avait l'air inoffensif, mais c'était quand même un fusil chargé. Par hasard, ou dans une intention bien déterminée, il le redressa légèrement et Jonathan songea à ce que l'on racontait de ces pères qui armés de leur fusil de chasse déclaraient : « Vous épousez ma fille ou je vous abats ! » Qu'il se trouve dans une situation de ce genre, lui qui avait toujours fait preuve d'une telle neutralité en ce qui concernait les femmes, suffit à faire naître un rire nerveux. Il parvint à l'étouffer.

— Monsieur Wentworth, je vous affirme que je n'ai jamais pris la moindre liberté avec votre fille. Et si vous pensez au mariage, c'est ridicule.

Wentworth l'avait lui-même répété à plusieurs reprises, maintenant, il changea d'attitude.

— Et qu'est-ce que ça a de ridicule ?

— Comment pourrais-je l'épouser ? Je n'ai pas de foyer, à part Copsi. Je n'ai pas d'argent, à part ce que me donne mon cousin.

— Facile à arranger. Regardez là-bas.

Du menton il désigna l'alignement de meules de foin de l'autre côté de la haie. Toutes étaient nettes à l'exception de l'une d'elles, un peu de travers, mais avec une porte et deux fenêtres.

— ... Un peu nettoyé, c'est tout ce qu'il vous faut pour Alice et vous. Pas de loyer à payer.

Malgré son amour pour sa fille, il ne voulait pas partager sa maison où sa femme réserverait toute son attention à Jonathan.

— ... Alice pourrait aider sa mère et vous... Vous ne m'avez pas l'air très costaud, mais le travail au grand air vous fera du bien. Alice aura un peu d'argent et je vous paierai...

L'affection que Wentworth portait à sa femme et à sa fille eut raison de son sens pratique. « Une livre par semaine ! » Deux fois plus qu'à un ouvrier agricole vigoureux et expérimenté !

Cette seule perspective mit Jonathan au bord de la crise de nerfs.

— Je préférerais mourir !

— Alors filez et qu'on ne vous revoie plus ! Que j'aperçoive votre gueule d'emplâtre une seule fois par ici et je vous tire dessus. Dieu m'est témoin !

Jonathan s'enfuit. Déjà, il sentait le brouillard qui, chaque fois, lui faisait tellement mal dans la poitrine.

Wentworth resta figé sur place pendant quelques minutes. Quoi dire ? Sa femme le rendrait entièrement responsable. Elle lui reprocherait d'avoir été trop rapide et trop maladroit. Et que dirait Alice en apprenant que ce Jean Foutre aimait mieux mourir que de l'épouser ? Il n'avait pas beaucoup d'imagination mais le désir de protéger les siens l'inspira et il joua son rôle à la perfection.

— Monsieur Winthrop t'a parlé de ses projets ?

— Non.

— Peut-être ne s'est-il décidé qu'en sentant le brouillard. Il n'a pas l'air de pouvoir le supporter. Quelque chose qui cloche avec ses poumons. Faut qu'il aille sur le continent, là où il n'y a pas de brouillard.

Alice avait envie de pleurer, mais sa fierté l'en empêcha.

— Effectivement, je lui ai toujours trouvé l'air délicat, convint Mme Wentworth.

Et qui est-ce qui aurait voulu d'un poitrinaire dans sa famille ?

Alice pleura, cette nuit-là, pendant que, de l'autre côté du couloir, ses parents passaient en revue les partis possibles. On avait perdu un peu de temps mais une fille comme Alice, si jolie et avec une belle dot, ne risquait pas d'être un laissé pour compte.

HANNAH arriva à Pump Lane à temps pour avoir sa part du remède contre le froid que John et Wilson avaient offert à Bolsover, un mélange d'eau chaude, d'eau-de-vie, de miel et d'une pincée d'épices.

— Je suis venue de bonne heure dit-elle, parce que je ne voulais pas que vous entendiez parler de l'incendie et que vous craigniez le pire.

— Quel feu ?

— Oh ! rien, juste une étincelle sur un vieux canapé. Je ne l'ai appris que ce matin moi-même.

— J'ai un message pour toi, ma chérie. Ta mère veut te voir à l'école. Mais ne t'attarde pas. Si mes vieux os ne me trompent pas, il va y avoir du brouillard.

A Brook House le repas, qui tenait à la fois du pique-nique et de la loterie, battait son plein. Cela n'avait pas été très facile, au début. Les petits, c'est-à-dire les enfants de moins de six ans, rentraient déjeuner chez eux et y restaient ; les plus grands, habitant loin de l'école, apportaient un repas froid, comme Martha. Mais, si l'on considérait qu'ils venaient tous du même milieu, les différences étaient énormes et assez affligeantes. Des petits garçons ayant des parents aimants et attentifs, ou servis par de bons domestiques apportaient des choses délicieuses ; d'autres se contentaient de n'importe quoi. Martha Reeve avait constaté cette injustice et souhaitait pouvoir donner à tous la même chose et entre les deux extrêmes. Mais c'était impossible. Mlle Allsopp était venue à son secours. On mettait tout en commun et on partageait, même ses propres sandwiches. Et comment s'assurer que les plus forts et les plus agressifs ne prennent pas la plus belle part ? Mlle Allsopp eut également une réponse à cette question, qui, en outre, était un exercice d'arithmétique. Un morceau de papier numéroté pour chaque enfant et mis dans une vieille soupière. C'était au plus jeune de commencer, de tenter sa chance, d'aller à la table et de se servir.

Chose curieuse, aucun des enfants ne protesta contre cette méthode. Comment l'auraient-ils pu, Mme Reeve elle-même restant la dernière avec ce dont personne n'avait voulu ?

Après le repas, Martha se remettait au piano et l'on jouait. Le premier trimestre n'était pas terminé que tous les enfants apportèrent de quoi rester à déjeuner à l'école.

Ce jour-là, cependant, il manquait quelque chose : la vitalité et l'enthousiasme qui rendaient tout si drôle. Mlle Allsopp était partie, laissant derrière elle Martha Reeve préoccupée et extrêmement troublée. Le petit Édouard, inquiet, ne la quittait pas de l'œil et un autre enfant dont la mère souffrait de migraines chaque fois que quelque chose lui déplaisait s'enquit :

— Avez-vous mal à la tête, madame ?

— Non, merci, mon petit. Je dois réfléchir à quelque chose, c'est tout.

Réfléchir à quelque chose ? J'aurais dû me montrer plus ferme, oui ! Défier John et insister auprès d'Hannah elle-même, la faire partir, au besoin. Inutile de revenir là-dessus maintenant — ce qui était fait était fait. Le présent seul comptait. Que vas-tu dire à Hannah. Réfléchis à la suggestion monstrueuse de ce Bolsover. D'une amoralité absolue —, mais c'est le bon sens. Si c'était faisable. Évidemment, c'était faisable. Tout peut se faire avec de la volonté. Fichaise ! Tu en avais de la volonté pour empêcher ce mariage et regarde le résultat. Quelqu'un pour qui elle aurait un faible. Allez savoir. Tu as fait en sorte de couper tous les ponts entre vous deux, te contentant de renseignements déformés. Bien sûr, John disait qu'Hannah était venue et qu'elle avait l'air heureux et en bonne santé. Et j'étais bien contente de le croire.

Pense à autre chose. A ce fusil, par exemple.

Elle l'avait apporté, caché dans une couverture roulée et, à présent, il était dans sa penderie, à Bressford, inoffensif. Elle avait parfaitement compris pourquoi John le voulait. En lui mentant, elle l'avait empêché de se suicider. Et, cela, avait-ce été de la sagesse, aussi ? Pouvait-on mettre en balance le désir de mourir d'un homme à demi paralysé sans espoir de guérison, avec l'existence d'une jeune fille qui avait toute la vie devant elle ? Là aussi, je me suis peut-être trompée !

Mais, elle savait se servir du fusil. Au cours des quelques années de bonheur qu'elle avait connues à Reffolds, elle avait souvent tiré le lapin. Pour eux c'était une mort plus douce que celle que leur réservaient les enfants en les assommant à coups de bâton, pendant les moissons, au fur et à mesure que les faux couchaient les blés, ne laissant plus de refuge possible. Elle avait abattu des pigeons aussi, ils étaient aussi nuisibles et aussi effrontés que les corneilles.

Martha Allsopp que complotes-tu ?

Hannah entra et elle était ce qu'avait toujours dit John et ce dont elle avait pu se rendre compte elle-même quand elle était chez elle lors de ses visites, fraîche et jolie.

Hannah, par contre, trouva très mauvaise mine à sa mère.

Sans doute avait-elle entendu parler de l'incendie.

— Je vais bien, maman, se hâta-t-elle de dire. Ce n'était qu'un petit feu, vite éteint. Je ne m'en suis pas rendu compte, je dormais.

— Oui, je sais. Bolsover est venu me voir ce matin. Hannah je sais *tout*.

En quatre mots elle venait de réduire à néant la comédie jouée depuis le mariage.

Leurs relations avaient toujours été inhabituelles. Martha si froide, presque dure pendant l'enfance de sa fille et puis, le malheur les frappant, ferme, intelligente et totalement du côté d'Hannah. Avec la décision de celle-ci, tout avait de nouveau changé. Dans son refus de ce mariage elle avait paru inclure sa fille. Ce n'était pas la meilleure des bases pour la conversation extrêmement intime qu'elles devaient avoir — si Martha suivait l'avis de Bolsover.

Sous l'effet de la colère, Hannah était devenue très pâle et non pas rouge.

— Bolsover n'avait aucun droit de faire cela, dit-elle. Je lui dirai ce que j'en pense quand je rentrerai !

Mais elle était surprise. Bolsover, si peu prolixe, était le dernier auquel elle aurait pensé à venir ici bavarder et inquiéter sa mère.

— Il a agi persuadé de faire pour le mieux. Attends que je m'occupe des enfants.

Martha passa dans la partie de la pièce désignée sous le nom de salle de jeux et en organisa quelques-uns, tranquilles mais non pas silencieux. Ce qu'avaient à se dire la mère et la fille ne devait être entendu de personne.

Revenue de l'autre côté de l'écran, devant le feu, Martha s'assit et demanda :

— Bolsover, je suppose, n'a rien exagéré ?

— Loin de là. Mais ce que je ne comprends pas c'est pourquoi il est venu tout raconter ici. Qu'est-ce que ça change ?

— Il m'a expliqué ce qui se passait et m'a permis de réfléchir à ce qu'on pourrait faire.

— Personne n'y peut rien. Magnus est fou, nous le savions depuis le début. Il y a eu une légère amélioration, mais seulement le temps de permettre à sa méchanceté de changer de cible. C'est Sir Harald, à présent.

— Je suis absolument désolée pour toi, Hannah.

— J'ai choisi mon sort.

— Sir Harald t'a-t-il laissé entendre qu'il le ferait enfermer... si tu étais enceinte ?

— Oh ! oui. C'est une chose entendue depuis le début ou presque. Il faut un héritier à Copsi ! Il ne semble pas se rendre compte, le pauvre homme, que ça peut être une fille, ou un autre idiot.

Martha profita de l'occasion offerte.

— On ne peut évidemment pas décider du sexe d'un enfant, mais si tu lui choisis un homme sain et équilibré comme père...

Voilà ! C'était dit. Un peu comme l'extraction d'une dent redoutée avant et faite en une seconde. Hannah ne parut même pas choquée. Ses yeux seulement s'étaient rétrécis un peu.

— Est-ce une suggestion de Sir Harald ?

— Grand Dieu non ! Comment cela se pourrait-il ?

— Je me posais seulement la question. Tu vois, dans une certaine mesure, il est déséquilibré, lui aussi. Sain d'esprit la plupart du temps, il est fou en ce qui concerne Copsi. Nous nous sommes mariés en juin, Magnus et moi. Après cette fameuse nuit de noces, il ne m'a plus approchée jusqu'à la fin d'août. En novembre, il a eu une nouvelle toquade puis il m'a évitée depuis, dans ce domaine. Je me demandais si Sir Harald n'avait pas décidé que j'étais stérile et avait voulu se débarrasser de moi. Et quelle meilleure façon que de faire une telle suggestion et de me surprendre en plein adultère ?

Martha, elle, fut choquée, par ce cynisme, ce manque total d'illusions chez une enfant à peine sortie de l'école. Comme elle avait dû souffrir pour en apprendre tant en si peu de temps !

— Sir Harald n'a rien à voir là-dedans, il vaut mieux qu'il ne sache jamais rien (inutile de parler de Bolsover). Ce n'est qu'un expédient auquel beaucoup de femmes dans ta situation, ma pauvre chérie, ont eu recours, avec succès le plus souvent.

— J'y penserai. Évidemment beaucoup de choses dépendent de

l'attitude de Sir Harald après la petite plaisanterie de la nuit dernière. Je suppose que Bolsover te l'a racontée ?

Martha acquiesça.

— J'ai compris qu'il fallait agir. Pense à ce qui peut arriver. Bien sûr il y a une alternative. Je peux le tuer.

— Maman ! s'écria Hannah abandonnant enfin son air calme et imperturbable cultivé avec soin. Quelle idée incroyable !

— Pas tant que cela. Magnus Copsey doit avoir de nombreux ennemis, mais je ne suis pas considérée comme l'un d'eux, aussi quel mobile aurais-je ? Je peux venir passer une soirée avec toi à Copsi. Quoi de plus naturel ? Le fusil de ton père serait caché dans l'un des paravents que tu as si aimablement fournis. Je le rapporterais car il ne convient pas. Beaucoup trop léger... C'est le cas pour l'un de ceux-ci, du simple bambou... Les dames se lèvent toujours de table les premières, laissant les messieurs boire leur porto, n'est-ce pas ? Je l'abattrai en tirant, de l'extérieur, par la fenêtre et je jetterais le fusil dans le lac. Je peux me déplacer très vite, quand il le faut. Je serais rentrée avant que quiconque ait appris ce qui s'est passé.

— Et chacun dira que j'ai eu beaucoup de chance que tu sois là pour me consoler dans une épreuve semblable.

Les petits points dorés dansaient dans les yeux d'Hannah. Mais elle avança la main et prit celle de sa mère dans un geste plus éloquent qu'un baiser.

— ... Je sais, maman, que tu le voudrais et je suis sûre que tu le pourrais. Mais je ne veux pas en arriver là. Je préférerais commettre un adultère.

Deux femmes respectables, normales, en étaient arrivées à choisir entre deux crimes comme s'il s'agissait de chapeaux.

— Je suis à peu près sûre, dit Hannah, que lorsque Sir Harald comprendra vraiment le sens de ce qui s'est passé la nuit dernière, il prendra certaines mesures. Je l'y encouragerai. Je ne l'ai encore jamais fait, mais ce soir je serai en mesure de lui faire remarquer que Magnus représente non seulement un danger pour moi et pour lui mais aussi pour Copsi. Cela le fera réagir.

Soudain, l'extrémité de la vaste salle que n'éclairait pas le feu s'obscurcit avec la venue du brouillard. Un petit garçon se mit à crier : « Madame, il fait noir ! » Un autre lui répondit : « C'est seulement le brouillard, idiot ! » Le petit Édouard qui n'avait jamais vu de brouillard et dont le nouvel univers, centré sur Martha, s'était un peu ébranlé le matin, se mit à pleurer : « C'est la fin du monde ! »

Il faut que je m'occupe de lui, décida Mlle Allsopp, repoussant Martha Reeve. Et des autres également. (Ceux qui habitaient loin ne pourraient peut-être pas retourner chez eux. Il faudrait les faire dormir sur place. Et leur donner quoi à manger ? Pourrait-elle, au pire, parvenir jusqu'à la boutique la plus proche et acheter des petits pâtés ?) Elle trouva une seconde pour embrasser sa fille et lui dire :

— Si le brouillard est trop épais de l'autre côté du pont, rebrousse chemin et va à la maison. Édouard, veux-tu me lâcher. Il n'y a aucune raison d'avoir peur. Hannah, *tiens-moi au courant.*

Le petit Édouard complètement affolé sanglotait et d'autres garçons plus âgés et plus au courant l'imitaient. Crier n'aurait servi à rien et était épuisant. Mlle Allsopp s'assit au vieux piano et des deux mains écrasa les touches dans un vacarme infernal. Mme Reeve profita du silence qui suivit pour ordonner :

— Mettez-vous en ligne, regagnez vos places et asseyez-vous les bras croisés. De toute ma vie, je n'ai jamais vu une telle manifestation de bêtise. J'ai honte de vous.

PASSÉ le pont, le brouillard était encore plus épais, mais le poney d'Hannah continua de trotter sans presser le pas. Elle ne chercha pas à le faire se hâter. Elle avait un peu mal au cœur, peut-être parce qu'elle n'avait pas déjeuné ou parce que le brouillard sentait l'huile de poisson. Elle ne tint pas compte de sa nausée. On n'est pas malade quand on n'a pas de raison de l'être. Quoique? Maman toujours si logique, suggérant un adultère, préparant un meurtre! Cependant, impossible de repousser ces idées qui, si incroyables qu'elles paraissent, concordaient avec la réalité des faits. Si Bolsover, la nuit passée, n'avait pas été alerté par son chien et que Sir Harald soit mort, où en seraient-ils tous à présent? Sir Harald mort et Magnus maître absolu de Copsi! Sans parler de moi, seule et sans aucune protection, ce serait la fin de père, car la pension supprimée et Wilson parti, maman devrait renoncer à son école. Avait-elle pensé à cela et prévu ces deux remèdes désespérés? Un meurtre bien sûr était une solution invraisemblable. Mais l'autre?

Un homme sain et équilibré comme père... Inexorablement, ses pensées revinrent à Jerry Flordon, le seul homme pour lequel elle ait jamais éprouvé un sentiment de *cette* nature. Le seul homme avec lequel elle pourrait se livrer à cet acte sans répulsion. Mais pouvait-elle réellement aller le trouver et lui dire : « J'ai refusé votre offre de mariage. A présent, voulez-vous me donner un enfant? »

Impossible! Il ne leur restait qu'un seul espoir à tous, faire comprendre à Sir Harald que tant que Magnus serait en liberté, ni lui, ni Copsi ne seraient en sécurité. Alors, elle commença à préparer ses arguments.

MÉLISSA avait beaucoup de choses à raconter. Gordon avait dit avoir vu la clef de la bibliothèque sur la table de toilette de monsieur Magnus. Jacky avait rencontré Bolsover qui lui avait dit que monsieur Magnus avait pendu sa chienne, afin qu'elle meure lentement et il lui avait donné une telle correction que monsieur Magnus était couché, maintenant, et qu'il n'avait pas repris connaissance. Le docteur était venu. Aucun des domestiques hommes n'acceptait de monter la garde au pied du lit. Alors, vous pensez bien qu'une femme ne ferait pas ce qu'un homme refusait de faire. Elle n'arrêta pas, tout le temps qu'Hannah mit à échanger ses vêtements humidifiés par le brouillard contre une robe de jour sans ornements.

Mélissa qui, pendant un temps, ne pouvait parler de Bolsover sans que ses joues rosissent et sa voix s'adoucisse, mentionnait à présent son nom comme celui de n'importe qui. Bolsover n'était pas si gentil qu'elle l'avait cru. Il lui avait dit, avec netteté, qu'il n'était pas homme à se marier. Elle avait de façon si évidente pensé le contraire et fait tant d'allusions qu'il lui avait fallu mettre les choses au point. Mélissa avait eu le cœur brisé pendant au moins vingt-quatre heures. Puis, elle s'était rassérénée, en pensant qu'elle était jeune et jolie et pouvait trouver un plus beau parti. Un fils de fermier. Tim Sawyer par exemple valait mieux que Bolsover qui, malgré ses grands airs, n'était qu'un domestique.

Hannah prit, dans le tiroir de sa table de nuit, un petit sac en papier et, le gardant dans le creux de la main, gagna la chambre de Magnus, où l'ennui s'était ajouté aux autres malheurs de Sir Harald. Il désirait ardemment descendre pour se rendre compte des progrès des travaux. Il aurait voulu quelqu'un à qui parler. Il aurait aimé se rendre à l'autre bout de la maison et s'assurer que Jonathan était réellement malade. Il aurait voulu étudier un livre qu'il avait découvert sur le dernier rayon de la bibliothèque et dont il ignorait l'existence. Il s'agissait d'un registre de comptes concernant Copsi couvrant la période entre 1689 et 1702. Au cours des années, il avait soigneusement mis de côté tous les documents de ce genre avec la vague idée de tout trier un jour et peut-être d'en tirer les éléments d'une histoire définitive.

Il aurait parfaitement pu sortir en fermant la porte à clef derrière lui, mais son sens exagéré du devoir le lui interdisait. N'importe quoi pouvait arriver, même pendant quelques minutes d'absence.

Il fut heureux de voir Hannah, si calme d'apparence.

— Je suppose que vous savez ce qui est arrivé, mon enfant ?

— Oui. Mélissa m'a raconté. J'ai été à Bressford.

— Tout va bien là-bas, j'espère ?

— Très bien, merci.

— Avez-vous été gênée par le brouillard ?

— Cela nous a ralentis.

Contrairement à tous les autres, elle regarda Magnus que le plâtre mis sur son nez n'embellissait pas.

— Est-ce la blessure la plus grave ?

— Non. Il s'est cogné la tête en tombant, ce qui a provoqué une commotion cérébrale.

Parler à présent ? Non. Pauvre homme, il avait l'air épuisé.

— Je vais rester à le veiller pendant que vous vous changerez et dînerez.

— Oh, pour rien au monde ! Mais j'apprécie votre proposition, croyez-moi. Il peut reprendre conscience n'importe quand et le docteur Fordyke m'a prévenu qu'il n'aurait peut-être pas sa tête à lui. Nous savons... ce que cela veut dire.

— Je ne risque rien. J'ai du poivre.

— Du poivre ?

— Oui. — Elle lui montra son petit paquet. C'est une idée de Mlle Drayton. Un jour, une élève a été attaquée dans un train. Après cela, Mlle Drayton a décidé que toutes celles obligées de voyager seules devaient emporter un peu de poivre.

Et moi, pensa-t-il, qui la méprisait — non ce n'est pas cela — qui la jugeait indigne de prendre la place de ma mère, la place de Juliet. Que Dieu me pardonne !

— Non, ma chère enfant. Ma place est ici. Mais, si vous voulez me rendre service, vous pouvez peut-être aller voir ce qui est arrivé à Jonathan. Et puis, peut-être — je le sais, j'ai sorti les livres un peu au hasard et il sera peut-être difficile à trouver dans tout ce désordre — un petit ouvrage à la couverture tachée, écrit à la main. Un livre de comptes. Si vous pouviez me le trouver...

On soignait avec tendresse et assiduité Jonathan. Le cousin William, son valet de chambre, Mme le Beaune, chacun s'affairait autour de lui. Dans la cheminée, une bouilloire lançait des jets de vapeur. Mme le Beaune avait fait infuser une tisane, le cousin William et Parker avaient confectionné une tente à inhalation sous forme d'une vaste serviette, sous laquelle Jonathan respirait péniblement les émanations bénéfiques du baume de benjoin. Le cousin William tenait le bol et Parker aidait le malade à rester assis.

— Faites-le sortir, le temps de boire ça pendant que c'est chaud, dit Mme le Beaune.

— Respire encore un bon coup, mon petit. Là !

Le visage congestionné, en sueur, Jonathan émergea et se mit à tousser, pitoyable. Il se promettait bien de profiter de la situation, ravi au fond de ce refroidissement, le premier depuis la mort de Lady Copsey. Elle avait méprisé les gens douillets, préconisait fenêtres ouvertes et oignons bouillis. Et, voyez ce qui lui était arrivé ! La même pensée occupait tous les esprits. Le cousin William avait une autre raison de se consacrer entièrement à Jonathan. Parker s'était renseigné et avait rapporté ce qui se passait, à l'autre bout de la maison. Le cousin William n'avait nullement l'intention d'aider ou d'autoriser son valet de chambre à le faire.

Longeant les couloirs glacés, Hannah modifia les tristes nouvelles dont on l'avait chargée. Le pauvre Sir Harald avait suffisamment de soucis comme cela. Dans le hall qui reliait les deux ailes du château, elle s'arrêta et se souvint du livre. Certains d'entre eux, nettoyés, avaient été remis sur les rayons, nettoyés eux aussi, mais beaucoup attendaient encore, en piles instables. Le hall était éclairé par deux lampes accrochées aux murs, mais la base des piles de livres restait dans l'ombre. Elle posa sa lampe à main par terre, s'agenouilla. Elle trouva un volume qui ressemblait à celui que lui avait décrit Sir Harald et en éprouva un certain sentiment de satisfaction. Elle se redressa, le tenant à la main, juste au moment où Thomas allait ouvrir la porte, pour répondre à la sonnette qui avait retenti dans le couloir, derrière la porte matelassée. Elle ne l'avait pas entendue.

— Je veux voir Madame Copsey.

Cela ressemblait à... *c'était* Jerry Flordon. Avant que Thomas ait pu demander de la part de qui et répondre qu'il allait voir si Madame était là, elle l'avait rejoint.

— Jerry !

— Bonsoir, dit-il, raide et emprunté.

— Prenez cela, Thomas.

Elle donna sa lampe au laquais, prit le petit livre dans sa main gauche et tendit la droite.

— ... Venez. Je suis tellement heureuse de vous voir...

Thomas, assuré à présent que le visiteur était le bienvenu, se souvint de son rôle et débarrassa Jerry de son manteau et de son chapeau couverts d'une fine pellicule blanche car le brouillard commençait à geler.

— Mon boudoir est en haut, expliqua Hannah qui le précédait jusqu'à la pièce qui ressemblait au cœur d'une rose et en avait le parfum. Un jour, dans la bibliothèque, une bûche de pommier brûlait. Hannah dilatant les narines avait dit que cela sentait bon. Depuis, Sir Harald s'était accordé le petit plaisir de veiller à ce qu'on ne brûle que du pommier chez elle. Il avait exploré le domaine, désigné à l'abattage tous les pommiers malades, mais veillant à les faire remplacer, chaque fois, par un jeune arbre.

— Asseyez-vous, Jerry, invita Hannah, indiquant le canapé rose, derrière lequel se dressait une lampe à l'abat-jour rose.

Puis elle s'assit sur une chaise basse, de l'autre côté de la cheminée.

— Il fallait que je vienne, Hannah, dit-il, employant son prénom pour la première fois. Vous savez la vitesse à laquelle les histoires vont. Et la façon dont les gens exagèrent. Un chaudronnier est venu à Sheppey Lea au début de l'après-midi... est-ce que c'est vrai qu'il a voulu mettre le feu partout.

— Pas tout à fait. Mais grâce à Bolsover et à sa chienne il n'y est pas parvenu.

— Oui. Le chaudronnier a raconté une histoire plutôt embrouillée au sujet d'un chien qu'il aurait à demi pendu et de Bolsover lui flanquant une tripotée qui l'a laissé sur le carreau avant de partir. J'ai jugé que le mieux c'était de venir me rendre compte moi-même. Je vous avais dit que je serais là en cas de besoin. Vous vous rappelez ?

— Je sais. Je vous remercie.

— Où est-il, maintenant ?

— Dans son lit. Assommé... sur le carreau comme dit Bolsover. Le docteur a dit qu'il souffrait d'une commotion cérébrale.

— J'aurais donné cher pour que ce soit moi qui le fasse !

Corriger Magnus Copsey aurait été une petite compensation pour toutes ses allées et venues dont il voyait l'inutilité à présent. La nuit dernière, Copsi aurait pu être en feu et Hannah blessée avant qu'il ait pu l'atteindre. Ce n'était pas ce qu'il avait prévu quand il avait décidé de rester dans la région et de sacrifier une bonne saison de pêche. Pauvre abruti !

— Vous êtes toujours à Sheppey Lea, Jerry ?

— Oui. Dès que les arbres ont été plantés, on a commencé à bâtir, des étables, des granges.

— Avez-vous répété à Mlle Copsey ce qu'a dit le chaudronnier ?

— Non. J'ai voulu d'abord savoir si c'était vrai.

— Vous pouvez lui dire qu'il n'y a pas eu grand mal grâce à Lily. Mais, sans elle, Sir Harald serait sûrement mort.

Et ça lui aurait fait du bien, pensa Jerry, garder son fou en liberté, faisant semblant de croire que tout allait bien, forçant Hannah à l'épouser.

Il leur était difficile de mener une conversation normale parce que, l'un comme l'autre, pensaient à autre chose. Le souvenir de ce soir embaumé de juin revenait sans cesse. Hannah était également préoccupée par une autre idée, la suggestion faite par sa mère. Elle se rendait compte qu'elle aurait pu chercher de par le monde et ne pas trouver l'homme avec lequel elle aurait plus volontiers partagé son lit. Personne, mieux que lui, n'aurait pu lui donner l'enfant tant attendu, sain de corps et d'esprit. Mais c'était impossible. On ne pouvait se servir de quelqu'un et surtout pas de Jerry Flordon, de façon aussi désinvolte.

— Voulez-vous boire un verre de vin avec moi ? Ou du whisky, si vous préférez. Il me suffit de sonner.

— Le vin est à portée de la main ?

— Oui. Dans le meuble d'angle.

— Je vais le chercher.

Deux lourds flacons de cristal taillé, le col ceint d'une chaînette supportant une étiquette en argent : Xérès, Madère.

— ... Lequel préférez-vous ?

— Je n'ai pas encore appris à faire la différence entre les deux.

Il servit du Xérès et, revenu au canapé, reprit la conversation.

— Que va-t-il se passer, maintenant ? Même Sir Harald doit se rendre compte...

— Il ne veut pas se rendre compte. Mais j'ai l'intention de lui parler sérieusement.

Pauvre petit cœur, pensait-elle réellement que ce qu'elle dirait influencerait un vieillard obstiné ?

— Espérons qu'il aura compris. Ou que cette jeune brute mourra.

Par réflexe pur elle protesta :

— Oh ! Jerry, ne dites pas une chose pareille !

Mais quelque part en elle, il y eut une petite explosion. Si Magnus devait mourir... et elle pouvait envisager cette perspective avec un détachement glacé car, pas une seule fois, même quand ils avaient partagé le même lit, il n'avait dit ou fait quelque chose susceptible de le lui rendre cher, quelque chose qui pût lui faire éprouver du remords ou de la peine. Elle serait libre ! Elle irait tout droit trouver Jerry et dirait... Une autre petite explosion, dans sa tête cette fois-ci. Si sa mère pouvait, avec un tel calme, projeter un meurtre, pourquoi pas elle ? Et de façon beaucoup plus simple, moins dramatique. Un oreiller fermement maintenu sur ce visage haï...

Jerry se leva.

— Je dois partir. Je voulais seulement voir... Et, Hannah, n'oubliez pas, si je peux faire quelque chose...

(Mon chéri, mon aimé, pas maintenant, pas encore).

— Je sais, dit-elle.

Elle se leva à son tour et, l'espace d'une seconde, ils furent dangereusement proches l'un de l'autre, tous les deux aimant et métal à la fois. La scène du jardin faillit se renouveler, ne demandant que cela et assurés d'une conclusion beaucoup plus heureuse. Mais ils se tenaient sur leurs gardes, à présent. Jerry assura qu'il saurait trouver seul la sortie. Hannah s'éloigna, le livre que désirait Sir Harald à la main et, encouragée par le Xérès, prête à parler, à faire des projets au besoin. Et elle se dit que, comme beaucoup d'autres choses, la folie était une maladie contagieuse. Nous sommes tous fous.

Magnus était couché sur le dos, comme il l'avait été depuis le début, mis à part le moment où le médecin l'avait examiné. Il respirait à grand bruit comme tous ceux qui dorment la bouche ouverte. N'importe qui, ou presque, dans cet état, eût été pitoyable. Magnus, non. Il était seulement plus écœurant, moins dangereux que d'habitude.

— J'ai trouvé votre livre, dit Hannah en le tendant.

— Merci, ma chère enfant. Quelles nouvelles de l'autre côté ?

— Jonathan a respiré un peu de brouillard et il a pris froid. Rien de sérieux. Mais il tient tout le monde occupé.

— C'est bien de lui !

— Très sincèrement, je voudrais que vous me laissiez vous remplacer pour le veiller.

— Ridicule ! Je suis parfaitement en mesure de le faire tout seul. Allez dîner. J'ai demandé le mien.

Sans appétit, bien que la selle de mouton fût l'un de ses plats favoris. Mais, il s'en tenait à son code. Il fallait dîner. Il fallait monter la garde.

— Combien de temps restera-t-il comme cela ?

— Personne ne le sait.

— Et, lorsqu'il reprendra conscience, que se passera-t-il ?

— Nous y penserons le moment venu.

— Vous savez vraiment ce qu'il a tenté de faire la nuit dernière ?

— Il a cherché à me tuer. Ce n'était pas la première fois.

— Ne pensez-vous pas que... vous devriez... prendre des précautions ?

— Je prends les précautions que les circonstances me permettent. Je continuerai.

— La nuit dernière ne change donc rien ?

Il s'était beaucoup attaché à elle. Il admirait sa force de caractère et il n'oubliait pas qu'elle était la seule, à Copsi, à avoir offert de le remplacer. Mais il perdit patience à la voir là, devant lui, avec cette expression de gouvernante. L'expression de sa mère.

— Nous savons tous les deux ce qui changerait tout. Dépêchez-vous d'aller dîner. J'entends le mien arriver.

Fincham *et* Thomas, comme si la chambre était trop dangereuse pour qu'un homme y entrât seul. Pourtant, ils le laissaient lui, tout seul, sans appui. Qu'ils attendent un peu. Il les saquerait tous !

UNE chose est claire, dit le menuisier que chacun consultait, il ne peut pas nous renvoyer tous. Ce qu'il faut, c'est nous tenir les coudes. Moi, j'approche pas de ce cinglé, endormi ou réveillé. Celui d'entre vous qui le fait, je ne lui adresse plus la parole. Même si on ne tient pas compte de tout ça — il eut un regard expressif vers la bibliothèque ravagée — je n'ai pas oublié Jim Bateman.

Il n'y eut qu'une voix pour s'élever, non pas pour protester, mais pour faire remarquer :

— On ne nous l'a pas demandé jusqu'ici.

— Ça viendra et aujourd'hui même. Vous pouvez m'en croire. Un homme averti en vaut deux. Serrez-vous les coudes.

Comme souvent déjà, le menuisier avait vu juste. Au cours de ce qui lui avait paru une nuit interminable, Sir Harald avait fait le compte de ce qu'il appelait ses forces de réserve et se préparait à faire appel à elles.

Il avait passé une nuit affreuse, faite de petits sommes dont il était arraché par sa conscience qui le tourmentait comme le faisait sa jambe blessée. Son fauteuil était confortable, mais sa jambe demandait à être étendue entre deux draps fins n'exerçant aucune pression. Il avait cherché à s'allonger par terre et cela avait été encore pire. Il avait fait les cent pas. Un peu mieux, mais à peine. De nouveau le fauteuil. Et, chez Magnus, aucun changement, à ceci près que ses lèvres ouvertes semblaient parcheminées. Quelqu'un d'inconscient ne peut pas boire, mais Sir Harald avait humecté une éponge, l'avait passée sur ses lèvres sèches, fait tomber une goutte ou deux — avec d'infinies précautions — sur la langue. A intervalles réguliers, il passa l'éponge sur la bouche ouverte et quelqu'un, en lui, demanda : Pourquoi ? Les réponses étaient multiples ; il faut toujours faire de son mieux ; tant qu'il y a de la vie il y a de l'espoir et toujours la possibilité d'un miracle. Ils étaient rares, mais au cours de cette longue nuit en humectant pour la huitième ou dixième fois les lèvres de son fils Sir Harald se souvint de l'un d'eux dont il avait été le témoin. Il y avait très longtemps, aux Indes, un artificier avait été rendu totalement sourd par l'explosion d'une arme mal chargée. L'armée n'avait que faire d'un sourd et on allait réembarquer l'homme quand, fin saoul, il était tombé, s'était cogné la tête et avait été guéri de sa surdité. Était-ce possible avec Magnus ? Le crâne abritait le cerveau et celui de Magnus avait été atteint à sa naissance. Se pourrait-il que le mal infligé par les forceps ait été réparé par le choc à la base du crâne ? Comme quand on veut faire repartir une pendule. Quelle idée ! Mais, à sa seconde nuit sans sommeil, nul n'aurait pu reprocher cela à Sir Harald.

Le matin arriva enfin. Aucun changement. Mais un besoin urgent. Dans tous les domaines, Sir Harald était ponctuel et il avait des intestins disciplinés. Combien de fois s'était-il dit : « ça fait bien si un homme, pendant un défilé ou en pleine bataille doit aller poser culotte » ! A présent, l'aube grise venant, il y était contraint.

Il passa dans la salle de bains emportant le pot qui avait servi à un plus petit besoin. Il prit soin de fermer la porte de Magnus. Précaution inutile, le jeune homme n'avait pas bougé. Sir Harald chercha à se souvenir combien de temps on pouvait vivre sans eau. Magnus avait perdu conscience mardi, on était mercredi. Cela ferait bientôt vingt-quatre heures. Mais il ne faisait aucun effort, n'était pas exposé à la chaleur du soleil. A en juger d'après l'état du lit que Sir Harald avait inspecté avec une régularité consciencieuse, toutes ses fonctions physiques s'étaient arrêtées. A ceci près que son cœur battait et qu'il respirait.

Sir Harald tira sur la sonnette, puis alla à la fenêtre où il put contempler une scène de toute beauté. Le brouillard avait gelé au cours de la nuit et chaque brin d'herbe, chaque branche étaient comme enveloppées de verre à demi translucide. Pour une fois, il fut indifférent à cette beauté et, se retournant, donna ses ordres d'un ton sec. Il voulait de l'eau chaude, son rasoir et son nécessaire de toilette et, dix minutes, exactement après, son petit déjeuner. Il voulait également parler au menuisier dès qu'il serait là.

Se laver et se raser le ragaillardirent un peu. L'entretien avec le menuisier le démoralisa à nouveau. Celui-ci, comme Fincham la veille, était désolé. Il était le porte-parole de tous les autres et ils ne pouvaient pas prendre cette responsabilité. Sir Harald aurait beaucoup donné pour crier :

— Bande de poltrons ! Couards au ventre mou ! Retournez tous chez vous alors et crevez de faim !

Mais cela aurait impliqué la fin du travail dans la bibliothèque et rompre avec la tradition de façon choquante. Il se contenta d'ordonner le plus brusquement possible :

— Retournez à votre travail !

Son petit déjeuner était toujours un repas simple — pas de porridge qui, selon lui, empâtait — un toast dont il mangeait une moitié avec le plat principal, l'autre enduite de confiture. Le tout arrosé de café. Thomas aurait facilement pu apporter le tout sur un plateau. Mais il entra avec les œufs au bacon et le toast, Gordon sur ses talons, apportant café et confiture.

— Alors, vous chassez toujours par couple, à ce que je vois, remarqua le maître, sarcastique.

A l'autre bout de la maison, Jonathan auquel tous les remèdes administrés avaient fait beaucoup de bien et qui avait passé une nuit relativement bonne, prenait grand soin de parler d'une voix faible et rauque et d'éternuer de temps en temps. Le cousin William suggéra d'envoyer chercher le médecin et Jonahtan protesta avec cette fougue propre aux malades.

Que pourrait-il faire ? Il ne pourrait pas changer le climat ! Ce qui me tue c'est l'hiver en Angleterre.

Il avait dit cela souvent déjà. Très jeune et très pauvre, il avait passé deux ans sur le continent, à Paris, à Rome et Venise, villes faites pour les artistes. Il désirait follement y retourner, mais avec la possibilité de pouvoir puiser dans la bourse du cousin William. Chaque hiver, il y faisait des allusions sans subtilité, mais le cousin William se contentait de répondre qu'il y réfléchirait. Il avait de bonnes raisons pour ne pas agir, il adorait la marche et la chasse. L'idée de mettre un terme à sa vie sans problème lui répugnait. Mais, plus que tout, il craignait l'effet que cela pourrait avoir sur les relations existant entre Jonathan et lui. Dans des endroits où il rencontrerait d'autres artistes, le jeune homme se détacherait peut-être de lui...

Mais l'état dans lequel Jonathan était arrivé la veille, toussant, éternuant, au seuil de l'évanouissement avait, momentanément, remplacé l'égoïsme par la peur. Mieux valait le partager avec d'autres que de ne plus l'avoir du tout. Aussi, au lieu de répondre qu'il y penserait et ne rien faire, le cousin William se prépara à agir. Et, Mme le Beaune entendant le mot magique, *Paris*, décida de venir, elle aussi. Intensément francophile elle n'était cependant jamais retournée en France par crainte d'y trouver trop de changements, de la solitude puisque tant de vieux amis avaient disparu, mais aussi de l'effort imposé par la préparation d'un voyage. Mais William s'occupant de tout et avec la compagnie de deux hommes, ce serait merveilleux.

MERCREDI fut une journée très longue et, vers le milieu de l'après-midi, Sir Harald commença à douter de sa capacité de résistance. Considérer cette veille comme un travail de soldat, c'était très bien — mais il était jeune, alors, et persuadé que c'était nécessaire. A présent, il avait vieilli et, à moins que Magnus sorte très vite de ce coma, il mourrait et tous ses efforts, toutes ses heures sans sommeil n'auraient servi à rien. Il avait la tête lourde, les paupières bordées d'impuretés. Ne pas se frotter les yeux, ça ne faisait qu'ajouter à l'inflammation. Il se les frottait quand même et ses yeux le brûlaient.

Hannah venait, de temps en temps, proposant de le remplacer. Obstiné, il refusait. Elle était son seul contact avec l'autre partie de la maison et elle lui apprit que M. Orde, M. Winthrop *et* Mme le Beaune se proposaient de partir en vacances sur le continent.

— Les rats qui désertent un bateau qui coule, fit-il avec autant de mépris que le lui permit sa fatigue.

Il était totalement épuisé quand Magnus remua et parla.

— Que le diable vous emporte tous, dit-il d'une voix rauque. Je peux sortir de cette camisole de force. J'ai vu comment on faisait, dans une foire.

Et il se mit à se débattre avec ses couvertures.

Les idées un peu troubles ? Quoi d'étonnant après plus de vingt-quatre heures d'inconscience. Un sentiment prima tous les autres chez Sir Harald : l'amour paternel. Il se précipita. De l'eau d'abord, puis à manger. Magnus déclara qu'il ne pouvait pas s'asseoir, sa camisole de force le serrait trop. Sir Harald l'assura qu'il n'en avait pas, qu'il était seulement dans son lit.

— J'y suis attaché alors, Bon Dieu ! Qu'est-ce que ça change ? Je sens les cordes partout.

— Tu es seulement engourdi et un peu écorché. Tu as eu un léger accident.

A l'expression de son fils, il se rendit compte qu'il ne se souvenait de rien. Peut-être était-ce aussi bien. Malgré son jeûne prolongé, Magnus ne prit l'eau offerte et le poulet froid, seul mets à portée de la main à trois heures de l'après-midi, qu'avec réticence, parlant de poison.

— Je vous connais. Vous êtes dans le coup. Buvez d'abord.

Sir Harald but et, lorsque le poulet arriva, en mangea un morceau également. Magnus s'exprimait de façon encore plus incohérente que d'habitude, sauf pour un point : son père était l'ennemi.

Celui-ci se souvint alors qu'il était seul dans une chambre avec son fils qui, par deux fois, avait tenté de le tuer et qu'il y avait deux rasoirs sur le dessus de marbre de la table de toilette. Il s'en rapprocha furtivement et les glissa dans sa poche où ils tintèrent contre la clef.

— C'est ça, dit Magnus. Vous êtes un pickpocket. Mais ce n'est pas *à moi* qu'on la fait. J'en ai rencontré un à Bristol et il y en avait des tas à Naples. M. Garnet le savait. Où il est ? Je le sais.

Là, il entreprit de décrire les allées et venues et les activités de Garnet en termes tellement crus que Sir Harald lui-même fut choqué. De simples soldats employaient parfois des mots de ce genre, mais entre eux. C'était horrible. Le miracle, hélas, n'avait pas eu lieu. En fait, Magnus était sorti de son coma pire qu'auparavant. Il éprouva un intense soulagement quand il se tut, enfin, jusqu'au moment où il lui suggéra de faire un petit tour dans la salle de bains. C'était peut-être courir un grand risque car, physiquement, Magnus était beaucoup plus fort que lui, d'autant qu'il était épuisé. Mais c'était cela ou jouer les vidangeurs.

Magnus refusa de bouger et il dut s'acquitter d'une tâche rebutante.

De l'autre côté de la maison, Jonathan lui aussi profitait pleinement de sa soi-disant faiblesse. Cependant, il était beaucoup plus raisonnable, mais, enfoui au fond de son lit, enfonçait le couteau dans la plaie.

— Cher, si je ne pars pas d'ici, je vais mourir.

— Parker s'est rendu à Radmouth hier, Johnny. Il a pu nous retenir des passages sur la *Mary-Rose* en partance pour Calais. Si tu es assez fort pour supporter le voyage, nous embarquerons vendredi.

Ah, chouchouté, dorloté, soigné, Jonathan serait prêt !

Comment passer la nuit ? songeait Sir Harald. Fallait-il monter encore la garde ? Magnus ne risquait plus, à présent, de s'étouffer avec sa langue ou de tomber de son lit, inconscient. Le pire était passé. Quant à songer à l'avenir, il en était incapable. Il avait failli mourir au cours de la nuit de lundi, s'était contraint à participer au sauvetage de la bibliothèque et, ensuite, enfin dans son lit aux premières lueurs de l'aube, mille pensées l'avaient torturé l'empêchant de dormir. A cela, il fallait ajouter mardi et mercredi, jour et nuit. Avec sa cuisse qui le faisait souffrir comme une morsure de rat. Le chef le plus impitoyable pouvait-il en demander davantage à un de ses hommes ? N'importe quel homme pouvait-il en exiger davantage de lui-même ? Non, se dit-il et s'en voulut aussitôt. Enfermer son fils, s'assurer que le feu était éteint, qu'il n'y avait ni lampe, ni bougie dans la chambre et quel mal pouvait-il faire ? Un peu comme un alcoolique pense à de l'alcool, Sir Harald songea au sac noir posé sur le dernier rayon de sa penderie. Il contenait, entre autres, un flacon d'un liquide noir et visqueux, incomparable comme analgésique. Le chirurgien du régiment le lui avait prescrit en cas de douleur insoutenable. C'était un truc très puissant et très dangereux. Cinq gouttes, pas davantage, dans de l'eau à ne prendre qu'en cas de nécessité absolue parce qu'il pouvait y avoir accoutumance, autre danger. Sir Harald s'était montré si prudent que le flacon était encore à moitié plein. Il en avait besoin à présent.

Traverser le couloir, mesurer la dose avec précaution, se mettre au lit, sentir la douleur diminuer et s'endormir. Dormir. Dormir...

Rompant un long silence, Magnus déclara :

— Je vais pendre cette chienne !

On aurait pu croire, au début, qu'il parlait de l'animal qu'il avait tenté de pendre, mais il fut question très vite d'une fille à Bristol, ou à Naples, qui avait cherché à le tromper. « Ça lui servira de leçon. »

Sir Harald s'accrochant désespérément à la logique malgré la douleur et la fatigue retint le mot « pendre ». Magnus était parfaitement capable, non pas de se pendre, mais de faire semblant de se pendre et d'y parvenir accidentellement. Pouvait-on retirer d'une chambre tout ce qui pouvait être déchiré et devenir dangereux de ce fait ? Le cordon de la sonnette, ceux des rideaux, les serviettes, les ceintures ? Ce serait difficile. Soudain il fut submergé par une telle vague d'épuisement qu'il se laissa tomber dans son fauteuil au point de heurter sa malheureuse jambe. Malgré tout, son cerveau embrumé lui permettait encore de penser et il décida d'avoir un dîner très léger et de ne pas boire de vin. Il resterait éveillé plus facilement. Éveillé, pourquoi ? La futilité du tout le frappa soudain. Veiller chaque jour, afin que Magnus ne fît de mal à personne d'autre, ou à lui-même. Il tendit le bras et tira de toutes ses forces sur le cordon de sonnette. Thomas, Gordon à quelques pas derrière lui, apparut très vite. Mais l'effort requis pour se lever et ouvrir la porte fut tel que Sir Harald sut qu'il avait pris une décision sage.

— Descendez à « La Péniche », dit-il en s'adressant au plus jeune et plus vif des deux hommes. Dites à Bolsover que je le veux immédiatement.

G ORDON ne coupa pas par les bois. Il commençait à faire nuit et l'on racontait de drôles d'histoires sur Monkswood. Il resta sur la route, mais se hâta, aiguillonné par un sentiment de culpabilité. Sir Harald semblait au bout du rouleau — et il avait toujours été un bon maître. Il avait été abandonné par M. Fincham, par Thomas, par lui-même, par Jacky. Trottant quelques pas, marchant, se remettant à courir, Gordon décida que si Bolsover refusait de venir — ce qui était vraisemblable, comment oserait-il ? — il proposerait que d'eux d'entre eux prennent la relève pour la nuit.

Cependant, non seulement Bolsover accepta, mais il était prêt. Il n'avait fait qu'attendre qu'on l'appelle.

— On va prendre par le raccourci, dit-il.

— Mais il fait presque nuit, monsieur Bolsover.

— Lily connaît le chemin.

En dépit de ses propos incohérents, la ruse de Magnus n'avait rien perdu de son acuité. La porte était fermée à clef ? Pourquoi ? S'il n'avait eu qu'un accident comme le prétendait son père, pourquoi l'enfermer. Et puis il y avait eu ce nom. Bolsover. Dans l'opacité de son cerveau, une lueur se fit. Bolsover dont il avait toujours eu un peu peur devait, à présent, savoir ce qui était arrivé à Lily. Il y avait d'autres choses aussi. La bibliothèque et la salle d'armes... Non, c'était trop. Il ne pouvait pas penser à plusieurs choses à la fois. Une seule suffisait... et de l'astuce.

— Il y a un truc de cassé dans ce lit, dit-il de ce ton raisonnable qui avait trompé tellement de gens.

Sir Harald s'arracha à la semi-somnolence due, en grande partie, à la pensée que, bientôt, Bolsover serait là.

— Quoi ?

— Le baldaquin est défait. Ça craque. Écoutez.

Magnus se contorsionna dans le lit qui craqua effectivement et une partie des rideaux s'affaissa.

— Nous allons nous occuper de ça, dit Sir Harald qui tira, une fois de plus sur la sonnette.

Il n'aurait pas juré ne pas s'être assoupi quelques secondes.

— Envoyez-moi le menuisier.

Il y eut un moment de consternation dans la bibliothèque où l'on venait de terminer le travail. Les querelles avec les employeurs étaient très rares dans les districts ruraux, mais quand il y en avait c'était toujours le meneur, ou le porte-parole, qui était congédié.

— Tu ferais mieux de dire que t'acceptes si tu peux prendre un compagnon, suggéra quelqu'un.

— S'il le faut, admit le menuisier l'air sombre.

Sir Harald le fit entrer dans la chambre et ne referma pas la porte à clef. L'homme pouvait avoir besoin d'autres outils que ceux qu'il avait dans la poche de son tablier. Il lui montra la tête du baldaquin déséquilibré. « Des vers ou une cheville sautée, vraisemblablement », songea le menuisier. Monsieur Magnus semblait dormir à poings fermés, mais il avait changé de position et se trouvait sur le côté, à présent. Le menuisier s'approcha et repoussa le rideau qui l'empêchait de mesurer l'étendue des dégâts. Plus vive qu'un reptile qui frappe, la main de Magnus jaillit et s'empara du premier des outils qui, comme par hasard, était aussi le plus lourd et le plus dangereux : un ciseau. Triomphant, il rejeta ses couvertures et sauta du lit.

— Il visait son père, il n'y a pas de doute, raconta plus tard le menuisier. Et moi, comme un imbécile, qui lui barrais le passage.

Cette histoire, chacun se la répéta maintes fois. En fait, sans même y penser il se contenta, sous la surprise de dire : « Hé ! » et de tenter de reprendre son outil. Magnus le lui plongea dans le cou, juste au-dessus de la clavicule. Le sang jaillit, en demi-cercle. C'en fut trop pour l'homme qui perdit connaissance et s'effondra entre Sir Harald et son fils qui hurla :

— Allez ! A votre tour maintenant !

Quelques secondes horribles s'écoulèrent. Sir Harald connaissait la différence entre le sang à débit lent, rouge foncé, d'une veine et le flux rouge clair d'une artère. A moins d'agir vite, Ransom mourrait vidé de son sang. Et si l'on ne désarmait pas Magnus d'autres gens mourraient à commencer par lui. A moins que ce cerveau dément ne recèle une miette de raison.

— Pose cela, dit-il. Tu auras tout ce que tu veux.

— Ah ! ça va mieux, reconnut Magnus avec un rire grinçant.

Maître de tout, enfin ! Avec cette arme merveilleuse à la main il pouvait faire tout ce qu'il voulait, obtenir tout ce qu'il désirait sans demander l'avis de personne.

Sir Harald avait maintes fois affronté des ennemis à l'arme blanche, sabre, épée, baïonnette. Il ne doutait pas, même maintenant, de pouvoir désarmer son fils dément et était prêt à être blessé ce faisant. Il était beaucoup plus inquiet pour le pauvre Ransom pour lequel il fallait agir et vite.

— A l'aide ! A l'aide ! cria-t-il.

Les ouvriers, groupés autour de la porte de la bibliothèque, attendant de savoir ce que Sir Harald avait à dire au menuisier, entendirent l'appel et ne bougèrent pas, irrésolus, personne n'osant faire le premier pas.

Le corps du menuisier était étendu entre le père et le fils. Pour s'atteindre il leur aurait fallu, à l'un comme à l'autre, l'enjamber ou le contourner ce qui interdisait toute attaque rapide. Sir Harald eut le temps d'appeler à nouveau. Cette fois-ci, on lui répondit. Un bruit de pas précipités dans l'escalier et Bolsover s'encadra sur le seuil. La terreur que lui avait inspiré son gardien s'était envolée chez Magnus. Armé comme il l'était, ils étaient à deux de jeu.

Bolsover murmura quelque chose et Lily comprit. Ils étaient compagnons depuis huit ans et c'était un chasseur-né. Lapins, lièvres, rats ? La meilleure façon, leur rompre le col. Elle fit le tour du lit comme une ombre.

— Venu pour assister au spectacle ? demanda Magnus avec un autre éclat de rire grinçant.

C'est alors que Lily bondit, le saisit à la nuque. Ses dents n'étaient plus acérées comme elles l'avaient été, mais elle savait encore s'en servir et, la prise assurée, appuya forçant de tout son poids. Magnus, si sûr de soi, quelques secondes plus tôt, s'affaissa face en avant. Bolsover prit le ciseau et lui administra un direct au plexus, le mettant temporairement K.O. Puis il se tourna vers le blessé et pinça la blessure.

— Un œuf et vivement !

Ils furent nombreux à suivre ses instructions car lorsque Bolsover avait gravi l'escalier quatre à quatre les ouvriers avaient suivi.

L'œuf appliqué fermement dans le creux, juste au-dessus de la clavicule, fit office de garrot. Sir Harald lui-même aida à déchirer un drap et Bolsover fit le pansement. Ensuite, Sir Harald surveilla le transport du menuisier dans l'une des chambres inoccupées voisines et envoya chercher sa femme.

Hannah avait été prendre le thé de l'autre côté de la maison et s'était attardée plus longtemps que d'habitude, les trois futurs voyageurs ayant énormément à lui dire des merveilles les attendant. Madame le Beaune bouillait d'un enthousiasme que les remarques pessimistes du cousin William n'entamaient en rien. Elle trouverait tout changé — et pas en mieux — Lorsqu'elle dit, aimablement supérieure, qu'elle penserait à Hannah au mois de janvier, le cousin William fit remarquer que l'on avait vu neiger jusqu'en Sicile. Comment le savait-il ? Quelqu'un qui y était, précisant que le froid dans ces régions est beaucoup plus désagréable qu'en Angleterre, peu de maisons disposant de cheminées et les sols étant dallés presque partout. En fait, le cousin William regrettait sa décision tout en pensant qu'il avait eu raison de la prendre quand il entendait Jonathan tousser.

La porte de Magnus était entrouverte. Hannah, s'arrêtant, entendit la voix de Sir Harald, très faible et puis... celle de Bolsover !

— ... passer la nuit dans cette scène de boucherie, dit Sir Harald.

— Ça ira pour cette nuit. On s'arrangera autrement demain matin. Vous, monsieur, vous allez vous coucher.

Hannah poussa la porte, entra. Elle parvint à dire exactement six mots :

— Ah, Bolsover, je suis si heureuse...

— Partez, Madame. Ce n'est pas un spectacle pour une dame.

— Bolsover a raison, ma chère enfant. Partez. Je vous raconterai tout plus tard.

Magnus était étalé sur le lit en désordre. Mais il avait les yeux ouverts, à présent. Et il y avait du sang partout. Sur le plâtre de Magnus, sur sa chemise de nuit, sur les draps et les couvertures et une grande flaque sur la descente de lit de fourrure blanche.

Elle sentit de nouveau une nausée l'envahir. Elle se pressa les doigts contre les lèvres, luttant contre son mal de cœur.

— Qui a été blessé ?

— Peu importe. Partez. Tout va bien maintenant, répondit Bolsover.

Faisant un effort suprême, Sir Harald lui prit le bras.

— Venez, ma chère, je vais vous accompagner chez vous.

— Il vaudrait beaucoup mieux que ce soit moi qui vous conduise chez vous, répondit Hannah. Il tremblait si fort que le contact de sa main la secoua, elle aussi : — Venez, vous êtes épuisé.

Comme ils traversaient le couloir, une femme portant un gros baluchon enveloppé dans ce qui ressemblait à une nappe et suivie par deux petits enfants, montait l'escalier.

— Où est-il? Où est mon mari?

Sir Harald eut tout juste la force de dire : « Mme Ransom » et d'indiquer la porte de la chambre où l'on avait porté le menuisier. Il ne put en faire davantage. Il se laissa guider jusqu'à sa chambre.

B OLSOVER commanda à dîner pour deux. Un repas somptueux. Non pas qu'ils aient mal mangé, sa chienne et lui à « La Péniche », mais une simple aubergiste ne pouvait pas fournir ce que l'on trouvait à Copsi. Lily mangea ce que son maître laissa, des deux repas. Elle avait sauvé la situation et méritait le meilleur. Magnus eut droit à un verre d'eau et, concession suprême, une croûte de pain. Il était, il s'en rendait compte, aux mains de l'ennemi. Deux paires d'yeux hostiles, gris glacés chez Bolsover et verts chez la chienne, surveillaient chacun de ses mouvements. Mais il l'avait tué ce chien. Alors c'en était un autre. Ou le fantôme de Lily? Trop compliqué à comprendre. Tout avait mal tourné. Il était fatigué de réfléchir. Ça pouvait attendre le lendemain.

Bolsover accueillit cette passivité avec suspicion. Ce jeune démon préparait quelque chose. Il se versa à boire et fuma avec délice l'un des cigares de Sir Harald. Ensuite, il transporta dans le couloir tout ce qui pouvait servir d'arme, le tire-bottes, les bottes sur leurs embauchoirs, la cuvette, le pot à eau et le porte-savon, même les brosses à cheveux et tous les flacons.

— Tu remues ou tu cries pendant mon absence et tu auras de mes nouvelles à mon retour, dit-il.

Alors, emportant la lampe, il sortit, ferma la porte et mit la clef dans sa poche. Il alla d'abord jeter un coup d'œil à Sir Harald qui dormait à poings fermés. Le menuisier était réveillé, faible et un peu gris. Les derniers mots de Sir Harald à Hannah avaient été de s'assurer que Mme Ransom ne manque de rien. Et Mme Ransom partageait la conviction presque universelle selon laquelle le vin rouge remplaçait le sang perdu. Elle en avait bu, elle-même. Après tout, elle avait subi une forte émotion et elle était condamnée à passer la nuit sous le même toit qu'un fou dangereux. La première chose qu'avait dite son mari, dès qu'il avait pu parler, c'est que M. Copsey l'avait attaqué avec son propre ciseau. Bolsover contrôla la position de l'œuf qui semblait soudé là où il était mis, preuve que le sang s'était figé. Il desserra un peu le pansement.

— Ça va aller maintenant, dit-il.

Les deux enfants d'âge à s'endormir dans n'importe quelle position, n'importe quand, étaient blottis, l'un contre l'autre comme des chiots dans un fauteuil. Ils avaient ingurgité un énorme dîner et bu, eux aussi, un peu de vin. De ce côté-là, tout allait donc bien. Bolsover commença ses recherches. Il savait ce qu'il voulait et où aller.

S IR Harald se réveilla, bien reposé et, immédiatement, se reprocha d'avoir manqué à tous ses devoirs. Il n'avait pas remercié Bolsover d'être arrivé aussi rapidement, il n'avait pas offert ses excuses à la femme de Ransom et laissé Hannah s'occuper d'elle et de ses enfants. Il s'était contenté de tout laisser tomber pour aller se coucher. Il n'avait même pas pris ses gouttes calmantes, il s'était tout juste déshabillé et couché. Femmelette !

Mécontent de lui et de ce qu'il jugeait de la faiblesse inqualifiable, il ne chercha même pas à discuter ou à résister aux arguments précis de Bolsover. Il se contenta d'une légère protestation après un coup d'œil au lit où Magnus était couché, non pas endormi mais l'esprit totalement absent.

— Peut-être, Bolsover, ne devrions-nous pas discuter de tout cela en présence de l'intéressé.

— Et quelle différence cela ferait-il ? demanda l'autre, brutalement. Il l'apprendra tôt ou tard. Laissez-moi faire simplement. Je m'occupe de tout. Ça ne peut pas continuer comme ça, vous le reconnaissez ? Pour ma part, pas question.

— Très bien. Faites ce que vous jugez le mieux.

Ce que Bolsover jugeait le mieux c'était l'ancienne chambre de Bertie, vide à présent. Elle avait l'avantage inestimable de disposer de ses propres latrines dans la tour adjacente faisant partie du château, à l'origine. Il n'était nullement dans les intentions de Bolsover de jouer les vidangeurs.

Le fils de Ransom, un garçon de dix-huit ans suivant toujours dans l'ombre de son père, vint, investi d'une brève autorité. Il y avait beaucoup à faire et très vite : fixer au sol une table ainsi qu'une chaise à une distance permettant de s'installer pour manger. Mais surtout sceller des barreaux à la grande fenêtre.

— A l'extérieur, expliqua Bolsover, de façon qu'on puisse ouvrir la fenêtre.

Le jeune menuisier et ceux qui l'aidaient dans son travail préparaient en toute hâte une pièce pour un fou. D'autres hommes s'occupaient à transformer la chambre vide voisine à l'intention de Bolsover. Sir Harald lui avait dit de faire ce qu'il jugeait le mieux et il avait traduit cela comme une autorisation de faire ce qui lui plaisait et, à présent, il réclamait beaucoup de choses qui avaient suscité son admiration au cours de ses incursions dans le château et lui avait fait penser : « Si j'étais riche... » Le tapis qu'il choisit avait été tissé à Ispahan, soyeux et bien que de couleurs lumineuses il n'était en rien criard, très différent des tapis turcs tellement à la mode aux bleus et rouges éclatants.

Depuis la mésaventure de Lily, Bolsover détestait les lits à colonnes. Il s'était choisi un fort élégant lit à la française, à la tête et au pied légèrement incurvés vers l'intérieur, comme une coquille, et embelli de chérubins : deux fauteuils extrêmement confortables recouverts de velours ; un bonheur du jour chinois, rouge et or, une table de marqueterie. Lily elle-même eut à sa disposition une chaise longue aux coussins merveilleusement brodés de roses et de pivoines.

Le transfert s'opéra sans aucune difficulté, bien que Bolsover s'y fût préparé. Il connaissait certaine prise, peu orthodoxe, mais particulièrement efficace et douloureuse, juste à l'endroit du « petit juif ».

— Un seul cri et je te fais le coup du lapin, prévint-il par mesure de précaution bien que cela parût superflu. Magnus semblait avoir sombré dans l'idiotie totale. Toujours ça de gagné.

— **B**ERTIE, je n'avais plus le choix. J'espère que toi au moins tu comprendras. Mettre le feu à la maison et attaquer Ransom...

— Je suis absolument navrée, Harry. Si seulement j'avais su, je serais venue et j'aurais monté la garde.

— Je me suis débrouillé. Maintenant, Bolsover s'occupe de tout. Mais ce qui me tracasse c'est quoi dire... aux gens. Bolsover m'a fait comprendre nettement, ce matin, qu'il n'accepterait pas de demi-mesures.

— Il a eu raison. Cela aurait dû être fait... avant... avant d'en arriver à de tels dégâts.

— Je m'accrochais à l'espoir, Bertie.

— Je sais.

— L'un des médecins m'a dit qu'il s'opérait un changement tous les sept ans...

— L'as-tu constaté ?

— Je dois avouer que non.

— Moi non plus. Peut-être ne t'en souviens-tu pas, Harry, mais il y a longtemps, déjà, avant que nous sachions à quel point il était dérangé, je t'ai suggéré de te remarier. Tu m'en as voulu. Il n'est pas trop tard. Regarde Walter Hillborough, il est beaucoup plus âgé que toi.

— Pour moi, il est trop tard depuis Waterloo.

Chose curieuse, les yeux de Bertie s'emplirent de larmes.

— Pauvre vieux.

Elle se détourna légèrement, regarda par la fenêtre, battant frénétiquement des paupières. Quand elle se sentit en mesure de parler, elle ajouta d'un ton presque léger :

— ... Si c'était un roman, on dirait que nous sommes maudits. La malédiction de Copsi. Même pas de collatéraux... En tout cas, inutile de te préoccuper de ce que diront ou penseront les gens. Tout le monde éprouve du respect et de l'affection pour toi — elle se garda de dire que l'on sympathisait avec lui — On parlera, évidemment, mais chacun pensera que tu as agi avec sagesse en l'enfermant.

Et une idée la frappa, si fantastique qu'elle osa à peine s'y attarder. Mais elle le fit pendant que Sir Harald tentait de changer de sujet en commentant la différence apportée au paysage par les arbres nouvellement plantés. Elle en convint, dans quelques années, il y aurait un cadre à son merveilleux panorama. Oserait-elle dire ce à quoi elle pensait ? Serait-il irrémédiablement choqué et dégoûté ? Peut-être le moment était-il mal choisi. Mieux valait, après tout, ne rien lui dire, mais s'adresser directement à Hannah. Ce serait extrêmement embarrassant, mais tant pis.

— A ta place, j'inviterais quelques vieux amis à dîner et je les mettrais au courant. Explique son état actuel par sa chute.

Comme toujours, Bertie lui avait donné un bon conseil et si elle ne l'avait pas complètement rassuré — comment l'aurait-elle pu ? — il la quitta moins déprimé.

L E transfert avait eu lieu quand il rentra chez lui.

— On n'a pas perdu de temps, remarqua Sir Harald. Je suis navré de n'avoir pas été là pour vous aider.

— Tout s'est passé sans complication, répondit Bolsover jovial. Il n'y a pas eu un seul accroc.

— Puis-je le voir ?

— A votre place je n'en ferais rien. Laissez-lui le temps de s'habituer. Votre arrivée peut tout bousculer. Ne perdez pas de vue que c'est à vous qu'il en veut. Le pauvre Ransom n'a fait que se trouver sur son chemin.

— Ah ! oui, ce pauvre Ransom. Il faut que j'aille le voir.

La famille du menuisier était venue apporter le réconfort de sa présence au blessé. La sœur de Mᵐᵉ Ransom et ses deux enfants, celle de Ransom avec un enfant. Les dimensions inhabituelles des pièces leur étaient montées à la tête et le couloir ressemblait à un asile d'aliénés. Les enfants, barbouillés de confiture, semblaient avoir, eux aussi, été victimes de l'accident de Ransom. Ils avaient retiré les embauchoirs des bottes de Magnus, chaussé celles-ci et se poursuivaient en riant, cherchant à se faire tomber. L'arrivée de Sir Harald provoqua un silence immédiat. Les filles les plus grandes esquissèrent une petite révérence, les garçons gênés, se tortillant une mèche de cheveux.

— C'est bon, dit Sir Harald de son ton bienveillant habituel. Amusez-vous.

Dans la chambre du blessé, Mᵐᵉ Ransom tenait sa cour, distribuant thé et cake. Le thé était encore un luxe et elle en commandait pratiquement toutes les heures.

Ransom était presque assis, maintenu par quantité d'oreillers, sur les conseils de Bolsover et, bien qu'encore pâle, ne paraissait pas souffrir.

— J'ai vu mon garçon, monsieur, et je lui ai dit comment remonter la porte. Je pense qu'il pourra se débrouiller.

— Mais j'en suis certain. Cependant vous n'auriez pas dû vous en préoccuper Ransom.

— Je suis responsable, monsieur.

C'était là l'ennui entre le père et le fils. Le jeune Ransom, bien entraîné, extrêmement discipliné, rarement félicité et souvent critiqué était un remarquable artisan, mais le moment pour lui de prendre la succession de son père n'était pas encore venu.

L ES journées se succédèrent. Sir Harald avait suivi le conseil de Bertie et invité à dîner ses voisins les plus proches. Il prépara la soirée avec beaucoup de soins mais une profonde mélancolie. Même une visite à la cave avec Fincham lui serra le cœur. Il y avait mis en réserve quelques cuvées précieuses pour la majorité de Magnus, pour le baptême. Inutile de les garder plus longtemps. Que cette triste réunion permette de garder en mémoire le souvenir de ces bons vins aussi bien que l'annonce officielle, sinon tout à fait exacte, qu'il se proposait de faire.

Mais il devait absolument voir son fils. Il avait autorisé Bolsover à le supplanter trop facilement, parce qu'il ne souhaitait pas voir Magnus seul et enfermé, même si c'était nécessaire. Il le ferait, ce matin même, pour pouvoir, le soir, en toute conscience, dire à ses amis que le jeune homme était en bonne santé et bien soigné.

Bolsover était absent. Évidemment, il avait besoin de prendre l'air et un peu d'exercice et la matinée était belle et claire. L'oreille collée à la porte fermée à double tour de Magnus, Sir Harald pouvait entendre des sons, des mouvements, de l'autre côté, rien de précis, quelques heurts, un bruit de grattement, un grognement. Le tout fort atténué par l'épaisseur de la porte. Sir Harald se souvint alors qu'à l'extérieur des trois pièces de cette partie de la maison, une partie du mur d'origine du château formait une sorte de terrasse assez large pour supporter deux hommes de front. La porte de Bolsover était fermée à clef, aussi entra-t-il dans la troisième chambre, franchit la fenêtre et gagna celle que l'on avait munie de barreaux. Pendant quelques secondes, il ne vit pratiquement rien, la chambre paraissant obscure en comparaison avec la lumière extérieure. Les barreaux ne lui permirent pas de coller son visage à la fenêtre et de faire écran de ses mains. Peu à peu, cependant, ses yeux s'habituèrent à la pénombre et il put voir Magnus en robe de chambre, mais pieds nus, accroupi à côté de la porte. Il semblait racler ou ramasser quelque chose par terre et le manger. Comme un animal. Horrifié et fasciné, Sir Harald le regarda faire, puis il battit en retraite et rentra dans la maison. Bolsover, sifflant un air joyeux, ouvrait sa porte.

Un coup d'œil lui suffit pour comprendre où Sir Harald avait été et qu'il n'était pas content. Il attaqua le premier.

— Sa santé est meilleure que son humeur, ce matin, monsieur.

— Pourquoi mangeait-il à même le sol, Bolsover ?

— Il m'a envoyé son porridge en pleine figure. J'ai été aveuglé l'espace de quelques secondes. Heureusement, Lily était là.

Magnus prenait toute sa nourriture dans un bol en bois et il n'avait comme couvert qu'une cuiller en bois, elle aussi. Toute sa viande — rationnée — était hachée auparavant et mêlée aux légumes. Cela composait son déjeuner. Pour son petit déjeuner, il recevait du porridge et pour le dîner une sorte de pouding sucré, mangeable à la cuiller.

Ce matin-là, quand Bolsover avait posé le bol sur la table, Magnus lui avait dit :

— Si vous m'apportez encore de cette bouillie, je vous l'expédie en pleine figure.

— Eh ! bien, faites-le, avait répliqué Bolsover, narquois, persuadé que même un idiot avait suffisamment de bon sens pour ne pas gâcher son petit déjeuner.

Il se trompait. Le bol de porridge avait traversé la pièce, bien dirigé. Bolsover n'avait pas été à demi aveuglé, il avait attrapé le bol au vol, l'avait retourné par terre.

— Maintenant, si vous avez faim, vous pouvez toujours le lécher.

Sir Harald accepta la version de Bolsover, mais persista dans ce qui n'était ni exactement un reproche, ni exactement une enquête.

— Et il n'a rien aux pieds.

— Oh ? Mais il dispose d'une paire de pantoufles. S'il ne veut pas les mettre, c'est son affaire. Je ne peux tout de même pas l'habiller tant qu'il ne s'est pas calmé un peu.

Ce calme attendu, ce dressage prenaient plus de temps que ne l'avait prévu Bolsover, mais cela viendrait.

— Peut-être, dit Sir Harald se faisant de nouveau des reproches, en ai-je trop exigé de vous, Bolsover. Dois-je chercher un assistant, quelqu'un habitué à s'occuper de… gens difficiles ?

— Si vous pensez pouvoir trouver quelqu'un de plus compétent… Dans ce cas ne comptez pas sur moi. J'aurais du mal à partager cette responsabilité.

Il avait répondu d'un ton assez égal, mais le défi se lisait dans ses yeux durs et froids et Sir Harald s'empressa de le rassurer.

— Oh ! non, non, Bolsover. Ce n'est pas ça. Je me demandais seulement s'il vous fallait de l'aide.

— Non. Tout ce qu'il me faut, c'est du temps.

BERTIE s'était enfin décidée à suggérer son idée si invraisemblable à Hannah et l'avait invitée à déjeuner. Nerveuse, elle commit l'erreur d'apporter plus de soins que d'habitude à la nourriture, aux vins, au service, désireuse de lui prouver qu'on l'honorait en tant qu'invitée, même si on devait lui proposer quelque chose de déshonorant. Hannah avait déjà été à Sheppey Lea et trouvé très agréable la façon simple de recevoir de Bertie. Ce changement d'atmosphère la mit un peu mal à l'aise. Elles se réfugièrent toutes deux dans un bavardage peu conforme à leur nature. Bertie s'étendant sur ses projets dont la construction d'une serre chauffée dans laquelle elle espérait faire prendre une bouture du rosier perpétuel — Hannah lui en avait apporté deux fleurs — et Hannah décrivant l'invasion de la famille Ransom.

— Les cousins germains et issus de germains, maintenant, tous avec leurs enfants, évidemment. Bolsover estime que Ransom est en état de rentrer chez lui en voiture, mais Mme Ransom n'est pas du même avis. Je la soupçonne de vouloir passer Noël à Copsi. Je ne peux pas lui en vouloir. Mais tout ce bruit m'épuise.

Ce genre de conversation pouvait s'éterniser et la tension nerveuse croître. Brusquement, Bertie se décida :

— Hannah. Je vous en supplie, ne prenez pas mal ce que je vais vous dire. Vous savez que je vous aime beaucoup, que je vous respecte et vous admire... Avez-vous jamais pensé que vous pourriez avoir un enfant avec un autre homme ?

Voilà, c'était fait et Hannah n'avait ni pâli d'horreur, ni rougi de colère.

— On me l'a déjà suggéré.

— Mon frère ?

— Bien sûr que non. Ce serait le dernier ! Mais une personne digne de confiance. Je vois tous les avantages, mais je ne crois pas que je pourrais. Peut-être trouverez-vous cela d'une sentimentalité ridicule, mais j'aime quelqu'un. Et la seule idée de coucher avec n'importe qui me répugne. Et je respecte trop l'homme que j'aime pour m'en servir comme d'un animal reproducteur.

— Je comprends parfaitement. Cependant, pardonnez-moi si je parais indiscrète... Vous avez, ou du moins je le crois, partagé le lit de Magnus.

— Oui, en effet. Mais j'avais promis de le faire... avant de comprendre que j'aimais quelqu'un. Le marché que l'on m'avait mis en main était déjà assez dur, en soi. Peut-être ne le savez-vous pas, Bertie, mais Harry peut se montrer impitoyable. Pour éviter à mes parents, non seulement d'être chassés, mais d'être persécutés alors que mon père est totalement sans défense, j'ai accepté. Ensuite je... puis il... Bref, nous avons compris ce qui n'a fait que rendre tout plus dur pour moi. Mais je m'en suis tenue à ma parole. J'ai respecté les termes du marché, à la lettre. Je n'ai absolument pas l'impression de devoir quoi que ce soit à Copsi.

— Mon Dieu, non !

C'était Bertie qui, brusquement, se sentait effondrée. Mis à part son aveuglement délibéré à l'égard de Magnus, elle avait toujours pensé qu'Harry était aussi parfait qu'un homme peut l'être : honorable, chevaleresque, bon. Qu'il ait usé de sa puissance pour contraindre des malheureux... En un sens c'était inconcevable, mais dans un autre aussi logique que la nuit succède au jour. Une autre illusion détruite, songea-t-elle comme, ayant reconduit Hannah elle allait, pour se changer les idées, se rendre compte des progrès de la construction de l'étable. Presque immédiatement, elle constata l'absence de l'ouvrier le plus énergique de la bande, un homme qui paraissait toujours travailler comme poussé par un démon intérieur.

— Où est Flordon ? demanda-t-elle.

— Parti, expliqua le chef d'équipe. Il n'est pas venu lundi. Il se serait réembarqué. C'était pas le genre à rester sur place.

L A petite réception de Sir Harald débuta dans une atmosphère de cordialité forcée qui ne cadrait pas du tout avec ce qu'il se proposait d'annoncer. Tout le monde était tellement navré pour lui. Chacun savait que son fils avait eu une crise de folie furieuse, qu'il avait grièvement blessé un menuisier, menacé toutes les personnes présentes, y compris son propre père et qu'il se trouvait, à présent, derrière des barreaux. Bien sûr, on l'avait prédit, mais à présent que le drame s'était concrétisé, on sympathisait avec Sir Harald, cet homme si bon.

Peu à peu, sous l'effet du bon vin, l'hilarité se fit plus naturelle et Sir Harald commença à redouter le moment où ce qu'il dirait détruirait cette bonne humeur. Il avait toujours méprisé le courage puisé dans la bouteille, mais, à présent, il se dit qu'une autre gorgée, un autre verre, rendraient sa mission plus facile. Enfin, il estima que le meilleur moment pour parler serait après le premier verre de son excellent porto.

Deux des invités, Sir Walter Hillborough et Sir Henry Allins, connaissaient leur hôte depuis toujours, mais on laissa O'Brien, considéré comme encore nouveau venu pour la mentalité de Suffolk, être le porte-parole de tous. Il avait bu suffisamment pour que sa tête dure s'en trouvât affectée et ses paroles lui furent dictées par sa chaleureuse nature de Celte.

— Copsey, mon vieux, dit-il brusquement. Nous sommes tous au courant de vos ennuis et nos cœurs saignent pour vous. C'est une terrible épreuve et nous la partageons avec vous.

Il s'en fallut de peu que Sir Harald ne s'effondre, mais il lui restait un devoir à accomplir, aussi se reprit-il et déclara avec énormément de dignité :

— On raconte certainement quantité d'histoires invraisemblables, je n'en doute pas. Je tiens à ce que mes amis sachent la vérité. Magnus a fait une chute qui a provoqué une violente commotion et lui a un peu dérangé l'esprit. Il n'avait nullement l'intention de blesser le menuisier, celui-ci en convient lui-même. J'ai pris des mesures afin qu'un autre accident ne puisse se reproduire.

Il y eut une série de murmures : oui, oui, évidemment ; profondément navré ; espérons que tout s'arrangera. Et que le porto circule.

Plus tard, Edward O'Brien confia à sa femme :

— Je n'avais jamais assisté à quelque chose ressemblant davantage à une veillée mortuaire jusqu'à ce que j'aborde le sujet. Après, on s'est bien amusés.

— Tel que je te connais, dit-elle, affectueusement, tu danseras à ton propre enterrement.

APRÈS le jet du porridge, Bolsover ne se donna plus la peine d'entrer dans la chambre-cellule. A midi, il ouvrit la porte juste assez pour pouvoir saisir l'écuelle, y versa la purée peu engageante, ouvrit à nouveau la porte et poussa l'écuelle par terre.

— Quand vous aurez terminé, remettez votre bol ici.

A l'heure du dîner, le bol ne se trouvait pas à l'endroit indiqué.

— Comme vous voudrez. Vous vous passerez de dîner, dit Bolsover.

Magnus se passa de dîner et de petit déjeuner le lendemain. Mais à midi, l'écuelle attendait.

Bolsover avait adopté la même méthode en ce qui concernait la toilette : une autre écuelle, un peu plus grande, pleine d'eau, une serviette, un morceau de savon, le tout glissé par la porte entrebâillée et retiré de la même façon. Ils n'avaient pas l'air d'avoir été utilisés ? A qui la faute ?

Pour Bolsover, la vie était facile et agréable. Il était en excellents termes avec la patronne de « La Péniche », un peu mûre et sans beauté, mais parfaite au lit et mariée. Fort occupée le matin et le soir, elle s'accordait une petite sieste dans l'après-midi. L'auberge, comme Copsi, disposait de plusieurs entrées et sorties. Les allées et venues de Bolsover passaient inaperçues.

Au cours de la semaine précédant Noël, Sir Harald fut extrêmement occupé se consacrant à nouveau à ses devoirs civiques qu'il avait tant négligés. Même dans l'état d'esprit si mélancolique qui était le sien, il trouvait une certaine satisfaction à songer aux cadeaux habituels à cette période de l'année ; jupons de flanelle, chemises, thé ou tabac pour les pensionnaires de l'hospice ; du bœuf à la place du porc habituel pour le dîner de l'asile des vieillards. Pour l'hôpital, une innovation : de la dinde ; des chaussures et un paquet de bonbons pour les élèves de l'école communale. Et après une journée de joyeuse activité il revenait se heurter au vide douloureux de Copsi. Un vide souligné par le départ de la famille Ransom. Le menuisier n'était pas sociable par nature et, dès qu'il s'en sentit la force, avait insisté pour retourner chez lui, dans une maison où le manque de place et des provisions limitées interdi-saient une hospitalité débordante.

Hannah était parfaite. Peu de filles de son âge auraient accepté avec un tel calme, une vie aussi triste. Elle s'efforçait de parler de choses et d'autres à table, beaucoup trop grande, à présent. Sa mère, raconta-t-elle à son beau-père, avait proposé de prendre le petit Edouard, dans la maison de Pump Lane, pendant les vacances de Noël parce que sa grand-mère, cette vieille égoïste, partait en voyage et voulait le laisser avec des domestiques. Wilson avait remporté un tournoi d'échecs. Plein de tact, il avait attribué sa victoire au fait d'avoir si souvent joué avec son père. Celui-ci avait connu également sa petite heure de gloire, au marché. Quelqu'un, pour trouver de l'argent destiné aux pauvres n'étant ni à l'hospice, ni à l'hôpital, avait fait don d'un porc dont il fallait trouver le poids. Chaque pari coûtait trois pence. Son père avait trouvé le poids juste, à une livre près, et gagné le cochon. N'en ayant pas l'emploi, il avait demandé au commissaire priseur de le vendre et de verser l'argent obtenu au fonds. Tout le monde avait trouvé cela extrêmement généreux. John Reeve qui n'avait jamais eu l'occasion de se montrer généreux s'était épanoui sous l'approbation générale.

Tout cela, s'il ne l'avait pas exactement prévu, du moins Sir Harald l'avait-il espéré. Que chacun soit content. Tout le monde, sauf lui.

— Vous menez, quant à vous, une vie très triste, mon enfant, dit-il.
— Elle me convient.

I L n'avait cependant pas oublié la chair de sa chair, dément et enfermé.

— A-t-il assez chaud, Bolsover ? Je sais qu'on ne peut pas courir le risque de faire du feu dans sa chambre, mais le temps s'est refroidi.
— Je lui ai donné une couverture de fourrure, hier.
— Mange-t-il bien ?
— Ça dépend. Parfois quand il est de mauvaise humeur il ne veut pas manger.

Bolsover avait pris ses précautions contre un reproche possible en attirant l'attention sur la nourriture restée intacte que redescendait Thomas ou Gordon quand Magnus avait eu sa ration et que son gardien et Lily s'étaient gavés. La chienne tenait de sa race la faculté de résis-ter sans presque rien avaler ou de manger tout son saoul sans grossir. Et Bolsover, quoique bonne fourchette, était difficile. Il détestait la graisse et la viande saignante l'écœurait. Il avait exercé un métier sanglant, mais ne pouvait voir une goutte de sang dans son assiette.

Parfois, Thomas et Gordon avaient l'impression de descendre autant de plats qu'ils en montaient. Mais pour peu qu'ils cherchent à se faciliter le travail en en oubliant un, Bolsover le remarquait aussitôt et le faisait chercher, sans douceur.

Le matin de Noël, Sir Harald fit cadeau à Hannah d'une veste de zibeline. Après l'en avoir remercié, elle lui dit :

— Votre présent est dans la bibliothèque. Venez voir.

Soudain il lui vit cette animation, cette chaleur de très jeune femme dont elle manquait tellement, à son avis. Arrivé dans la bibliothèque, il ne vit rien qui n'y ait déjà été, la veille.

— Sur le mur, dit-elle.

Et là, sur le mur, au-dessus de l'élégant sofa qui avait remplacé l'autre — le jeune menuisier avait dit qu'il pouvait le réparer, le rendre comme neuf, mais Sir Harald avait déclaré ne plus vouloir le voir — se trouvait la carte. Il en fut muet de stupeur.

— Peut-être n'est-elle pas tout à fait exacte, dit Hannah. J'ai dû me fier à ma mémoire et à ce que j'ai appris en me promenant.

Toutes autres choses mises à part, c'était un très beau travail. Elle n'avait même pas employé de papier blanc, mais de cette nuance un peu jaunie que l'âge avait donnée à la carte originale.

— C'est... merveilleux, dit-il lorsqu'il retrouva l'usage de la parole.

Et, horrifié, à sa grande honte, il sentit les larmes lui monter aux yeux. Copsi, son Copsi... Cette carte si adroitement refaite, le domaine dans son ensemble. Et cette petite, si attentionnée, si aimable, si habile... Oh, mon Dieu, si seulement les choses étaient différentes ! Il se moucha avec frénésie.

CE matin, il lui fallait absolument voir Magnus. Il prit le seul cadeau qui lui vint à l'esprit, une boîte de chocolats. Trouver quelque chose pour Bolsover ne présentait pas de difficultés. L'homme était assez dandy dans son genre et des boutons de manchettes, trop chamarrés pour le goût de Sir Harald et, de ce fait, jamais portés, lui plairaient certainement.

Adouci par le cadeau et également à court d'excuses, Bolsover dit :

— Très bien, monsieur. Mais n'oubliez pas le mot d'ordre : prudence. Lily !

Magnus savait qui était son pire ennemi. Il en avait des dizaines. Tout le monde complotait contre lui. Bolsover était dangereux. Son chien encore davantage, mais le pire de tous, c'était papa. Qu'il se montre seulement !

Le projectile construit avec astuce, dissimulé depuis si longtemps était loin d'être mortel. Il consistait en une paire de pantoufles en tapisserie enveloppées et serrées dans une chemise de nuit, les manches nouées tout autour. Bien lancé il atteignit Sir Harald à la pommette, juste sous l'œil gauche. Sous le choc, sa tête heurta l'angle de la porte.

— Sortez ! cria Bolsover.

Lily montra les dents. L'instant d'après, ils se retrouvèrent, sains et saufs, dans le couloir.

— Ce n'est rien, assura Sir Harald en essuyant le filet de sang sur sa tempe.

— Non, admit Bolsover. Mais c'est une démonstration. Il avait eu la présence d'esprit d'arracher la matraque et l'examinait.

— C'est astucieux, dit-il. C'est pour ça qu'il ne portait pas ses pantoufles. Ça m'étonnait aussi.

Bolsover se montra attentionné, il fit asseoir Sir Harald dans le fauteuil le plus confortable, lui donna un verre d'eau-de-vie. Mais rien ne pouvait effacer de l'esprit du père ce qu'il avait vu l'espace de la demi-seconde durant laquelle il avait ouvert la porte et reçu ce pitoyable projectile. Maigre, pas rasé, sale.

— Bolsover, il dégénère.

— C'est toujours comme ça. Mais, à part cette petite crise, il se calme. Je vais bientôt pouvoir aller lui faire une toilette complète.

— Il en a certes besoin... Et, il y a des pantoufles sans talons et sans semelles. Juste de la fourrure ou du velours.

— Il en a une paire. Je m'en assurerai. Ne vous tracassez pas, monsieur. Je suis désolé, mais c'est comme ça.

Sir Harald se rendit soudain compte qu'il avait gardé la boîte de chocolats à la main. Grotesque !

— Je crois me souvenir que Lily aime le chocolat, dit-il.

Il posa la boîte sur la table en marqueterie.

— ... A présent, il est l'heure d'aller à l'église.

Faut reconnaître que le vieux a du cran, songea Bolsover avec l'admiration rancunière qu'il vouait à un adversaire qui tentait de se relever seulement pour encaisser une nouvelle fois. Et une partie de ce cran il l'avait léguée au cinglé qu'il avait engendré. N'importe qui d'autre, enfermé, sans rien à faire, à peine à manger, aurait mis les pouces. Mais, cette pensée ne l'attendrit pas. Ce que Magnus avait fait à Lily, à Hannah, à Sir Harald et au menuisier — dans l'ordre —, méritait punition.

De fait, après la matinée de Noël, Magnus parut changer. Il ne regarda plus en direction de la porte quand celle-ci s'ouvrait et, souvent, ne touchait pas à sa nourriture. Il ne frappait plus tout ce qui l'entourait de son écuelle ni ne hurlait des jurons. Il s'était calmé. Bolsover se méfiait encore, et à juste titre, mais il se prépara à la toilette promise. Il ne lui couperait ni barbe, ni cheveux puisqu'il faudrait des ciseaux, mais il forcerait le fou à se laver, ou bien il le laverait lui-même. Le jour de l'An, date propice, il commença à rassembler ce dont il aurait besoin. Magnus avait jeté à la porte sa chemise sale et Bolsover lui en avait jeté une propre. Mais il y avait une semaine de cela, aussi en prépara-t-il une autre, une robe de chambre, la cuvette, une serviette et du savon. Pour la première fois depuis la dernière tentative de Sir Harald de voir son fils, la porte était grande ouverte. La chambre puait comme un terrier de furet et tout prouvait que, depuis quelque temps, Magnus ne s'était même pas donné la peine d'utiliser les latrines.

Il était couché en chien de fusil dans son lit. Rien de nouveau à cela, c'était son meilleur refuge contre le froid. Il ne prêta pas attention à l'arrivée de Bolsover. Lily, en alerte à côté de lui, Bolsover porta la cuvette d'eau chaude sur la table et plaça, à côté les autres objets.

— Venez, maintenant, dit-il d'un ton légèrement moins hostile que d'habitude. On va faire votre toilette.

Le dressage semblait avoir réussi. Magnus se leva, s'approcha de la table et se tint derrière la chaise. Et alors, avec une force de dément, il en arracha le dossier. Il s'agissait d'une chaise de bois épais et solide que Bolsover avait choisie après lui avoir fait subir une série d'épreuves. Le geste fut si soudain et le tout si incroyable que Bolsover lui-même fut pris de court et reçut en pleine figure les morceaux arrachés au dossier, Magnus ayant plongé par-dessus la table. Cette table, entre eux, diminua la force du choc et empêcha Magnus de frapper à nouveau. C'était bien là l'attaque d'un fou, préparée avec ruse, mais mal exécutée. Bolsover et sa chienne étaient déjà dans le couloir, la porte claquée et fermée à clef que Magnus était encore de l'autre côté de la table.

Vaniteux et adroit, Bolsover avait toujours su se protéger le visage et maintenant un fou venait de le marquer. Le mal n'était que superficiel. Ce n'était rien, avait dit de sa blessure Sir Harald le jour de Noël. Ce n'est rien, se dit Bolsover en s'examinant et constatant qu'il s'en était fallu de quelques millimètres que son œil ne soit atteint. Pendant qu'il soignait son visage endommagé, il entendit un bruit de verre brisé et comprit que Magnus se livrait à une autre action qu'il n'avait pas prévue. Il cassait sa fenêtre.

Cela ne lui permettrait pas de s'échapper, car le jeune charpentier avait fait du bon travail avec les barreaux. A moins que... enfin qui aurait pu deviner que l'idiot aurait pu briser une chaise en deux ? Pour une fois, au cours de sa vie, Bolsover, si sûr de lui d'habitude, comprit qu'il n'était pas infaillible et qu'il avait commis une autre erreur en faisant placer les barreaux à l'extérieur plutôt qu'à l'intérieur de la fenêtre.

Une partie des morceaux de verre avait dû tomber dans la chambre, à portée de la main de Magnus entre l'encadrement de la fenêtre et les barreaux. Bolsover se souvint de la façon dont il avait pris Magnus dans un filet, le soir de son mariage, mais il n'était armé alors que d'une cravache. Il en allait autrement avec une panoplie de morceaux de verre.

Il tira le cordon de la sonnette et Gordon parut, grommelant. Qu'est-ce qui se passait encore? Il restait encore deux heures avant le déjeuner. Que l'on prévienne Sir Harald qu'il voulait le voir immédiatement.

Bolsover demandant qu'on l'excuse était une nouveauté!

— Excusez-moi, monsieur. Je n'ai pas pensé à la fenêtre et je n'aurais jamais cru qu'il puisse casser cette chaise. Personne ayant ses esprits n'aurait pu le faire. Mais, maintenant, il est là, armé d'un paquet de morceaux de verre. Je ne m'approche plus de lui. Je ne veux même pas ouvrir la porte. Il peut être derrière, du verre à la main, prêt à me crever les yeux... ou ceux de Lily.

Sir Harald reçut avec effarement cette nouvelle qui ressemblait à un ultimatum et faillit dire : « Si vous ne le faites pas, qui le fera ? » Puis, il se souvint de son entraînement militaire. Aucun officier n'a le droit de demander à un simple soldat de faire quelque chose qu'il refuserait de faire lui-même. La bonne volonté comptait davantage que l'aptitude.

— Alors, je le ferai, dit-il.

— Et cela, je ne le veux pas non plus, déclara Bolsover appliquant une main sur la poche dans laquelle il gardait la clef. Il vous assassinerait.

— Alors que suggérez-vous?

— Ce que vous avez dit un jour, monsieur. Demander à quelqu'un ayant l'habitude des cas difficiles. L'idée m'avait déplue, alors. Je pensais pouvoir me débrouiller. Je me débrouillais ! Mais que le diable m'emporte, j'ai complètement oublié cette satanée fenêtre. Je suis désolé.

Souvent, Sir Harald avait jugé Bolsover trop sûr de lui, mais le voir humble à ce point lui déplut souverainement.

— J'aurais dû penser à la fenêtre. Je suis également à blâmer, Bolsover. Peut-être nous exagérons-nous le danger. Peut-être ne songera-t-il pas à se servir des morceaux de verre comme arme.

— Il a pensé à casser la chaise.

— Oui, mais avec lui... En tout cas, je vais aller me rendre compte des dégâts.

Il sortit, par la fenêtre de Bolsover cette fois-ci, plus proche de la fenêtre barrée. Presque toutes les vitres de la partie inférieure en étaient brisées, le cadre restant hérissé de morceaux de verre acérés, l'espace séparant la fenêtre elle-même et les barreaux en était tapissé, quelques morceaux tombés à l'extérieur craquèrent sous les pieds de Sir Harald. Ce fut sans doute ce bruit qui fit venir Magnus près de l'ouverture.

Le jour terne et l'absence de vitres permettaient une meilleure vue. Magnus était intégralement nu dans une pièce déjà glacée et à présent livrée au vent coupant de nord-est annonçant la neige. Le jeune homme était d'une maigreur squelettique, comme ces chiens chassés de partout, aux Indes. Ses cheveux emmêlés rejoignaient sa barbe en broussaille. Il s'approcha de la fenêtre, gesticulant et grimaçant comme un animal en cage et, malgré le vent et les vitres cassées, sa puanteur vint avec lui. Contrairement à un animal en cage, il était armé, comme l'avait prévu Bolsover. Il s'était enveloppé la main pour la protéger et brandissait un morceau de verre impressionnant.

Lorsque Sir Harald, plus tard, s'assit pour penser, non pas au danger si évident qu'il fût, mais à un autre sujet, il réfléchit longtemps.

Il retourna chez Bolsover où Lily léchait le visage de son maître. Encore un spectacle écœurant, quoique de moindre portée.

Commencer par le début!

— Bolsover, pensez-vous que cela soit prudent? Les chiens ont toujours le nez dans la saleté.

— Ils lèchent leurs blessures et elles guérissent, répondit Bolsover. Et si je me souviens bien, il y a, dans la Bible, un passage où on parle des chiens qui lèchent les plaies. Ça va, ma vieille, ça suffit comme ça. Alors?

— La fenêtre est très abîmée et il a à la main la moitié d'une vitre. Je pense qu'il serait dangereux d'ouvrir la porte. Mais... on peut le nourrir par la fenêtre. A moins... à moins... que je trouve une autre solution.

Mais quelle solution?

Ses pensées revinrent à la fenêtre. Comment pouvait-on la réparer autrement que de l'intérieur ce que personne n'oserait faire — et qu'il n'oserait demander à personne — ou de l'extérieur... Mais il faudrait enlever les barreaux ce qui serait également fort dangereux.

Quant aux gens entraînés à s'occuper des fous dangereux, il ne savait pas où en trouver. Il avait parlé, un jour, de trouver quelqu'un pour aider Bolsover, mais il avait parlé alors, de manière impulsive, sans vraiment y réfléchir. Il n'existait, en fait, dans la région, aucun asile d'aliénés d'où on pourrait faire venir, en lui graissant la patte, un gardien spécialisé. Bressford et Wyck et la campagne environnante n'avaient jamais éprouvé le besoin d'avoir un asile psychiatrique. Les villages avaient leurs idiots, moqués parfois, mais le plus souvent chéris — surtout par leurs mères. On trouvait également à l'hospice des gens qui avaient perdu l'esprit, mais parce qu'ils étaient séniles, soignés par des gens à peine plus intelligents qu'eux. L'asile le plus proche et digne de ce nom était situé à Colchester, fort loin donc. Son directeur serait-il en mesure d'indiquer des gardiens expérimentés? Et à quel genre d'hommes aurait-on à faire? Il en faudrait deux pour effectuer le travail dont s'était chargé Bolsover, jusqu'ici, et si bien.

Il passa les deux heures précédant le déjeuner à ruminer de sombres pensées et lorsqu'on le servit, il manquait totalement d'appétit et avait trop peu d'énergie pour se forcer à manger.

Il gardait dans les narines la puanteur de l'horrible chambre, elle oblitérait les odeurs savoureuses montant de son assiette et, entre tout ce qu'il regardait, se dressait l'image de Magnus. Il garda cependant sa dignité.

— Tenez-moi cela au chaud, dit-il. Je ne serai pas long.

Il quitta la table, gagna l'étage à nouveau et se heurta à Thomas dont c'était le tour de monter le repas : côtelettes de mouton, purée de pommes de terre, carottes, choux, gelée rouge.

— Ça pose un problème, remarqua Bolsover. Son écuelle est restée dans sa chambre et, de toute façon, elle serait trop large pour passer entre les barreaux.

Sir Harald regarda autour de lui et repéra l'un des objets décoratifs que Bolsover, jouant les pies pour embellir sa chambre, avait choisi. Il s'agissait d'une petite bonbonnière sous la forme d'une nymphe légèrement vêtue, peinte à ravir, offrant une coupe d'à peine dix centimètres de large.

— Cela peut faire l'affaire, dit-il.

Bolsover se montra d'accord, bien qu'il tint à sa nymphe et sut qu'il ne la reverrait pas. Sous l'œil vigilant de Sir Harald, il coupa en morceaux l'une des côtelettes, y ajouta des légumes, y prenant un peu plus de soin que d'habitude et couronna le tout de gelée rouge.

— Je vais le porter, déclara Sir Harald sous l'œil réprobateur de Lily. Elle était toujours servie la première.

— Plus tard, ma vieille. Faut qu'on attende tous les deux.

Sir Harald se dirigea vers la fenêtre de son fils. Magnus, toujours nu, assis sur son lit, ne réagit pas lorsque son père l'appela.

— Voilà ton déjeuner. Viens Magnus. Ça va refroidir.

Il employait ce ton cajôleur dont il s'était si souvent servi autrefois lorsque Magnus, enfant, avait compris que la meilleure façon d'attirer l'attention sur lui et d'obtenir ce qu'il voulait était de refuser de manger.

— C'est un bon déjeuner, Magnus. Viens, tu dois manger.

Le jeune homme ne tourna même pas la tête. La nourriture se refroidit de même que Sir Harald, en plein courant d'air. Finalement, il posa le ravissant récipient dans l'espace entre la fenêtre et les barreaux. Il était à peine revenu dans la chambre de Bolsover que les mouettes qu'il détestait se précipitèrent en piaillant.

— Il n'a pas voulu le prendre, Bolsover. Il n'a même pas voulu regarder.

— Ça lui arrive souvent, quand il boude.

— Que peut-on faire ?

— Rien, répondit Bolsover d'habitude si ingénieux.

— Mais on ne peut pas le laisser mourir de faim.

— Il mangera quand il en aura envie.

— Le temps me tracasse aussi. Il est nu, en plein vent. Et il va bientôt neiger.

Qu'est-ce que ça peut faire ? songea Bolsover. Quand on n'a pas de cerveau, on ne sent rien !

— Il se couchera quand il aura froid, dit-il, avant d'ajouter par pitié pour Sir Harald et non pas pour le fou : On pourrait peut-être faire accrocher aux barreaux, un morceau de toile à sac.

— Oui. Il faut le faire immédiatement. Je m'en occupe.

Il faudrait deux hommes, un pour maintenir la toile pendant que l'autre l'attacherait. Et ils verraient Magnus dans cet état honteux, choquant. Tout le monde était au courant, bien sûr, mais il en allait autrement entre savoir et voir. Il y avait une extrême différence entre M. Magnus, enfermé et gardé par Bolsover, et un singe hirsute, nu au milieu de ses excréments.

Il y songea pendant qu'il faisait semblant de déjeuner. Puis, il envoya un message à l'atelier du menuisier demandant que son fils et un autre homme préparent une bâche dont il aurait peut-être besoin à la fin de la journée.

Bolsover, quant à lui, alla récupérer sa nymphe. Les mouettes en avaient vidé la coupe de façon si parfaite qu'on aurait pu croire qu'elle avait été inutilisée. Il ne la remit pas sur le dessus de la cheminée, mais à l'abri dans un placard. Il avait eu le temps de le remarquer, Magnus bien que toujours assis, comme paralysé, n'avait pas lâché un énorme morceau de verre. Non pas que cela eût une importance quelconque. Brusquement, il se sentit détaché de tout cela. Il avait fait de son mieux. Il avait échoué et pour lui, c'était la fin. Il descendit à « La Péniche ».

Sir Harald, portant cette fois un manteau et un chapeau, enjamba la fenêtre de la chambre inoccupée. Le récipient avait disparu bien que Magnus ne parût pas avoir bougé. Il se fit suppliant à nouveau, cette fois-ci pour tenter de persuader Magnus de se couvrir ou de se mettre au lit.

— On va venir mettre un rideau pour te protéger contre le froid. Je ne veux pas qu'on te voie comme cela. Allons, Magnus, écoute-moi. Mets ta robe de chambre ou couche-toi...

Et ainsi de suite, sans résultat. Et cependant, enfin, Magnus parut prendre conscience de sa présence et s'approcha de la fenêtre, émettant des sons qui n'avaient rien d'humain. Il tenait toujours le morceau de vitre dans sa main droite autour de laquelle il avait enroulé un morceau de sa chemise de nuit. Il passa la main gauche à travers l'un des carreaux brisés et secoua un barreau. Sir Harald vécut là un moment terrible, non pas qu'il ait craint que le barreau cède, mais la vitre brisée était hérissée d'éclats de verre. Le petit pouvait se couper.

— Non, non ! Ne fais pas cela. Magnus, tu vas te blesser !

Celui-ci émit d'autres sons incompréhensibles et Sir Harald pensa que mieux valait qu'il se retire.

Magnus ne s'était pas blessé, de même qu'il avait eu suffisamment de bon sens pour se protéger la main...

Pour la première fois, Sir Harald étudia la question non pas en tiers, si aimant fût-il, mais en se mettant à la place de Magnus. Quel effet cela faisait-il d'être Magnus ? Qu'éprouvait-il quand une étincelle d'intelligence éclairait toute cette obscurité ? Enfermé comme un fou dangereux, répugnant, retombé à l'état animal la plupart du temps, mais cependant susceptible de réfléchir, parfois ? Trop atteint pour comprendre pourquoi il se trouvait dans cet état, mais pas assez — le serait-il jamais — pour devenir un imbécile heureux, résigné à sa vie végétative.

Sir Harald n'avait pas beaucoup d'imagination mais, cette imagination à laquelle il n'avait jamais fait appel l'envahit brusquement dans ce bref crépuscule de janvier, effaçant toutes les règles de conduite, tout ce qui avait fait de lui ce qu'il était. Il était assis dans sa bibliothèque, près d'un feu bien fourni, mais l'effort accompli le marqua tellement qu'il se mit à trembler, puis à transpirer comme un homme en pleine crise de malaria. Redevenu lui-même, il sut qu'il n'y avait qu'une seule chose à faire et que c'était à lui de le faire. Tout de suite ! Pendant que la maison était pratiquement déserte, Hannah à Bressford, Bolsover à « La Péniche », pas de domestiques aux environs. Peut-être ne réussirait-il pas, mais au moins aurait-il tenté d'arracher Magnus à l'enfer qu'il avait partagé avec lui quelques secondes. Il se prépara, méthodiquement.

Bolsover, sentant le rhum et un parfum vaguement écœurant — l'odorat est une étrange faculté ! — revint à quatre heures. Il commençait à neiger quelques flocons paresseux, mais, selon l'aubergiste il faisait trop froid pour de la vraie neige. Il fallait attendre que le vent tourne.

Et Sir Harald était là, à traîner. Plus inquiet qu'il ne l'avait été depuis le déménagement. Bolsover aurait jugé cela intolérable s'il n'avait décidé que c'en était terminé en ce qui le concernait.

— Bolsover, je crois qu'il lui est arrivé quelque chose. J'ai été voir juste après le déjeuner et plus tard pour essayer de lui faire mettre un vêtement avant que le menuisier et son compagnon... Et puis encore, juste maintenant, pendant qu'il faisait encore jour. Autant que j'ai pu voir, il est couché par terre, à côté du lit.

Et alors qu'est-ce que ça pouvait faire ? Sauf que ce pauvre vieux type avait l'air épuisé.

— Il dort sans doute, monsieur. Le sol, son lit, il ne fait pas la différence.

— Mais dans ce froid, Bolsover... Je n'ai pas fait mettre d'écran parce que je ne voulais pas qu'il soit vu dans cet état. En fait, je faisais une dernière inspection avant d'appeler le menuisier quand je me suis aperçu qu'il était par terre.

— C'est une feinte.

— Comment le savoir ? Il fait tellement froid. Il faut au moins le couvrir. Où est la clef ?

— Vous voulez entrer et regarder ?

— Entrer et mettre une couverture sur lui. Cela au moins...

C'était de la vaillance à l'état pur. Ce genre de mouvement quasi mystique qui entraîne vers une mort presque certaine des dizaines d'hommes derrière un chef. Bolsover ne pouvait savoir que ce n'était qu'illusion, comédie remarquable. Il pensa seulement que Sir Harald était brave et audacieux et que lui, bien que n'ayant plus rien à voir dans cette affaire, devait se montrer à la hauteur, lui aussi ou avoir honte de soi à jamais.

— Je viens avec vous. Il nous faut la lampe. Je la porte, dit-il. Lily, tu attends. Attends !

Qu'elle, au moins, ne soit pas blessée. Et que le fou fasse un seul geste, il lui flanquerait la lampe, flamme, huile et tout en pleine figure.

Magnus ne bougea pas. Avec une imprudence incroyable, Sir Harald s'en approcha et Bolsover, le cœur battant, le suivit.

— Prenez garde, monsieur ! Prenez garde !

Magnus était recroquevillé par terre, le terrible morceau de verre à côté de lui. Cela rassura un peu Bolsover qui, cependant, se tenait sur ses gardes. Sir Harald s'agenouilla, chercha le cœur, le pouls.

— Il est mort, pauvre enfant, dit-il d'une voix totalement inexpressive.

— Vous êtes sûr ? Tenez, prenez la lampe...

Oui, bel et bien mort ! Et quelle veine. Mais ce n'était pas une chose à dire à son père.

— ... Je suis désolé, monsieur. Effectivement, il est mort. Mais pourquoi ? Il était encore assez fort ce matin pour arracher le dossier de cette chaise. Et s'il avait senti le froid il se serait mis au lit. Je ne comprends vraiment pas.

Un suicide ? Un fou avec un morceau de verre. Mais il n'avait pas une écorchure, pas une goutte de sang.

— ... Je ne comprends pas, répéta Bolsover.

— Le docteur Fordyke aura peut-être une explication à nous donner, dit Sir Harald sur le même ton plat. Et je ne voudrais pas qu'il voie... mon fils comme il est en ce moment.

— Je sais. Laissez-moi faire. Je me débrouillerai.

Là, il se passa quelque chose de particulièrement éprouvant pour les nerfs. Dans la chambre voisine, Lily se mit à hurler à la mort. Sir Harald lui-même parut perdre quelque peu de son sang-froid si peu naturel.

— Ce n'est que Lily. Elle ne supporte pas de rester toute seule. Vous n'avez qu'à aller faire chercher le médecin — et prendre un bon verre, monsieur. Je m'occupe de tout.

En dépit de la confortable voiture bien close envoyée pour le ramener à Copsi, le docteur Fordyke y arriva de mauvaise humeur. Le cocher ne savait rien, il ignorait même qui pouvait avoir besoin d'être soigné. Le plus petit enfant, du quartier le plus misérable, s'arrangeait pour dire quelque chose qui pouvait servir, si peu que ce fût : « C'est m'man. L'a mal au ventre ! » Là, rien, sauf qu'on avait besoin de lui à Copsi et le fait d'envoyer la voiture démontrait qu'on ne doutait pas de sa venue. Oui, il le devait. Une épidémie d'influenza faisait rage et il avait eu deux accouchements difficiles. Il manquait de sommeil. Il avait presque oublié à quand remontait son dernier repas convenable. Il s'endormit dans la voiture et n'était encore qu'à demi éveillé quand il se retrouva au chevet de quelqu'un que, ni lui, ni âme qui vive, ne pouvaient plus aider.

La mort s'était montrée douce avec Magnus. Exception faite de la légère courbure de son nez — je n'ai pas fait du bon travail là, songea le médecin — son visage avait retrouvé quelque chose de son charme passé. Et si, comme le disait Sir Harald, il avait fait preuve d'une telle incohérence depuis sa chute qu'il avait fallu le garder dans cette pièce, on avait veillé à son confort. Il était mort, comme il avait vécu, dans le luxe.

— Que s'est-il passé exactement ? demanda-t-il.

— Justement, nous l'ignorons, dit Sir Harald. Il ne s'est rien passé. Il était vivant et en bonne santé vers deux heures trente.

— Il allait bien quand je suis sorti, dit Bolsover en écho.

— Je venais jeter un coup d'œil de temps en temps.

— Quand je suis revenu, sur le coup de quatre heures, il était mort.

Dans d'autres circonstances la maigreur extrême du mort aurait peut-être suscité des soupçons, mais pas ici avec une coupe de fruits et une boîte à biscuits en argent sur la table, à portée de main. Bolsover enregistra le regard du médecin et fit remarquer :

— Ces temps derniers il boudait ses repas.

— En effet, dit Sir Harald. Les deux laquais se plaignaient de redescendre presque tout ce qu'ils lui montaient.

— Anorexie !

Le médecin connaissait ce terme. C'était en général un mal qui frappait les jeunes femmes, ayant tendance à l'hystérie de toute façon, mais cela pouvait affecter un jeune homme dément. Le décès était provoqué par l'arrêt du cœur. Les maladies et les maux divers étaient sans nombre, mais un homme vivait tant que son cœur battait, quand il s'arrêtait il était mort. Aussi, en ce qui le concernait, Magnus Copsey était mort d'un arrêt du cœur, dans un lit fort élégant, entre des draps de toile fine et des chérubins au-dessus de sa tête. Un peu macabre, car ce lit avait été conçu pour un vivant, pas pour un mort. Mais c'était ainsi. Personne n'y pouvait rien.

Le docteur Fordyke fut le premier, de beaucoup, à considérer cela comme un deuil normal.

— Je vous prie d'accepter toutes mes condoléances, monsieur.

Tout fut fait selon les règles. On oublia les faux-semblants. Ce pauvre Sir Harald n'avait pas perdu un fils ne lui ayant jamais donné aucune satisfaction et qui avait sombré dans la folie, mais son fils unique et son héritier. Les lettres de condoléances furent rédigées dans ce sens. En général ce genre d'épitres fait l'éloge du défunt mais il aurait été difficile de faire celui de Magnus. Mme Barrington fit un effort remarquable : « Je garderai toujours de lui l'image du ravissant enfant qu'il était. » A vrai dire, elle se souvenait de lui comme de l'horrible garnement qui avait piqué une crise de rage chez elle et cassé ses chaises. Mme O'Brien évoqua la longue amitié qui avait lié Magnus et ses propres fils. Cette amitié avait permis à Ross et à Barney de faire le Grand Tour à peu de frais pour leur père.

Le menuisier du domaine descendit pour superviser et exaspérer son fils pendant la fabrication du cercueil. Les Copsey étaient toujours enterrés dans du bois poussé à Copsi.

Sir Harald, ayant présidé sa propre Cour Martiale et prononcé sa propre condamnation jouissait dans la journée de la totale résignation du désespoir. Il allait, vaquant à ses occupations, avec la juste expression de la douleur. La veille des funérailles, il rendit visite à Me Fullerton et refit son testament en faveur d'Hannah. Il avait fort peu à léguer. Dès qu'il avait hérité le titre, il avait employé son modeste héritage à revaloriser Copsi et n'avait jamais songé à reprendre quoi que ce soit. Il était Copsi et Copsi était sien. Il comprenait son imprudence à présent, mais il n'avait pas prévu une bru, veuve et sans la protection d'un contrat de mariage. Il laissa à Hannah tout ce qu'il put : la propriété de la maison de Pump Lane et l'argent qui, sagement placé à cinq pour cent, assurait la sécurité à son père ; l'argent de son compte privé après le versement des legs aux domestiques ainsi que ses biens personnels. Il fut soulagé quand Me Fullerton fit remarquer qu'en tant que veuve de Magnus, elle hériterait l'argent de Lady Copsey. Elle serait donc tirée d'affaire et se remarierait, très certainement. Restait Bolsover. Il méritait d'être récompensé pour avoir, tout seul et si rapidement, changé une espèce de singe en un cadavre présentable. Cinquante guinées, ma garde-robe et le cheval de son choix, dans mes écuries.

Cette affaire réglée, il passa à un sujet plus facile.

— A propos de cette discussion concernant le don à l'hospice. Mon arrière-grand'mère avait décidé qu'il serait d'un shilling par semaine, mais que fait-on avec un shilling de nos jours ? Vendredi prochain, à la réunion du comité, je proposerai de doubler cette somme. L'administration a un bas de laine. Puis-je compter sur vous pour m'appuyer ?

— Très certainement, Sir Harald.

Quel homme pour penser à cela à un moment pareil.

A quoi d'autre fallait-il qu'il pense ? Ah, oui, des bottes.

— J'ai dû me rendre à Bressford aujourd'hui, dit-il après avoir

246

accepté les condoléances du bottier, et j'ai pensé pouvoir profiter de l'occasion.

Et puis, soudain une inspiration. L'armurier. De nouvelles condoléances, reçues comme il convenait et suivies d'une question quant à la santé de la famille du commerçant. Puis, le passage en revue de ce qu'il avait à offrir.

— Je voulais un Locksley. De toutes mes armes, c'est mon Locksley mon favori, mais il n'est plus très sûr. Il est trop vieux, je suppose. Je l'ai eu quand j'avais seize ans.

— Il n'y a pas d'âge pour une bonne arme, Monsieur. Je suis sûr qu'une simple séparation... Si je pouvais y jeter un coup d'œil.

On avait chez Locksley fabriqué les meilleures armes depuis plus d'un siècle, mais la maison avait été reprise, depuis peu, par quelqu'un féru d'idées nouvelles et très désagréables concernant le crédit. Sir Harald payait toujours ses factures dès leur réception, mais il était l'exception.

— Cela m'arrangerait beaucoup. Je vous le ferai porter.

Avec ceci et puis cela, les journées se passaient fort bien. Restait la nuit. Qu'il dorme ou qu'il reste éveillé, c'était la même chose. Il revivait perpétuellement la dernière scène, sous forme de cauchemar, ou de souvenir marqué au fer rouge...

« Je suis là dans la bibliothèque, devant le feu, sachant que la mort est préférable à cette existence pire que la mort. Je me rends là où, dans une vitrine, l'on range l'argenterie inemployée. Je choisis ce qu'il me faut, un gobelet de baptême, étroit et muni de deux anses. Je verse le truc dedans. Plus de cinq gouttes, dangereux ; dix mortel. J'en mets davantage, bien davantage. Je remplis avec mon meilleur porto et je mélange bien. Il est vigoureux, je le sais, aussi je passe et je noue à plusieurs reprises une solide ficelle à travers les deux anses et à la base, j'en laisse une bonne longueur avec un nœud coulant au bout à travers lequel je glisse la main. Je monte, je parle, tentateur : « Magnus, je t'ai apporté quelque chose de bon. Du porto, Magnus. »

« Le pire sur le moment, puis dans les cauchemars et les souvenirs, ce fut cette lutte macabre avec Magnus quand il eut bu avec bruit, faisant claquer ses lèvres, visiblement satisfait. Et il s'était mis à tirer sur la ficelle. Sir Harald tira de son côté, bénissant le nœud coulant lui entourant le poignet. Si l'on avait trouvé la timbale dans la chambre, Bolsover aurait compris. Il ne doutait pas de sa discrétion, mais il ne voulait pas de sa complicité. Se rendant compte que tirer dessus ne servait à rien, Magnus entreprit de ronger la ficelle. Une réaction d'animal, mais réfléchie, Le geste de Sir Harald ayant été dicté par la pitié pour ce malheureux garçon, il était absurde d'être horrifié par cette lueur d'intelligence, de penser : Peut-être ai-je eu tort ; me suis-je trop hâté. Mais il était trop tard à présent et il continua de tirer sur la ficelle avec une telle force que lorsque, brusquement, Magnus lacha prise, il perdit l'équilibre et manqua de peu de tomber dans le vide. Il se redressa, retourna à la fenêtre et parla à son fils pour la dernière fois.

« — Va au lit, Magnus. Le lit. Le lit !

« D'après la position dans laquelle le corps avait été trouvé, il semblait que, pour la première fois de sa vie, Magnus avait cherché à obéir. »

Chaque soir ! Il se couchait, ivre ou à jeun, cela ne changeait rien. Il lui fallait revivre la dernière demi-heure de l'existence de son fils. Sa propre réaction le surprenait. Il avait déjà tué, au cours de batailles et en dehors de celles-ci. C'est lui qui avait dû administrer le coup de grâce au pistolet, un jour, après une exécution. Était-ce tellement différent ? Une autre fois, près de la frontière nord-ouest de l'Inde, il s'était servi de son sabre sur l'un de ses propres hommes grièvement blessé. Les femmes de cette région étaient réputées pour les mutilations, les tortures prolongées infligées à tout ennemi capturé. Était-ce tellement différent ? Faire cesser les souffrances de quelqu'un c'était sans conteste une action charitable. A discuter tout seul, à se chercher des excuses, il en arrivait toujours à conclure qu'il avait désespéré trop tôt. Il n'avait pas attendu au lendemain, s'était arrêté à ce que deux hommes, accrochant un morceau de toile, pourraient voir, penser. Puis, il revenait en arrière pour admettre qu'une partie de son trouble venait du fait que ses souvenirs de Magnus et de son état lamentable étaient oblitérés par son aspect lorsque, mort, on lui avait fait sa toilette.

Il suffisait, en général, de répondre à une simple question : Dans les mêmes circonstances, recommencerais-tu ? Et il ne savait quoi répondre.

Chacun à l'enterrement, où il y eut beaucoup de monde, trouva ce pauvre Sir Harald très éprouvé. Magnus fut enseveli dans l'église même. Il y eut pour voisin un Croisé de pierre, les pieds appuyés sur un petit chien ; sur un mur, au-dessus, un mémorial, telle une scène de théâtre aux figurines taillées dans la pierre, commémorait un Copsey de l'époque des Tudor, avec sa femme et ses cinq enfants, richement vêtus, portant des fraises. Ensuite, on avait mis plus de discrétion pour rappeler aux vivants le souvenir des morts. De simples plaques sur les murs...

Cela fait un drôle d'effet de penser qu'à cette heure, la semaine prochaine, je serai l'un de ces morts, insensible à mon propre décès. Jamais tout le cérémonial de l'Eglise au cours de son enfance, des devoirs religieux à l'armée le bon exemple à donner aux fermiers, n'avait rien signifié pour lui. S'il avait été croyant, la foi lui serait sans doute venue en aide à la mort de Juliet, mais alors, blessé au plus profond de son cœur, il avait pensé que l'on est doué pour croire, comme pour jouer du piano ou faire des mathématiques. Il éprouvait le même sentiment à présent. Il était dans l'incapacité de s'imaginer la résurrection dont l'officiant parlait avec une telle assurance. L'idée de récompense ou de punition dans l'au-delà lui semblait tout aussi inconcevable. Et il se dit : c'est notre fin. La fin de Copsi.

Et puis une étrange pensée le frappa, peut-être parce qu'il était à l'église où il avait si souvent répété les Commandements. « Un seul Dieu tu adoreras ! » Il avait fait fi de ce commandement : Copsi avait été son Dieu et c'était là sa punition ? Mais assignée par qui ?

L ES funérailles, compte tenu du temps incertain et de la courte durée du jour, eurent lieu le matin. Il fallait que l'après-midi se passe. Il se changea, mit sa culotte de cheval, une large bande de crêpe noir ornait déjà la manche de sa veste de tweed, et partit faire le tour de son domaine. Non pas pour lui faire ses adieux, mais — il y avait songé au cours de son auto-condamnation — pour éviter tout soupçon pouvant porter atteinte au nom de Copsi. Sa visite au « Pré aux vaches » fut de la même nature que dans les autres fermes.

— Madame Cowper, j'ai appris qu'il y avait une fuite à votre toit.

Face à face avec lui qu'elle avait vu malheureux et digne, le matin même à l'église, la fermière se sentit embarrassée.

— Eh bien, la pluie passe un peu, monsieur, et vous nous avez toujours dit de vous prévenir à temps... Alors, c'est ce que Cowper a fait, mais on ne voudrait pas vous déranger avec une si petite chose à un moment pareil.

— Il faut que la vie continue, madame Cowper.

— Oh oui, monsieur. J'en ai enterré quatre. Est-ce que... je peux vous servir un verre de mon vin de surreau ?

Mme Cowper faisait un vin de surreau remarquable. Les mauvaises langues prétendaient qu'elle y mettait un rat vivant. Il valait mieux ne pas y penser. Personne évidemment n'aurait pu l'assurer... Quoi qu'il en fût, le résultat était bon.

— C'est très aimable à vous...

Mais quand elle le lui tendit, dans son plus beau verre, cela lui rappela trop...

— ... Si vous vouliez me montrer où se situe la fuite dans votre toit.

Elle se tourna et tendit le doigt. Il en profita pour jeter vivement le contenu du verre.

— Merci, madame Cowper, délicieux. Je vous enverrai deux hommes demain matin et je reviendrai dans l'après-midi pour m'assurer que le travail a été bien fait.

Scène très naturelle et bien jouée. Il ne se doutait pas en faisant sa dernière tournée, s'occupant de détails triviaux qu'il se composait une couronne de lauriers et que d'autres gens penseraient comme Maître Fullerton : « Quel homme pour penser à cela à un moment pareil ! »

L E vent était tombé et l'atmosphère donnait cette impression d'attente un peu cotonneuse annonçant la neige. Le ciel était encombré de nuages bas, gris tourterelle. Cependant, tout à l'ouest, une lueur brillait qui n'était pas exactement un coucher de soleil. Copsi s'y détachait, puissant et nu parmi les arbres nus. Beaucoup de gens le préféraient à une saison plus clémente. Quant à lui, il l'avait aimé d'un bout de l'année à l'autre. A présent, il le regardait sans émotion. Il ne lui en restait plus, sauf dans un domaine minuscule. Il voulait que tout parut normal, habituel et il avait songé à un moyen d'ajouter aux ressources d'Hannah.

Revenu dans la bibliothèque, il sonna, donna l'ordre que l'on fît du feu et apportât une lampe dans l'armurerie. Puis il eut une petite entrevue avec Bolsover, certainement un bon témoin. Bolsover s'était peu montré entre le décès et l'enterrement. Il avait repris son ancienne chambre pour dormir et venait, de temps en temps, voir comment allait Sir Harald.

— Tout va bien, monsieur? Puis-je faire quelque chose pour vous?

Tout allait toujours bien et Sir Harald n'avait besoin de rien.

Mais ce jour-là, Bolsover n'aurait pu trouver mieux que ce qu'il dit.

— Vous n'aurez, je suppose, plus besoin de moi.

— Là, vous vous trompez, Bolsover. J'ai besoin de vous. Peut-être vous souvenez-vous que lors de notre première rencontre ma sœur m'a dit que vous souhaitiez surtout être valet de chambre.

— En effet.

— Jusque-là, je me suis débrouillé sans. Mais, Bolsover, le moment est venu que l'on s'occupe un peu de moi. Il me faut un... un second, quelqu'un prêt à traiter les questions qui peuvent se présenter. Veiller au bon état de mes vêtements ne serait pas le principal. Pour être franc, Bolsover, régir un domaine est une lourde tâche — et nous ne rajeunissons pas.

— Évidemment, monsieur, je suis à votre disposition.

— Nous commencerons par faire une tournée ensemble, demain matin, pour apprendre à connaître les fermiers et leurs habitudes. Vous serez une sorte de régisseur.

Ne pouvant pas être propriétaire terrien, mais devenir le régisseur de l'un d'eux était une situation enviable généralement réservée à un membre de la famille, Bolsover se congratula.

A VANT le dîner, Sir Harald passa en revue les bijoux de famille et fut content de trouver deux joyaux de valeur que l'on avait omis de faire figurer sur la liste. Sans doute pouvait-il donner n'importe quoi à Hannah, mais quand toute une propriété, faute d'héritier, revenait à la Couronne, il était à craindre que quelque petit fonctionnaire ultra scrupuleux passe tout en détail et cela pourrait être embarrassant pour la pauvre enfant qu'on lui demande ce qu'était devenu tel ou tel objet.

Au cours de cette période trouble, son absolue correction, sa compréhension et son acceptation d'une situation bizarre la lui avait rendue chère. Lorsqu'il lui avait annoncé : « Mon petit, Magnus est mort cet après-midi », elle n'avait pas joué la comédie du chagrin ou manifesté de froide indifférence.

Elle lui avait dit :

— Je suis désolée pour *vous*. C'était votre fils. Pour lui c'est sans doute une fin bienheureuse.

Et, à présent encore, alors qu'ils dînaient seuls ensemble — pour la dernière fois, mais elle, évidemment, ne s'en doutait pas — elle s'efforçait de le distraire.

— J'ai eu une lettre de Marie, ce matin. Elle ignore ce qui s'est passé, évidemment. Elle m'écrit de Grenoble où — Hannah marqua une petite pause pour donner davantage de poids à la fin de sa phrase — ils sont bloqués par la neige.

Elle avait pensé qu'il trouverait ça drôle. Effectivement, mais tout lui était devenu égal. Sa sœur, le cousin William et Jonathan avaient fait partie de Copsi. Leur désertion l'avait un peu blessé de même que l'idée de les savoir immobilisés par la neige à Grenoble l'amusa, un petit peu.

— J'ai toujours pensé que William s'est laissé persuader de tenter cette excursion, dit-il. Et je veux bien parier que cela lui fournira une remarquable excuse pour revenir. Nous ferions bien de faire aérer leurs lits.

Pouvait-on être plus terre à terre ? Plus prévoyant ?

Hannah était assise à sa droite. L'immense nappe damassée et amidonnée avait un reflet d'argent à la lueur des bougies. A sa gauche, deux écrins, l'un oblong et bleu foncé, l'autre carré et couleur de mûre, ressemblaient à deux îlot sombres.

Il choisit son moment. Fincham et Thomas étaient tous les deux dans la pièce lorsqu'il dit, avec l'espoir qu'on s'en souvienne également :

— Ma chère enfant, même si je vis jusqu'à quatre-vingt-dix ans, je n'oublierai jamais que vous — et vous seule — avez offert de le veiller avec moi. Cela a été une période très dure pour nous tous. Je voudrais vous donner ceci, simple témoignage de mon affection et de mon estime.

Il ouvrit les écrins, les poussa vers elle. L'écrin oblong contenait un rang de perles, brillant sous la lumière, l'autre une broche incrustée de diamants, en forme d'étoile, étincelants comme autant d'arcs-en-ciel.

— Je vous remercie, dit Hannah. C'est magnifique.

Elle ne fit pas un geste pour les prendre. Et, lui, auquel il restait si peu de temps, s'impatienta.

— Essayez-les, suggéra-t-il.

Alors, elle l'imita dans son observance des règles de la bienséance dont il avait toujours été l'esclave.

— Les perles à la rigueur, dit-elle. Mais pas de pierres précieuses pendant au moins un an.

A présent qu'il allait être libéré de tout cela, il pouvait se permettre de briser les chaînes qu'il avait portées toute sa vie.

— C'est ridicule ! Magnus ne sera pas moins mort dans un an qu'à présent. Enfin, si les perles sont autorisées...

Il se leva, un peu maladroit mais galant, sortit les perles de leur écrin, les lui passa autour du cou, et se débattit avec le fermoir parce que, entre les cheveux blond argent relevés et le col de la sévère robe de veuve, sa nuque semblait si enfantine et vulnérable.

Je m'y suis à nouveau mal pris ! songea-t-il. J'aurais dû l'envoyer quelque part. Demain elle s'éveillera, on lui apprendra mon accident et il n'y aura personne que des domestiques. Non pas que sa mort doive lui causer un choc. Elle n'avait pas de réelle affection pour lui. Et pourquoi en aurait-elle eu ? Cependant, il aurait dû mieux organiser tout cela, envoyer chercher sa mère, demander à Bertie de rester. Trop tard, à présent, pour penser à ces derniers détails.

La nappe brillante retirée révéla la table qui brillait. Un plateau avec le flacon de porto dont les femmes étaient autorisées à boire un peu avant de se retirer. Il faudrait répéter à Fincham, cet âne bâté, que Sir Harald ne buvait plus de porto, depuis une semaine il ne l'avait pas fait, car, disait-il, cela provoquait la goutte.

Tout était en ordre. Il refusait de s'apitoyer sur lui-même et de penser : c'est la dernière fois que je porte un verre à mes lèvres. C'est la dernière fois que je parle à un être vivant. Et, cependant, ce refus même était une admission.

— J'attendais que nous soyons seuls, dit Hannah. J'ai quelque chose à vous annoncer. J'ai attendu d'être absolument certaine...

Cela avait été indispensable parce que, contrairement à tant d'autres de ses amies, Alice Wentworth par exemple réglée comme la lune, elle avait un cycle assez irrégulier. Aller en pension, par exemple après tous les tiraillements entre son père et sa mère et devoir s'habituer à un nouveau mode de vie lui avaient fait sauter deux mois. Il lui était arrivé la même chose après l'accident de son père, la persécution de Magnus et son exil à Radmouth. Mais, à présent, cela faisait plus de deux mois, trois, en fait, et toutes ces nausées le matin. Elle put donc dire avec certitude :

— Je vais avoir un bébé.

Elle s'était attendue à ce qu'il soit un peu surpris, mais ravi ; certainement ravi. La perspective d'un enfant vivant devait effacer la mort d'un fou dangereux. Mais si elle lui avait envoyé un coup de pistolet par-dessus la table polie, l'effet n'eût pas été pire. L'espace d'une demi-seconde, il la regarda, les yeux exorbités, la bouche entrouverte, mais n'émettant aucun son. Son visage prit une couleur violacée et il s'écroula en avant, se cognant la tête sur le plateau et renversant le flacon de porto.

Et quelque chose influa sur le temps. Tout se passa au ralenti. Lentement, lentement, elle tira sur le cordon de sonnette, retourna à la table, redressa la tête de Sir Harald, la maintenant contre son ventre, près de l'endroit où, dans l'obscurité et le secret, la semence de sa semence avait germé. Tout le temps que Thomas mit à répondre, elle eut le loisir de se demander si l'effet de cette nouvelle était dû au choc ou au soupçon ; si Bertie s'était montrée indiscrète ; si le fait qu'elle ait attendu trois mois... Mais elle avait tellement voulu ne pas faire naître de faux espoirs. Elle se souvenait qu'un jour Sir Harald lui avait confié qu'il s'efforçait de toujours garder son calme et de ne pas se laisser emporter parce que la plupart des Copsey, ayant vécu au-delà de cinquante ans, mouraient de crises d'apoplexie.

Quand, après une éternité, Thomas parut, elle lui dit calmement.

— Appelez Bolsover. Puis envoyez chercher le médecin.

Un siècle encore passa au cours duquel elle soutint contre elle l'homme qu'elle croyait mourant. Et puis, Bolsover arriva, vif et sûr de lui, donnant des ordres secs aux domestiques qui s'étaient groupés à la porte.

— Que l'on apporte de la glace. Que l'un de vous prenne la place de madame.

Saigner un malade faisait partie de la routine autrefois. A présent, on l'évitait parce que l'on y avait souvent soumis ceux qui n'avaient déjà pas assez de sang, des femmes après un accouchement, par exemple. Mais Bolsover avait vu employer cette méthode avec efficacité. Un jour d'été torride à Nottingham ; vingt-cinq rounds contre un vrai cogneur. Il avait gagné et un gros type congestionné s'était approché de lui, lui avait claqué l'épaule. « Tu m'as fais gagner cinquante livres. Je t'offre... » Il s'était écroulé comme une masse sans finir sa phrase. Quelqu'un, sorti de la foule, s'était avancé, l'avait saigné et le soir même il était suffisamment en forme pour tenir sa promesse.

Quelque part sur la main. Mais où ? L'index ? Le pouce ? Bolsover sortit son canif et fit une petite entaille dans la veine gonflée entre le pouce et l'index de la main gauche.

— Regardez ailleurs, dit-il à Hannah qui, après avoir cédé sa place à Fincham, était revenue à sa chaise et semblait sur le point de s'effondrer.

Bolsover saisit un rince-doigts de cristal et le bruit des gouttes de sang tombant dans l'eau parfumée, trouva un écho dans celui du vin renversé s'égouttant au bord de la table.

Gordon apporta la glace.

— Mettez-la dans une serviette. Faites-en une sorte de bonnet, ordonna Bolsover. Que l'un de vous donne un peu d'eau-de-vie à Madame. Et que l'on nettoie cette saleté.

Même sans la brève conversation et la mention du terme magique de régisseur, Bolsover avait la situation en main.

La terrible nuance violacée pâlit sur le visage de Sir Harald. Bolsover appuya du pouce sur la petite coupure, la refermant. Puis il veilla au transport de Sir Harald dans son lit, le buste maintenu par des oreillers, comme pour Ransom.

— Vous avez bien fait, dit-il à Hannah, de lui tenir la tête. A présent vous feriez bien d'aller vous coucher vous aussi. Cela a dû être un choc pour vous.

— En effet. Je lui ai simplement dit quelque chose qui, je pensais, lui ferait plaisir. Je vais avoir un bébé.

— Oh.

Pas un instant Bolsover ne douta que l'on n'avait tenu compte de sa suggestion à Mme Reeve. Qui ? se demanda-t-il. Puis, il se souvint avoir deviné le secret de Jerry Flordon. Il espérait que c'était lui qui avait eu le plaisir.

— ... Je vous félicite. Et je suis sûr que, lorsque Sir Harald reprendra connaissance, il sera fou de joie.

— Vous pensez qu'il guérira ?

— Presque certainement. Son visage ne s'est pas affaissé.

— C'est grave, dans ce cas ?

— Parfois. Et si vous êtes... comme vous dites, raison de plus pour aller vous coucher. Pour quand l'heureux événement ?

— Pour août, je pense.

Un calcul rapide. Novembre ? Tout serait en ordre alors. Ou elle était drôlement maline, auquel cas elle aurait l'appui total de Bolsover, puisque l'idée du coucou dans le nid était de lui.

Hannah déclara qu'elle attendrait l'arrivée du docteur Fordyke. Mais, pour une fois, il ne pouvait faire ses visites si urgentes soient-elles. Il avait attrapé la grippe et, surmené comme il l'était, se trouvait dans un état lamentable.

— Peu importe, dit Bolsover. On se débrouillera.

L ORSQUE Sir Harald revint à lui, il y avait beaucoup trop de monde à son chevet. Il lui fallut quelque temps pour se rendre compte qu'en fait il voyait double. Il ferma les yeux avec force, les rouvrit. Toujours deux pour un.

— Ça va, monsieur, lui expliqua le double Bolsover. Juste un afflux de sang à la tête. Vous vous sentirez mieux demain.

Cela n'appelait pas de réponse et il ne se fatigua pas à en chercher une. Mais il fallait dire quelque chose aux deux Hannah. « Ma chère enfant, quelle bonne nouvelle. » Il le dit, mais ce qu'il émit ressemblait à une langue étrangère. Mais laquelle ? Le collège lui avait donné de bonnes notions de latin, moindres en grec. Aux Indes, il avait retenu quelques mots essentiels des divers dialectes. Mais ce qui sortit de sa bouche quand il voulut s'adresser à Hannah ne rappelait rien de ce qu'il avait jamais entendu. Il vit les diverses personnes alentour et leur double se regarder, atterrées. Seul, Bolsover resta imperturbable.

— Vous avez une légère difficulté d'élocution, monsieur, mais cela va passer. Ne vous tracassez pas, vous serez tout à fait remis demain.

Sir Harald acquiesça d'un vigoureux coup de tête et sourit à tout le monde, puis il chercha la main d'Hannah et la serra de façon éloquente. Elle se pencha et l'embrassa.

IL dormit bien et se réveilla, le lendemain matin, pour ne trouver qu'un seul Bolsover à côté de son lit. Il y avait du progrès ! Mais quand il dit : « Bonjour, Bolsover » ce ne fut qu'un mélange confus de mots pratiquement incompréhensibles. « Si c'est tout ce qui ne marche pas, eh bien je m'en accommoderai ! » se dit-il. Il resta allongé un moment à réfléchir à ce que Bolsover avait appelé un afflux de sang à la tête. Cela pouvait signifier l'apoplexie qui, souvent, laissait les gens diminués ou défigurés. Cependant, quand il voulut se lever, Bolsover présent, mais discrètement, il se sentit en aussi bonne santé que la veille et heureux comme il ne l'avait pas été depuis des années. Copsi était sauvé ! Aussi résolument qu'il s'était refusé à admettre l'état mental de Magnus, il rejeta l'idée même que quelque chose puisse mal se passer ; qu'Hannah fasse une fausse couche ou donne le jour à une fille. La vie, il le savait, vous jouait des sales tours, mais il avait payé sa part. C'était, par la simple logique des choses, son tour d'être heureux.

Jamais il n'avait trouvé du plaisir à la conversation, il découvrait, à présent qu'il avait une excellente excuse pour donner sa démission, que ses différentes responsabilités publiques étaient profondément ennuyeuses. Il pouvait consacrer tout son temps à Copsi et à Hannah qu'il entourait de soins béats, la traitant comme une plante exotique et fragile qu'il fallait garder sous verre et la surveiller à chaque instant pour l'empêcher de mourir. Elle n'avait plus le droit de se rendre à Bressford dans sa petite voiture. Allez savoir ce qui pouvait se passer ! Un poney peut perdre un fer, s'effrayer. On l'y conduisait, dans la calèche.

Bolsover avait très vite compris le sens de ce qu'il disait et transmettait ses désirs et ses ordres. Hannah ne le comprenait absolument pas, mais il pouvait écrire et elle savait lire. Si Bolsover était le seul à le comprendre, parfois il lui demandait :

— J'aimerais que vous me l'écriviez, monsieur.

Ainsi quand Mme le Beaune, M. Orde et Mr Winthrop revinrent tous les trois affligés d'un énorme rhume et que Sir Harald décréta :

— J'interdis qu'ils s'approchent de Madame Magnus.

Ils étaient les bienvenus, mais qu'ils restent chez eux. Ils viendraient à sa table quand il les inviterait, pas autrement. Bolsover demanda un mot de sa main pour confirmer tout cela et Sir Harald le lui donna. Il s'était montré propriétaire très facile, strict, mais aimable. A présent il était plus strict et moins aimable, surtout en ce qui concernait les arriérés. Les gens le reprochaient à Bolsover, là sur son cheval et répétant : « Sir Harald dit. » Quelques-uns en allèrent jusqu'à douter de la bonne interprétation du nouveau régisseur mais furent très vite domptés. « J'aimerai que vous m'écriviez ça, monsieur » et Sir Harald prenait son bloc et son crayon pour confirmer ce qu'avait dit Bolsover. Le fait de perdre l'usage de la parole avait rendu Sir Harald despotique, pensait-on. En fait, il l'avait toujours été, mais, sauf en ce qui concernait les Reeve, il avait toujours exercé un énorme contrôle sur lui-même. A présent, il n'en éprouvait plus le besoin, ni celui de jouer la comédie.

JOHN REEVE apprit avec joie la condition d'Hannah. Au fond, il avait eu raison. Martha, un temps, partagea les doutes de Bolsover et décida que si le bébé naissait un tout petit peu trop tard, elle jurerait que sa fille et le mari de celle-ci avaient passé une nuit ensemble à une date appropriée. Bertie, de son côté, était prête à faire la même chose.

AOÛT, le mois de la moisson arriva et le nouveau Magnus Copsey avec ce sens de la ponctualité et de considération pour les autres qui devaient le marquer toute sa vie, vint au monde sans faire le moindre embarras. Martha était là. Elle avait amené le petit Édouard parce que l'école était fermée et que sa grand-mère faisait une cure à Bath. La sage-femme de Bressford était également sur place. Elle se vantait, en vingt-cinq ans, de ne pas avoir raté un seul accouchement. Une ou deux de ses patientes étaient mortes, mais beaucoup plus tard et pour d'autres raisons. Sir Harald l'avait choisie pour son palmarès, mais aussi parce qu'elle ne voulait pas entendre parler d'intervention chirurgicale. Mme Reeve et elle étaient tombées totalement d'accord sur un sujet : prendre de l'exercice le plus longtemps possible. C'était en partie pour cela que les femmes pauvres accouchaient plus facilement que celles qui pouvaient se permettre de faire de la chaise longue. L'opinion de Martha était basée sur l'expérience, elle avait travaillé jusqu'au dernier jour. Quant à la sage-femme, elle n'avait jamais eu d'enfants elle-même, mais elle avait eu amplement l'occasion de se faire une opinion. Ainsi, le second dimanche d'août, Hannah faisait-elle une petite promenade lorsqu'elle sentit les premiers signes.
— Je crois que je ferais bien de rentrer, dit-elle.
Deux heures plus tard, elle avait accouché.

Deux heures d'intense anxiété pour Sir Harald et il ne fit aucun effort pour le dissimuler. Bolsover était inquiet également, mais surtout pour son maître. Une attaque, si faible qu'elle ait été, pouvait n'être qu'un début et ce serait par trop cruel si, en ce moment, au point culminant de tant d'espoirs, de tant de pleurs, de tant de ruses, le pauvre devait être frappé à nouveau. Cette fois-ci cependant, Sir Harald était préparé à la joie et lorsque Martha descendit et annonça : « Nous avons un petit-fils, Sir Harald », il la prit dans ses bras et l'embrassa sur les deux joues.

Il pleura quand il vit le bébé, non seulement un garçon mais beau et paraissant plein de vie. Et un vrai Copsey, né avec des cheveux blond roux. N'osant se risquer à bredouiller devant la sage-femme, il toucha le duvet roux puis ses propres cheveux grisonnants. Elle expliqua que les premiers cheveux tombent toujours et peuvent repousser de n'importe quelle couleur. Cette explication ne lui plut pas et il songea à lui donner une guinée de moins qu'il n'en avait eu l'intention. Le soir même, il fit des plans pour le baptême qui devait surpasser tous les autres. Il demanderait à Lord Hornsby d'être l'un des parrains. Cela les rapprocherait. Bolsover serait l'autre.

— J'aimerais que vous écriviez cela, monsieur.

Sir Harald écrivit : « Je souhaite que Daniel Bolsover soit le parrain de mon petit-fils. Sans lui et la rapidité de sa réaction je ne serai pas là pour ce joyeux événement. »

Lord Hornsby accepta cet honneur et, Willinstone étant si éloigné, passa une nuit dans la splendeur et l'extrême inconfort de la chambre du roi. Hannah fut autorisée à choisir la marraine et ce fut Mlle Drayton. Ainsi, des représentants de la noblesse, du bon sens et de l'enseignement se retrouvèrent devant les fonts baptismaux pour donner le nom de Magnus à l'enfant. Seul, Bolsover émit des doutes quant au choix de ce prénom.

— Vous pourriez penser un peu à sa mère, fit-il remarquer, l'air sombre. Ce nom ne peut pas lui rappeler de bons souvenirs, convenez-en !

Sir Harald répliqua — tout prêt à l'écrire pour peu que Bolsover ne veuille pas comprendre — que l'on avait toujours appelé ainsi le fils aîné, chez les Copsey — Cela importa peu du reste. Le jeune Magnus s'entendit si souvent dire : « My boy, my dear boy » (1) qu'il se désigna lui-même ainsi et qu'on l'appela Boy jusqu'à ce qu'il devint Sir Magnus et il resta toujours Boy Copsey pour ses amis.

R IEN ne fut trop beau pour Hannah qui s'était montrée tellement digne de confiance dans tant de domaines. Elle ne serait jamais

(1) Mon fils, mon cher enfant.

Lady Copsey, mais elle aurait sa place dans la grande galerie. Malgré le peu de goût qu'il éprouvait pour l'œuvre de Jonathan, la solidarité familiale le poussa à lui demander de se charger du travail, car il savait peindre convenablement, quand il le voulait. Prévenu, par l'intermédiaire de Bolsover et par de multiples instructions de la main de Sir Harald, Jonathan produisit un nouveau portrait scandaleux. Hannah s'y montrait digne. Sir Harald avait insisté sur ce détail, soulignant sa phrase avec une telle vigueur qu'il en avait cassé la mine de son crayon, mais c'était une dignité imposée à une enfant si jeune, si fragile d'apparence, qu'elle ressemblait à un masque. C'était le portrait d'une très jeune fille que l'on aurait parée de joyaux magnifiques beaucoup trop importants pour elle. La grosse émeraude paraissait beaucoup trop lourde pour la main délicate, son cou semblait manquer de la vigueur nécessaire pour supporter le poids de la masse des cheveux blond argent relevés et couronnés de la tiare exigée par Sir Harald. Quant aux yeux...

Sir Harald manifesta longuement sa désapprobation verbalement, et par écrit, Bolsover manquant de compréhension dans certaines sphères. Sa belle-fille ne ressemblait absolument pas à ça ! Elle avait l'air malade ! Et voyez la façon dont elle s'était remise de son accouchement ! Souvenez-vous de ce bon sens, de cette résistance dont elle avait fait preuve au cours de ces mois difficiles ! Pourquoi, si comme le prétendait Jonathan, il peignait les gens tels qu'ils étaient, pourquoi n'avait-il pas su représenter, si peu que ce soit, cet équilibre, ce sens de l'humour presque caustique et toutes les autres qualités faisant sa force et que Sir Harald avait tellement admirées chez sa belle-fille ?

Inutile de provoquer une nouvelle attaque ! Bolsover, prudent, se contenta de dire que, d'un certain côté, il y avait une assez bonne ressemblance : cet éclat argent de ses cheveux ! D'autre part, il y avait des exagérations. Mais tous les peintres étaient portés à l'exagération.

Entendu ! Sir Harald n'allait pas se quereller avec la seule personne capable de le comprendre même partiellement. Mais où cessait l'exagération et où commençait la déformation ? Cette pauvre petite paraissait sous-alimentée et malheureuse ! Et regardez-la s'amuser avec son bébé qui essayait de se déplacer à quatre pattes.

— Oh, oui, reconnut Bolsover, cet enfant est une grande joie pour elle. Mais il faut envisager la question sous un autre angle, monsieur. Quel âge a-t-elle ? Seize, dix-sept ans ? Son mariage n'en a pas été un. Et la voilà veuve. Si l'on y réfléchit, c'en est assez pour qu'une femme s'appitoie sur son sort.

Un jour, en refaisant son testament, Sir Harald avait pensé à la possibilité, la presque certitude, qu'Hannah se remarierait. A l'époque, cela lui avait paru la meilleure des solutions. Mais c'était au moment où il avait envisagé, calmement, la fin de Copsi et la sienne. Depuis, il n'avait pas accordé à un sujet aussi secondaire une seule pensée. Tout était centré autour du bébé.

ET ce fut à nouveau le printemps avec quelques giboulées de neige, suivies par des primevères et des chatons dansant dans les haies. Sir Harald avait fait sa tournée avec Bolsover. La journée avait été très agréable et, à présent, il montait l'escalier, s'apprêtant au moment tant attendu, assister au dîner du jeune Magnus, âgé maintenant de sept mois.

On avait opéré de nombreuses modifications à cet étage. Bolsover occupait, à présent, l'ancienne chambre de Magnus, et Sir Harald avait pris celle de Bolsover. La chambre occupée un temps par le menuisier, l'ancienne chambre de Sir Harald et un petit cabinet de toilette avaient été transformés en une nursery somptueuse. En approchant de la porte, Sir Harald entendit une voix d'homme et son cœur se mit à palpiter. Le médecin ? Il était arrivé quelque chose à l'enfant ? Il se précipita, entra en coup de vent. Baxter, la nurse, un joyau dans son genre, était assise dans le fauteuil à bascule devant la cheminée tenant au chaud la petite chemise de nuit de Magnus. Hannah, à table, l'enfant sur ses genoux, ôtait le chapeau d'un œuf à la coque. Mais, également à la table, se trouvait un homme, ses grandes mains hâlées occupées à couper avec soin du pain beurré en petits bâtonnets.

Jerry Flordon.

Sir Harald éprouvait pour lui une légère désapprobation, en grande partie parce qu'il avait rompu très tôt avec la tradition de Copsi pour mener une existence que l'on pouvait qualifier d'errante. Ici un jour, parti le lendemain. A cela, on pouvait rétorquer qu'il se montrait bon fils avec sa vieille mère et payait son loyer avec régularité. Par contre, sa sœur était une honte. Quant à sa façon d'être, elle frisait la désinvolture.

Évidemment, Hannah et lui se connaissaient. John Reeve l'avait employé. Mais cela ne justifiait pas ce spectacle presque familial. Jerry Flordon aidant pour le dîner du bébé !

Toutes ces pensées lui traversèrent l'esprit le temps qu'il mit à émettre les sons incompréhensibles signifiant : « Bonsoir, Flordon ! » Et ce fut l'un des rares instants où son infirmité le gêna. On pouvait exprimer tant de choses rien que par le *ton*.

— Bonsoir, monsieur, répondit Jerry qui offrit son siège.

Avant de le prendre, Sir Harald tapota le bras d'Hannah et caressa les cheveux de Magnus qui, contrairement à ce qu'avait dit la sage-femme, avaient poussé de la couleur propre aux Copsey et étaient bouclés.

— Attendez, chez moi, Jerry, je ne serai pas longue, dit Hannah.

Sir Harald oublia tout dans le seul fait, oh merveille, de plonger des languettes de pain beurré dans le jaune d'œuf et de les offrir à la petite bouche avide. Le jeune Magnus faisait déjà très bien la différence entre les gens et savait, lorsque celui qui lui donnait à manger transformait un repas en jeu, détourner la tête, feignant de refuser le morceau offert, et faire face à nouveau en riant. Jamais il n'essayait cela sur les autres. Pas plus qu'il ne cherchait à prendre tout seul sa timbale de lait. Au milieu de cet exercice, Sir Harald regarda Hannah et se sentit de nouveau furieux contre Jonathan. Comment avait-il pu si mal représenter cette jeune femme heureuse aux joues roses et aux yeux rieurs ?

— Jerry voulait surtout vous voir, dit-elle quand la nurse s'approcha avec un linge humide pour ôter les traces de jaune d'œuf. Venez-vous chez moi, ou préférez-vous que nous descendions ?

Il se sentait plus à l'aise sur son propre territoire aussi, du doigt, il indiqua l'escalier.

— Il s'agit en partie de « La bosse de Saint Luc », expliqua la jeune femme se servant de l'ancien nom de cette terre de dix acres qu'avait louée pendant des années le fermier du « Nid de l'écureuil ». Cela faisait trop pour lui à présent. Il se faisait vieux et son fils était de ceux qui avaient préféré l'exil à l'idée d'être commandé par Magnus, un écho de l'affaire Jim Bateman.

— ... Et également d'autre chose, mais les deux sont liées. J'espère que vous l'écouterez avec patience.

Et qui pouvait prétendre qu'il n'avait jamais écouté quelqu'un patiemment ? Il avait toujours prêté l'oreille à tous et à chacun et fait, chaque fois, ce qu'il avait pu. Une seule fois dans sa vie, il s'était montré profondément injuste et cela avait eu pour résultat ce merveilleux petit garçon que l'on mettait au lit à présent.

Ce que Jerry Flordon avait à dire était particulièrement choquant. Il voulait louer « La bosse de Saint Luc » parce qu'il avait l'intention d'épouser Hannah et ne voulait pas avoir l'air de vivre aux crochets de sa femme.

— Si vous me louez la terre à un prix raisonnable, je pourrai y faire ce que j'espérais faire avec celle de Reffolds. Je suis prêt à habiter ici (Grand Dieu Jerry Flordon, prêt à vivre à Copsi !) parce que, naturellement, vous voudrez avoir le petit avec vous et qu'Hannah ne veut pas se séparer de son fils. Je paierai pour mon entretien.

Sir Harald n'eut-il pas déjà souffert d'une difficulté d'élocution qu'il aurait été frappé de mutité. Et, après un moment, aurait éclaté en imprécations. Là, il ne put que fixer son vis-à-vis, les yeux exorbités. C'était un signe dangereux ! Hannah s'approcha vivement de lui, se percha sur le bras de son fauteuil, lui caressa l'épaule, lui souriant. Employant enfin toutes ces petites astuces féminines dont il lui avait, autrefois, reproché de manquer.

— Vous êtes surpris, dit-elle d'un ton léger, mais avec une certaine fermeté, suffisante pour le prévenir que cette surprise était la seule émotion qu'il pouvait manifester.

Là, dans sa propre bibliothèque, face à face avec le fils de la veuve Flordon, ce vagabond, qui condescendait à envisager de s'installer à

Copsi. Qui se proposait de devenir un membre de la famille ! Le beau-père de cet enfant bien-aimé ! Quelle impertinence ! Quelle impudence !

— J'ai été surprise moi-même, continua Hannah, de voir Jerry cet après-midi. Il était parti pour un très long voyage cette fois. Jusqu'en Islande. Je commençais à m'inquiéter.

Jerry assista à cette petite comédie avec un sourire froid, sardonique. Il connaissait exactement les sentiments de Sir Harald, il avait prévenu Hannah, son beau-père ne se laisserait pas faire et elle avait répondu :

— Et puis après ? Regardez ce qu'il *me* doit.

Il était resté debout, silhouette puissante découpée contre la fenêtre éclairée par le coucher de soleil.

— Je sais ce que vous en pensez. Un homme retournant la terre, allant vendre ce qu'il aura fait pousser avant de revenir ici. Il n'y a pas de honte à faire un travail honnête, permettez-moi de vous le dire, et la boue, ça se lave. Cette situation n'est pas de mon fait — sauf que j'ai été trop lent. J'ai attendu d'avoir quelque chose à offrir et après, c'était trop tard... Mais j'aime Hannah et elle m'aime. Je fais de mon mieux. J'ai de l'argent de côté. Hannah et moi, nous pourrions partir et vivre n'importe où... mais il faut penser à l'enfant.

Sir Harald émit quelques gargouillis et saisit son bloc. Il écrivit avec fébrilité. « *Réfléchissez. Est-ce réellement ce que vous voulez ?* »

— Mais bien sûr. Oui. Oui.

Le flux rouge de sa colère avait eu le temps de se retirer et Sir Harald celui de réfléchir. Une séduisante jeune femme comme Hannah aurait pu choisir n'importe qui et *emmener l'enfant avec elle*. Et, après tout, n'avait-il pas contraint tout le monde à accepter une fille de fermier ? Ne pourrait-il refaire la même chose ? Bien sûr qu'il le pourrait. Copsi et lui avaient déjà résisté à des coups aussi durs.

« *Vous avez ma bénédiction* », écrivit-il.

Il s'y sentait, en fait, aussi peu disposé qu'il ne l'avait été pour conclure le précédent mariage. Mais, là aussi, le résultat en valut la peine.

Pour Sir Harald commença une ère de paix heureuse. Le bonheur, engendré par ce mariage d'amour, parut déborder, influer sur tout le monde, changer l'atmosphère de la maison. Le jeune Magnus grandit, vif, intelligent, toujours de bonne humeur. Non seulement il aimait son grand-père, mais le comprenait. Le langage d'un enfant apprenant à parler et celui d'un homme vieillissant ne pouvant plus prononcer correctement se ressemblaient. Ils entretenaient de longues conversations ponctuées d'éclats de rire et Bolsover cessa d'être le seul interprète. Quand Boy déclarait : « Grand-papa a dit... » il ne se trompait jamais. D'après Martha, Boy devenait bilingue ce qui était excellent pour la souplesse de l'esprit.

Un autre lien existait également entre eux : ils marchaient à peu près au même pas, Sir Harald ralenti par sa blessure et le poids des ans et

Boy par ses petites jambes. Ils se promenaient dans le jardin et souvent, par mauvais temps, dans la grande galerie où ils revivaient l'histoire muette accrochée à ses murs. Contrairement à un autre petit garçon que Sir Harald avait, en vain, cherché à intéresser, celui-ci écoutait avec attention, considérait les gens dont il voyait les portraits comme des êtres vivants et il était toujours prêt à écouter une histoire nouvelle ou à en réentendre une déjà contée. Sir Harald avait toujours aimé montrer ses portraits de famille, mais jamais encore il n'avait eu d'auditeur aussi intéressé que son petit-fils auquel il pouvait raconter, dans la langue qui était la leur, en détail, la longue, très longue histoire de Copsi.

*Achevé d'imprimer à Montréal
par Presses Élite Inc.*

IMPRIMÉ AU CANADA